国家社会科学基金“十三五”规划2018年度教育学重大招标课题
“建设教育强国的国际经验与中国路径研究”阶段性研究成果
“湖北省哲学社会科学基金项目‘日本教育治理研究’（立项号：2018133）”最终研究成果

全球教育治理研究系列

日本教育治理研究

A Study of Education Governance in Japan

主 编 周洪宇　副主编 王建梁
赵 霞 著

长江出版传媒 | 湖北教育出版社

总　序

站在人类历史拐点探求全球教育治理之道

当我们把目光做一个转向聚焦，跳出教育，纵观世界，我们会惊奇地发现当今人类历史发展已处在新的拐点处——第四次工业革命正扑面而来，势不可当。这将给人类社会带来前所未有的系统而深刻的变革，也无疑会成为下一个时代教育的起点，并促使教育的变革与发展也随之迎来新的拐点。第四次工业革命的车轮驱动着全球化、新工业化、生态化、智能化和数据化时代滚滚向前，对教育发展变革，尤其是教育治理，带来了前所未有的冲击与挑战。这是全球教育治理以及中国教育治理必须构建的宏观视野。

一、人类历史拐点与教育发展的十字路口

在人类社会发展的历史长河中，技术革新和传播持续推动着人类创造新的世界。从农耕时代到工业时代再到信息时代，人类历史不断从一个阶段迈向另一个阶段。信息时代是人类正在经历的发展阶段，这个阶段无疑只是人类漫漫历史征程中的一个特定时期。未来，人类将走向何方？还可以走多远？

历史上，工业革命是指工业化进程中所发生的重大变革。新的制造工具的应用，推动了工业发生根本性的变革，引起了工业从旧质飞跃到新质，使国民经济的产业结构发生了重大的变化，进而使经济社会各方面出现了崭新面貌，推动了人类社会发展的进程和文明的程度。[①]人类进入工业文明阶段后至今已经发生了三次工业革命。从18世纪第一次工业革命的机械化，到19世纪第二次工业革命的电气化，再到20世纪第三次工业革命的信息化，一次

① 周洪宇. 周洪宇论第三次工业革命［M］. 武汉：湖北教育出版社，2014：215.

次颠覆性的科技革新，带来社会生产力的巨大解放和生活方式的大变革，从根本上改变了人类发展的历史轨迹。

统观前三次工业革命，可以发现它们对世界发展格局都产生了巨大影响。一是都极大地促进了社会生产力的发展，带来了工业布局的新变化。第一次工业革命随一波创新浪潮而来，例如蒸汽机和棉纺机的发明。它伴随着一次历史性剧变，带来许多系统性的变化，如城市化、大众教育和农业产业化等。第二次工业革命的核心是电气化和大规模生产，为世界带来了全新的社会模式和生产方式。第三次工业革命，以电子、信息技术和网络为核心，也被称为数字革命，在过去的七十多年，实现了生产的自动化，世界互联互通，使传统的物理世界彻底颠覆。二是都引起了社会关系的重大变革。第一次工业革命导致近代社会工业无产阶级和资产阶级产生，并开启了大规模的城市化进程。第二次工业革命致使垄断组织出现，并与国家政权结合，使自由资本主义过渡到垄断资本主义。第三次工业革命使国家垄断资本主义强化，第三产业比重上升。三是都对世界格局产生巨大影响。第一次工业革命确立了资本主义对世界的统治，殖民扩张造成东方从属于西方。第二次工业革命最终形成资本主义世界体系、殖民体系，世界成为一个密不可分的整体。第三次工业革命推动了国际经济结构的调整，全球化加速，世界各国经济相互依存，联系日益紧密。相较农耕文明时代而言，工业文明时代的人类更深刻地改变和影响了地球。第一、二次工业革命所创造的财富与统治力所向披靡、无可抵挡。第三次工业革命呈现了信息技术革命、生物技术革命等新形态，表现为新能源、新技术、新材料与互联网的融合、创新和运用。①它继续推进及强化了人类对自然的改造和控制力。

进入21世纪，科技推动社会飞速发展，大数据、人工智能、云计算等前沿技术不断取得突破，新技术、新业态、新产业层出不穷。这些因素促使第四次工业革命浪潮汹涌而至，这是一场更大范围、更深层次的科技革命和产业变革，即将深刻改变人类社会的发展进程。“第四次工业革命论”首倡者、世界经济论坛主席克劳斯·施瓦布所著的《第四次工业革命》一书认

---

① 周洪宇.周洪宇论第三次工业革命[M].武汉：湖北教育出版社，2014：218.

为这场革命正以前所未有的态势向我们席卷而来。其发展速度之快、范围之广、程度之深丝毫不逊于前三次工业革命。第四次工业革命的核心是智能化与数据化，它将数字技术、物理技术、生物技术有机融合在一起，即通过技术融合消除数字世界、物理世界和生物世界之间的界限。①因此迸发出强大的力量，对我们的经济和社会产生深刻影响。可植入技术、数字化身份、物联网、3D打印、人工智能、区块链、大数据、纳米技术、生物技术、材料科学、能源储存、量子计算等技术变革同步进行，融合形成一个高度灵活、人性化、数字化的产品生产与服务模式。与前三次工业革命不同，本次工业革命呈现出指数级而非线性的发展速度。原因在于我们目前生活在一个万物互联的世界，而且新技术也在不断催生更新、更强大的技术。创新的发展速度和传播速度比以往任何时候都快。这是一场深刻的系统性变革。它不仅从根本上改变了我们的生活、工作以及相互之间的关系，更改变了整个社会和我们的身份。

这些变革让各国、各类组织、人与人之间的利益和命运紧密相连，深度交融。我们认识和理解这次革命需要跨界思维。这次革命在推动生产力水平提高、物质丰富的同时，也将从速度、深度、广度上给个人以及经济、政治、社会和文化的发展带来新的冲击和变化、机遇与挑战。然而，世界经济新旧动能转换尚未完成，南北失衡等深层次、结构性问题还未消除。地缘政治冲突此起彼伏，保护主义和单边主义愈演愈烈。②这些问题与第四次工业革命带来的冲击合流，将成为影响世界和平与发展的不稳定因素。这正是我们今天所处的时代，是我们正面临的人类发展的历史拐点。

第四次工业革命和伴随着它的系统性变化，将会比以往任何时候都更加强调合作参与，要求进一步改变协同参与的方式，要求我们共同构想自己将要创造的未来。面对全球发展对沟通、合作越来越多的需求和依赖，每个国家都应该积极推进开放分享。德国政府在《德国2020高技术战略》中提出的

① World Economic Forum. The Fourth Industrial Revolution, by Klaus Schwab [EB/OL].[2020-01-14]. http://www. weforum. org/about/the-fourth-industrial-revolution-by-klaus-schwab.

② 习近平. 让美好愿景变为现实——在金砖国家领导人约翰内斯堡会晤大范围会议上的讲话[N]. 人民日报，2018-07-27（3）.

十大未来项目之一——工业4.0，旨在提升制造业的智能化水平，建立具有适应性、资源效率及基因工程学的智慧工厂，在商业流程及价值流程中整合客户及商业伙伴。其技术基础是网络实体系统及物联网。这是发达国家对第四次工业革命的积极回应。

全人类历史拐点的出现，把正在现代化建设道路上奋力前行的东方第一大国——中国再一次推到了历史的十字路口。前两次工业革命的缺席，使中国没有赶上西方的工业化进程，而成为工业化的后发国家。从中华人民共和国成立后的第一个五年计划起，中国在工业基础十分薄弱的条件下，开始了以工业化为核心的现代化征程。经历了从传统的社会主义工业化道路到改革开放后的中国特色社会主义工业化道路的转型，中国工业化取得了巨大的成就，中国已经从农业经济大国转变为工业经济大国。但它的工业化仍然没有完成，工业化进程仍在途中。今天，正当中国即将快速跨入工业化国家行列之际，人们眼前却横出一块“工业文明将就此止步”的警示牌，令中国蓦然站在时代大转型的历史关口。

站在人类历史拐点处，中国该何去何从？作为全球化进程的重要参与者，当前的中国也面临着经济、社会转型等重大问题。中国经济已由高速增长阶段转向高质量发展阶段，正处在转变发展方式、优化经济结构、转换增长动力的攻关期，迫切需要抓住第四次工业革命的机遇，寻找可持续发展的原动力。

放眼全球，人类正面临百年未有之大变局。基于互联网技术的智能化、数据化高度融合的第四次工业革命已经来临。我们不仅需要反思我们的经济、社会和政治体制，还需要反思我们的教育是否能够适应和引领这场深刻的变革，反思教育这把钥匙能否打开一扇可以让我们看到希望和未来的思考之门。

二、全球化新文明时代的教育治理

如果说告别工业化社会、迎接第四次工业革命带来的新文明是人类走出当前困境的必由之路，那么，由此催生的全球化时代则使全球治理成为现实。正在蓬勃发展的全球治理实践给全球教育治理带来了新的动力，进一步推动了全球教育治理的发展。

21世纪，随着全球化、区域一体化进程的持续发展，人类日益成为一个命运共同体。以人工智能、数据化等深度融合为标志的第四次工业革命让这种趋势愈发加速。人工智能及相关技术带来的安全和治理挑战是需要全人类共同面对的问题。同时，人类还面临许多领域的问题，如核威胁、气候变化、环境污染、疾病流行等。这些问题一旦爆发，各国很难独善其身。这就需要各国具备全球视野，协同合作，共同解决这些问题。“人类的政治生活正在发生重大的变革，其中最引人注目的变化之一，便是人类政治过程的重心正在从统治（government）走向治理（governance），从善政（good government）走向善治（good governance），从政府的统治走向没有政府的治理（governance without government），从民族国家的政府统治走向全球治理（global governance）。”[①]全球治理是国际体系中以主权国家为核心的各个行为体共同合作，通过正式制度和非正式制度安排，协调各自利益和政策，以应对全球化时代人类社会必须面对的各种跨国的全球性挑战，并支持各个国家实现国家治理水平提升的活动。从中国的角度看，全球治理与国家治理是当代中国两大战略考量。日渐崛起的当代中国，经济总量居于世界前列，成为世界经济增长的新引擎，国际社会赋予中国更多责任与希望。中国积极参与全球治理，有助于澄清当下国际社会对中国的质疑与误解，表明当代中国的担当，有助于化解国际社会对中国“参与不足”的指责，表明当代中国维护人类共同利益、推进人类共同进步的理念与追求，有助于赢得国际社会的尊重，从而引领着人类的发展。

教育治理是全球治理的一个重要组成部分，也是国家治理的具体内容。全球治理和国家治理的推进势必促进教育治理的发展。第四次工业革命必将深刻改变人类的学习方式和生活方式，引发人们对于“人”的价值的进一步思考。教育和教育治理的理念、规则、方式也不可避免地要受到影响和冲击。世界银行发布的年度旗舰报告《2018年世界发展报告：学习以实现教育的承诺》(World Development Report 2018：Learning to Realize Education’s

---

① 俞可平. 全球治理引论[J]. 马克思主义与现实，2002（1）.

Promise) 指出，全球教育面临“学习危机”——上学却没学到知识，这不仅是浪费发展机遇，也是对全世界儿童和青少年的巨大不公。造成“学习危机”的一个重要原因就是低效的教育管理和治理。

近年来，全球教育治理的理念正在出现新的变化。2015年年底，联合国教科文组织发布了一份新的研究报告《反思教育：向“全球共同利益”的理念转变？》（Rethinking Education: Towards a Global Common Good？）。这是联合国教科文组织成立七十多年以来，继1972年出版的研究报告《学会生存：教育世界的今天和明天》（Learning to Be：The World of Education Today and Tomorrow，又称《富尔报告》，即Faure Report）和1996年出版的研究报告《教育——财富蕴藏其中》（Learning：The Treasure Within，又称《德洛尔报告》，即Delors Report）之后，又一份非常重要的报告。联合国教科文组织总干事伊琳娜·博科娃在这一报告的《序言》中开门见山地写道：“我们在21世纪需要怎样的教育？在当前社会变革的背景下，教育的宗旨是什么？应如何组织学习？本出版物的思想便是因这些问题有感而发。”她继而写道：“我确信，我们今天需要对教育再次做出高瞻远瞩的思考。”博科娃认为“再没有比教育更加强大的变革力量”。她进而强调“教育促进人权和尊严，消除贫穷，强化可持续性，为所有人建设更美好的未来”，“教育以权利平等和社会正义、尊重文化多样性、国际团结和分担责任为基础”。她最后指出：“我们必须高瞻远瞩，在不断变化的世界中重新审视教育。”这种重新审视的结果就是我们21世纪的教育应该向“全球共同利益”的理念转变。可以断定，这份报告必定像前两份报告那样对世界教育的发展产生重大影响。

随着全球一体化进程加速，全球性教育问题（如教育不平等、“学习危机”等）将持续存在而且有复杂化的趋势。通信技术、信息技术和互联网技术的飞速发展，也让教育领域的许多问题，如信息技术背景下的核心素养、信息技术教育、教育与经济同步发展、教育与创新等，成为具有全球性特质的难题。要解决这些问题，客观上要求全球教育治理这一理念、方式及行动在世界各国教育领域中发挥越来越重要的作用。它要求世界各国站在全球的高度，运用现代治理的理论和理念，以主权国家为主体，充分运用国际政府组织、国际非政府组织、公民社会等的力量，寻求问题的最佳解决方案。教育领域已显现了全球化的负面影响，需要更有效的全球治理。[①]世界主要国家，国际组织如联合国教科文组织、世界银行、经合组织、联合国儿童基金会、二十国集团、全球教育合作组织等，全球知名智库如卡耐基教学促进会、布鲁金斯学会、兰德公司、澳大利亚教育研究委员会等，都是参与全球教育治理的行为主体。它们正通过各种方式介入全球教育领域的治理。全球教育治理是顺应时代发展趋势的一种新型治理理论，如何从参与全球教育治理的诸多行为主体的行动中总结全球教育治理的实践经验、提炼理论，如何运用其推动全球教育的发展，成为当前迫切需要研究的课题。

当前，中国正处于推进国家治理体系与治理能力现代化建设的关键阶段，教育领域也不例外。中国实行改革开放的国策，把自身置于世界的开放体系之中。改革开放推动中国教育取得了举世瞩目的巨大成就，教育同步助力改革开放走向更高水平、更高层次。与此同时，教育也面临着新的更大的机遇与挑战。党的十九大确定了中国发展新的历史方位——中国特色社会主义进入了新时代。新时代的社会主要矛盾发生了变化，教育领域的主要矛盾集中体现为人民对优质教育日益增长的需求与教育发展的不平衡不充分之间的矛盾。2019年2月，中国颁布了《中国教育现代化2035》和《加快推进教育现代化实施方案（2018—2022年）》，明确了未来一段时期中国教育发展的总体思路、战略任务、实施路径与保障措施。《中国教育现代化2035》提出对内要“加快推进教育现代化、建设教育强国，办好人民满意的教育”，对外则是要开创教育对外开放新格局，“积极参与全球教育治理，深度参与国际教育规则、标准、评价体系的研究制定。推进与国际组织及专业机构的教育交流合作。健全对外教育援助机制”。[②]文件方案的出台标志着中国教育现代化走向新时代、新目标和新征程。[③]推进教育现代化、建设

---

① 卡伦·芒迪. 全球治理与教育变革：跨国与国际教育政策过程研究的重要性[J]. 申超，译. 北京大学教育评论，2011（1）.

② 中共中央、国务院印发《中国教育现代化2035》[N].人民日报，2019-02-04（1）.

③ 周洪宇，刘大伟. 中国教育现代化走向新时代新目标新征程[N]. 中国教育报，2019-04-01（1）.

教育强国和参与全球教育治理势必对教育治理的理念、体系、制度、内容、方法等提出新的要求。当前，中国已置身于第四次工业革命主导的全球化、智能化、数据化、信息化、生态化时代，教育治理理念也将升级换代。第四次工业革命这一全人类共同面临的巨大变革，同样对不断深化改革、扩大开放的中国产生影响，也对中国的教育治理提出全方位挑战。对于当今的中国而言，建立现代教育治理体系、完善学校内部治理结构、推进教育治理体系与教育治理能力的现代化，不仅是重要的，而且是十分紧迫的时代任务。2019年10月召开的中共十九届四中全会通过了《中共中央关于坚持和完善中国特色社会主义制度、推进国家治理体系和治理能力现代化若干重大议题的决定》，提出要把我国制度优势更好地转化为国家治理效能，具体在教育领域，要“发挥网络教育和人工智能优势，创新教育和学习方式，加快发展面向每个人、适合每个人、更加开放灵活的教育体系，建设学习型社会”。十九届四中全会关于教育的论述及时地回应了第四次工业革命给教育带来的机遇和挑战，为国家教育现代化指明了方向。同时，参与全球教育治理亦是中国由教育大国走向教育强国的必由之路。中国由教育大国向教育强国迈进的征程中，在努力实现本国教育现代化的同时，秉持共商共建共享的全球治理观，积极参与全球教育治理，为人类社会贡献中国特色的教育智慧、教育治理方案和力量，既是中国的使命，亦是担当，更是走向教育强国、负责任大国的必然选择。①研究国家教育治理及全球教育治理的理论、实践、经验及教训，成为中国教育学术界的当务之急。

三、研究全球教育治理是中国教育学术界的当务之急

作为当代中国怀抱着理想、洋溢着激情、时刻关注着中国乃至人类命运、富有社会责任感和历史使命感的学术研究者，我们有义务也有责任从事教育治理包括全球教育治理的研究工作。作为当下中国主要民间教育智库之一的长江教育研究院及高校教育智库——华中师范大学国家教育治理研究

---

① 周洪宇，付睿．参与全球教育治理：从教育大国走向教育强国的必由之路[J]．世界教育信息，2018（3）．

院的重要成员，我们有义务也有责任从事教育治理包括全球教育治理的研究工作。我们的研究原则是“全球视野，中国本位，问题导向，专业研究”，这与我们智库的定位与目标“立足华中，影响全国，走向世界”，研究风格“全球视野，中国特色，专业能力，实践导向”，以及基本宗旨“民众立场，建设态度，专业视野”等，都是一致的。我们希望通过开展全球教育治理研究，“出思想，出人才，出产品，出效益”，真正发挥学术研究者的作用，推动中国的教育改革和发展，推进中国的教育治理体系与治理能力现代化进程，乃至促进全球教育治理理念、结构与体系的变革。

为此，我们以长江教育研究院、华中师范大学国家教育治理研究院的专家学者为主，同时邀请国内外知名高校的一批国别教育研究专家参与，组织撰写了这套“全球教育治理研究系列”。这套丛书的编写目的，就是要在全球化及第四次工业革命的背景下，探讨全球教育治理的理念、经验教训和趋势，进而讨论中国教育治理的发展道路。丛书涉及三个层面的视角，即超国家层面、国家层面、次国家层面。超国家层面主要研究联合国相关部门、国际组织、大型跨国公司等，分析其对全球教育治理进行研究的成果、形成的研究报告和政策是怎样影响世界各国的。国家层面研究各国在全球教育治理的背景下是如何根据本国国情进行本国国家教育治理的。次国家层面更加中观和微观地审视一个国家各级行政区划内部的教育治理，甚至细化研究一类教育类型的治理或者一所学校的治理。丛书围绕上述三个层面开展研究，力图完整清晰地展示全球教育治理的全貌及其基本特征，为教育研究者、教育工作者提供一个全面深入了解全球教育治理的窗口。

几年前，我在组织编写“教育智库与教育治理研究丛书”（共14册，湖北教育出版社2016年出版）的同时，就已经设想接着要向两头延伸，继续组织编写“全球教育治理研究系列”和另一套“全球教育智库研究丛书”，最终形成“教育智库与教育治理研究”的“三部曲”。为此，2016年编写出版第一套研究丛书后就以第一套丛书的部分作者为基础，本着五湖四海、众志成城的基本原则，在全国物色合适作者，在综合考虑研究能力与研究专长的基础上，最终确定了本丛书各册的写作者。与此同时，由湖北教育出版社牵头积极申报国家出版基金资助项目，“全球教育治理研究系列”成功获批

2017年度国家出版基金资助立项，使后续工作有了良好的开局。

“全球教育治理研究系列”共10册，具体如下：

1.《全球教育治理研究导论》（华中师范大学教授、博士生导师周洪宇，华中师范大学副教授付睿著）

2.《中国教育治理研究》（华中师范大学教授、博士生导师周洪宇，湖北大学教务处副处长、博士后李中伟，华中农业大学教授陈新忠著）

3.《美国教育治理研究》（华中师范大学教授戴伟芬，湖北幼儿师范高等专科学校学前教育系副主任李娜等著）

4.《英国教育治理研究》（浙江大学教授阚阅著）

5.《德国教育治理研究》（华中师范大学副教授岳伟著）

6.《日本教育治理研究》（湖北大学教授赵霞著）

7.《加拿大教育治理研究》（中南民族大学教授汪丞，加拿大布鲁克大学教授、博士生导师路春雷，加拿大布鲁克大学博士后荣文婷著）

8.《俄罗斯教育治理研究》（辽宁师范大学副教授乔桂娟著）

9.《印度教育治理研究》（华中师范大学教授、博士生导师王建梁著）

10.《南非教育治理研究》（华中师范大学副教授李先军著）

“全球教育治理研究系列”有总有分，总分结合，以分为主，由点到面，兼顾发达国家和欠发达国家，覆盖面尽量广一些。其中，《全球教育治理研究导论》主要从超国家层面研究全球教育治理的基本理论，以及重要的国际组织、知名智库、机构参与全球教育治理的理论及其实践，并对中国参与全球教育治理的情况进行梳理分析，试图从整体上建构全球教育治理的一般理论体系，为中国及其他行为主体参与全球教育治理提供理论和实践基础。其他各册以国家层面为主，同时兼顾次国家层面，对全球重要国家的国家教育治理理论及经验进行研究，指出对中国进行国家教育治理及参与全球教育治理的可借鉴之处及启示。

受湖北教育出版社委托，全套图书由我担任主编，提出研究思路，规划整体布局，拟定研究大纲，草拟写作体例，统审系列书稿。比较教育专家王建梁教授担任副主编，协助我联络作者，审改初稿，处理日常事务。我们希望未来在此基础上再组织一套以教育治理不同方面为重点的研究系列，与此套丛书相辅相成，相得益彰。在此，我代表丛书编委会向丛书的各位作者及编辑人员表达诚挚的敬意，向对此套丛书编写出版工作作出指导与提供支持的各界人士表示感谢。由于教育治理研究，尤其是全球教育治理研究，在国内才刚刚起步，基本上没有什么可供参考的论著，完全是靠我们自己的摸索，此套丛书不成熟之处在所难免，还请各位读者不吝指教。

周洪宇

2020年5月1日

目　录

第一章　日本教育治理的发展概况

日本是位于亚洲大陆东缘、太平洋西北部的一个群岛国家。东濒太平洋，北接鄂霍次克海，西隔东海、黄海、日本海，与中国、韩国、朝鲜、俄罗斯相望，同中国是一衣带水的邻邦。日本由北海道、本州、四国、九州四个大岛和3 900多个小岛组成，陆地面积约37.78万平方千米，其中本州岛面积最大。日本约有1.267亿人，以大和族为主体民族，占总人口的99.4%，其他民族占0.6%（包括在北海道约有1.6万的阿伊努族人），国家的通用语言为日语。日本山地约占据了国土面积的76%，日本地处温带和亚热带，气候温和、四季分明，南北气温差异十分显著。境内多火山、地震，资源相对缺乏。日本的政体为君主立宪制，天皇虽没有政治实权，但却是国家的象征，备受民众敬重。日本的政权实行三权分立：立法权归两院制国会；司法权归裁判所，即法院；行政权归内阁、地方公共团体及中央省厅。第二次世界大战以后，日本迅速从废墟上重建，是全球最富裕、经济最发达的国家之一。日本的工业基础和科研能力世界领先，而且在教育、医学、工业等方面始终位于世界前列。

日本十分重视教育，教育为日本成为世界经济强国发挥了重要作用。在教育治理方面，日本起步较早，建立起了适合本国国情的治理体系，有着完整的运行机制，对推动日本教育及社会经济发展以及增强日本的国际竞争力发挥着重要作用。

第一节　教育的发展背景

公元4世纪中叶日本境内出现了统一的国家——大和国。5世纪初，大和国达到鼎盛时期，其势力扩张到朝鲜半岛南部。公元646年通过大化改新，仿照唐朝律令制度，建立起以天皇为首的封建中央集权国家。12世纪末，日本进入由武士阶层掌握实权的军事封建国家，史称“幕府”时期。1868年，革新派实行“明治维新”，废除封建割据的幕府体制，建立统一的中央集权国家，恢复天皇至高无上的统治，发展资本主义，并逐步走上对外侵略扩张的道路。第二次世界大战日本战败，1945年8月15日宣布无条件投降。战后初期，美军对日本实行单独占领。1947年5月实施新宪法，由绝对天皇制国家变为以天皇为国家象征的议会内阁制国家。在日本现代化的发展历程中，教育起到举足轻重的作用。

一、战前教育

日本有着积极向外吸收和学习先进文化的传统，也十分重视国内教育的发展。历史上，日本深受中国文化影响，曾派遣唐使到中国学习典章制度，并模仿唐朝模式创办教育，于8世纪初建立了全国性的教育体制。从12世纪到16世纪，日本先后经历镰仓幕府、室町幕府和战国时代，佛教文化和教育盛行。16世纪，外国传教士进入日本，日本出现了早期的教会学校。17世纪到明治维新前，学校类型主要有为武士阶层和平民阶层所开设的藩校和寺子屋。教育内容以传授源于中国的儒家文化及其道德观为主。明治以前，日本的教育属于东方文化教育圈。

现代日本教育萌芽于1868年的明治维新，1872年颁布的《学制》是日本现代教育肇始的标志。随后日本的初等教育、中等教育和高等教育都得到较快发展。20世纪二三十年代到第二次世界大战之前，由于军国主义对整个日本的控制，日本教育带有浓厚的军国主义色彩，成为日本军国主义的工具。二战结束后，日本教育行政改革是在美国指导下强制推行的。随着民主政治改革和国民经济的重建，日本教育步入新的现代化进程。

二、战后教育

二战后，日本通过教育改革建立了“六、三、三、四制”的学校教育体制，即小学六年、初中三年、高中三年、大学四年。《学校教育法》规定：所谓学校，系指小学、初级中学、高级中学、大学、高等专门学校、盲人学校、聋哑学校、养护学校以及幼儿园。2005年10月，日本又通过修改《教育基本法》，允许六年制小学与三年制初中学校合并，此后又出现了涵盖12

年一贯制的学校。

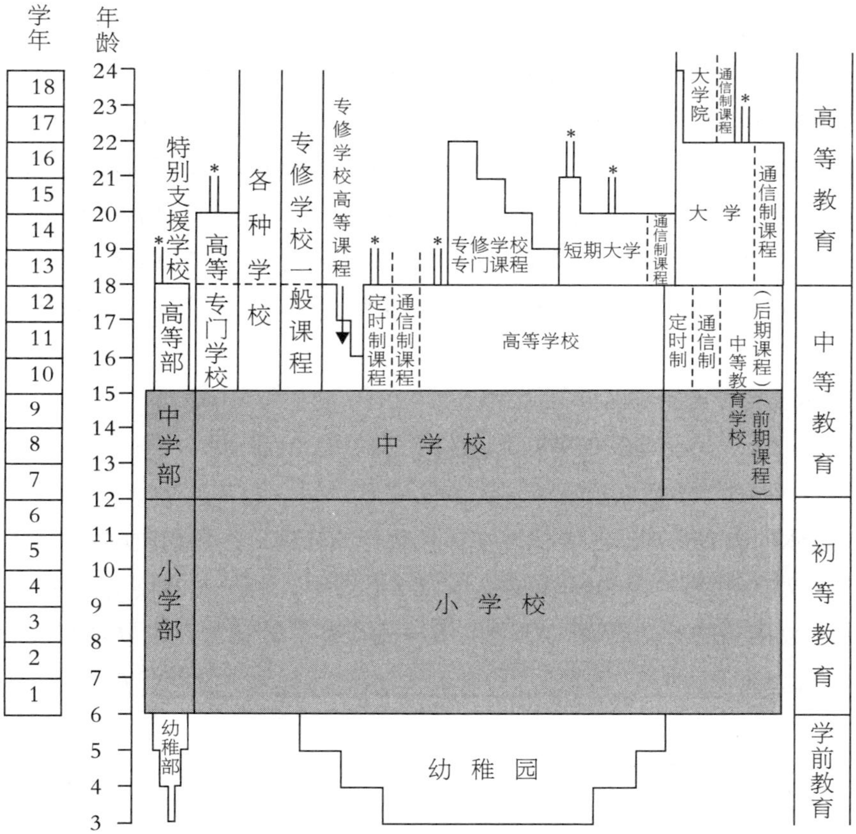

图 1–1　日本现行学制图[①]

按照现行学制，日本的教育按等级可分为学前教育、初等教育、中等教育以及高等教育（见图1–1）；按类别又可分为一般教育和特殊教育，一般教育包括普通教育、职业教育等；特殊教育主要是为身体有障碍的人群开设

① 日本文部科学省公布的学校系统图，http://www. mext. go. jp/b_menu/shingi/chukyo/chukyo3/045/siryo/_icsFiles/afieldfile/2012/03/19/1318730_6. pdf.

的教育机构，如聋哑学校等。

根据日本文部科学省2017年8月的调查结果显示：截至2017年8月日本共有幼儿园10 877所；小学20 095所（其中国立70所、公立19 794所、私立231所），比上一年减少219所，主要是国立和公立学校减少了，分别比上年减少2所和217所，在校学生人数为6 448 657人，比上一年减少34 858人；初中10 325所（国立71所、公立9 479所、私立775所），比上年减少了79所，在校学生数为3 333 317人；高中共有4 907所（其中国立15所、公立3 571所、私立1 321所），比上年减少18所，在校学生数为3 270 460人；共有大学780所（国立86所、公立90所、私立604所），在校学生数为2 890 942人。①

第二节　教育治理的发展

日本的教育治理，主要体现在其教育行政管理上，包括政府的管理，行政机关文部科学省（2001年以前为文部省）领导，各地教育委员会以及各级各类学校内部的行政管理。社会组织与民众参与教育治理主要是在20世纪80年代之后。

一、教育管理的演变

日本向来重视教育，在教育管理方面形成了自身特色，从中央到地方有着非常完善的管理制度。

（一）战前教育管理

日本在1620年时就有了初具规模的学校，但当时却无专门的学校教育管理机构，直到1871年，明治政府才设立了主管全国教育事务的教育行政机关——文部省。为统一各级教育行政组织，日本政府在1872年颁布的《学制》中规定了日本的教育行政管理体制，把全国划分为8个大学区，大学区

① 日本文部科学省官网. 学校调查概要[EB/OL]. http://www. mext. go. jp/component/b_menu/other/__icsFiles/afieldfile/2017/08/03/1388639_2. pdf.

各设大学1所。每个大学区又分为32个中学区，中学区各设中学1所。每个中学区又分为310个小学区，小学区各设小学1所。在这种体制下，地方政府和各级学校都必须执行中央的教育法令，各级学区之间也存在着层层隶属的上下级关系。这种体制一直延续到第二次世界大战结束。

（二）战后教育管理

第二次世界大战结束后，以美国为首的盟军司令部进驻日本，开始对日本实施美国式的民主改革，日本以前的中央集权式的、军国主义色彩浓厚的治理模式遭到彻底批判和抛弃。在教育方面也是如此，中央集权式的教育管理体制亦被摧毁。1946年，以美国伊利诺伊州立大学校长史托道为首的“美国教育使节团”在日本开展了较为细致的调查研究后提交改革建议报告书，报告书指出：在教育行政上要大幅度削减文部省的权力，承认地方在初等、中等教育方面的行政管理权，让文部省成为咨询机关，负责教育经费预算与划拨；建议创建由各都道府县居民直接选举产生委员的教育委员会制度等。美国使节团报告书提交到内阁后，经过当时推进改革的“教育刷新委员会”审议后递交国会获得通过。日本于1949年5月公布了《文部省设置法》，文部省便成为一个咨询性、指导性的服务机构，以前独揽全国教育大权的局面不复存在。

美国提出在日本建立教育委员会制度的提议，随着1948年《教育委员会法》的颁布而得以确立。至此，日本的教育行政管理体制发生了根本性转变，中央集权瓦解，地方分权的教育行政管理体制应运而生。但是，战后日本教育改革是在美国指导下进行的，分权式的教育管理模式也是对美国制度的移植，几乎完全照搬了美国的规定和做法。由于日本国情的差异，该体制在日本开始实行后，进展并不顺利，衍生出的问题不断，终遭舍弃。日本继续寻找适合本国的教育发展之路，1952年对《文部省设置法》进行修改，颁布《文部省组织令》，1953年又公布《文部省设置法实施细则》，恢复了文部省的一些权力。1956年废除了《教育委员会法》，以《地方教育行政组织及运营相关法律》取而代之，该法规改变原教育委员会委员的产生方式，委员不再由当地居民选举产生，而是由地方行政首长任命，并且教育委员会对其事务局教育长的任命也必须事先经过文部大臣同意，文部省的权力进一步得到恢复。原来负责地方教育发展的教育委员会变成了地方行政的一部分。至此，日本的教育行政管理体制演变成中央管控与地方分权治理的联合管理体制。

日本教育的中央集权主要集中在其教育行政最高机关——文部科学省手中。

现在的文部科学省是2001年6月由以前的文部省和科学技术厅合并而成，负责谋划和管理日本国内的教育、科学技术、学术、文化及体育等事务。作为国家最高教育行政机关，在教育方面其主要任务是谋求振兴学校教育、社会教育以及学术等方面的发展。文部科学省的隶属机构主要有职能机关、审议机构和直属机构等。其中谋划和管理教育相关事务的职能机关主要有综合教育政策局、初等中等教育局、高等教育局等，直属教育机构有国立教育政策研究所和日本联合国教科文组织国内委员会等。根据《国家行政组织法》和《文部省设置法》文部科学省在教育行政管理中主要执掌如下职权：①向地方教育行政机关及教育、学术、文化与宗教机关提供指导、建议和劝告；②核准都道府县及指定城市的教育委员会教育长的任命；③制定、颁布学校课程标准，编著或检定中小学的教科书；④纠正地方教育行政机关的违法或不当措施；⑤搜集、报道有关教育、学术、文化及宗教方面的资料和信息；⑥主办、协调及协助教育研究工作；⑦批准有关大学和高等专科学校的设置以及教育、学术或文化相关法人的设立；⑧负责设置并管理国立学校；⑨补助地方政府、学校法人及其他教育机关的教育经费，调查和规划有关发展教育、学术及文化等事宜。①

日本的地方教育行政分为两个级别，即都道府县级和市町村级，也就构成了日本教育行政的第二级、第三级单位。日本的地方教育行政由都道府县议会决定、都道府县行政首长知事负责、各都道府县教育委员会及其事务局共同办理。都道府县议会是日本地方的议事决策机关，也是地方的最高权力机关，在教育行政方面，主要拥有以下职权：决议当地教育预、决算；决定都道府县立学校教职员及教育委员会事务局的职数；监督当地行政首长及教

① 李帅军．日本教育行政管理体制述评[J]．比较教育研究．1993（2）：15.

育委员会的行政工作等。都道府县的行政首长知事有权任免当地教育委员会委员，有权任免县立大学学长（校长）以及各系部负责人、事务局长及教职工；有权批准开办或停办私立学校（除大学和高等专科学校外）及变更其创办人，办理有关地方政府对私立学校给予资助等团体事务；综合调整都道府县教育委员会及其他行政机关的组织与工作，以维持各行政单位的均衡发展等。都道府县教育委员会是地方教育行政机关，对所在辖区的学校设立、财政支出、师资建设等方面进行统筹规划并督促各地实施。

二、教育治理的变革

自20世纪七八十年代开始，随着经济社会的发展，日本国内需求发生变化，教育也出现了一些前所未有的问题，日本境内开始广泛兴起教育改革和各种力量参与教育事业的运动，教育治理事业亦蓬勃发展起来。

（一）政府主导下的教育改革

历史上日本政府主导的教育改革共有三次。第一次是明治时代初期的教育改革。那次改革由明治政府主导，以“富国强兵”为旗帜，其目的在于模仿西方教育经验建立日本的近代教育体系。1872年正式颁布了日本史上的第一部《学制》，规定教育的宗旨是要训练为国家发展做出贡献的公民，教育要力求做到“邑无失学之户，家无文盲之人”。明治政府在1880年公布了《修订教育令》，将小学的修学年限由16个月增加到3年，规定无论男女都必须读完初小和高小。明治政府认为受教育是每个国民的责任和义务。第二次教育改革是第二次世界大战后，作为民主改革的重要一环，由美国指导日本政府具体实施。这次改革否定了第一次教育改革以及战争中所制定的各项教育法规和政策，于1947年颁布了全新的《教育基本法》。新教育法序言中明确指出要建立一个和平民主的国家，必须依靠“教育的力量”“应广泛发展旨在创造新文化、使人人都聪慧富裕的教育”。通过这次改革，日本确立了和美国一致的“六、三、三、四学制”，教育公平和教育机会均等的理念得以普及，随着战后日本教育的发展，义务教育在日本真正实现。

第三次教育改革是20世纪80年代之后的改革。这次改革和以往的两次改革所处的时代背景已截然不同。前两次改革都是在外部压力与危机下进行的，第一次教育改革时面临着被西方列强殖民地化的危机，第二次教育改革时则面临着被美国控制的危机，如何从美国占领军手中收回主权的问题。正如《学制百年史》的结语所言，日本教育的前两次改革“都是在有外部压力的危机感下，作为政治改革的一个环节而开展的教育改革，是向先进国家寻求范例，并且是在经济条件并未成熟的情况下进行的社会启蒙性或学校先导性的教育改革”。然而，第三次教育改革时日本处于和平时期，日本经济已跻身世界强国之列，所面临的不再是民族危机，而是因为教育无法满足国内经济社会发展与普通民众不断增长的需求。另一方面，第三次教育改革不再有可资参考的现成改革模式和范本。第一次教育改革实际上是创建日本的近代教育制度，日本从欧美先进国家的学校制度中选择自认为最优秀的部分，搭建起自己的学校制度，是对欧洲的借鉴与模仿。第二次教育改革则是在美国指导下，以美国的教育制度为唯一依据进行的民主教育制度的建设。第三次教育改革要应对的是日本社会发展的问题，也就再没有现成的范例可资借鉴。此外，第三次教育改革时，日本已不存在绝对的强权。但是，第三次教育改革时民主观念深入人心，民主法制建设相对完善，在教育、科技信息高度发达的时代，社会发展和教育自身出现的问题也表现出新的特征，这就决定了第三次教育改革必然与众不同。

早在1971年，作为国家教育的咨询机构，中央教育审议会就代表文部省向日本内阁提交了一份题为《教育改革的基本方针》的报告，首次提出了“第三次教育改革”。这份报告被认为是第三次教育改革的第一份重要文件。这份报告中回顾了第二次世界大战后日本教育发展的概况，指出了教育中存在的问题，并建议重新制订教育发展计划，日本由此开启了第三次教育改革的征程。到20世纪70年代末，由于教育问题频出，日本社会各界都开始关心教育，关于教育改革的呼声日渐高涨，不少社会组织也发表了有关教育改革与发展的言论。如日本经济发展委员会教育分会在1979年10月发布了《多样化的挑战》的报告，大阪的日本垄断财团方面的经济委员会也发表了《教育改革之建议——选择二十一世纪》的报告，这些报告主张改革教育现状，改革入学考试制度，改革外国语教育，发展学生的创造力和国际精神；还主张扩大美育教育，增强公共责任感，培养开放的爱国主义，发挥家庭教育的作用，实施有效防止青少年犯罪的措施等等。进入20世纪80年代后，教育改革有了实质性进展，开始在全国范围内实施。为了更好地领导和贯彻改革，1984年8月，首相中曾根康弘策划并组织成立了“教育特别委员会”，直属首相管辖，规定该委员会必须在三年之内提交有关教育改革基本方针的报告。

第三次教育改革具有明显的时代特征，那就是与日本经济、政治改革同步进行。随着经济社会的发展，社会上出现的问题也反映到教育当中，年轻人信仰缺失，青少年犯罪率攀升，中小学校的校园欺凌事件频发，教育问题并非仅仅是教育界的事情，而是与社会经济息息相关。因此教育改革是一场综合改革，必须与经济、政治改革同时进行。此外，日本向来重视学历，无论是行政机关还是公司企业，在人事聘用、晋升和考评时都依据学历和资历，而不是依据真才实学，使得很多人才被埋没，这不符合信息社会以及全球一体化对人才的要求，也有悖于终身教育和终身学习理念，不利于日本国际竞争力的提升和整体社会的发展。在这一点上中曾根康弘认识非常清楚，他一开始就将行政改革、财政改革和教育改革视为一体，强调教育改革为战后政治总决策的一环。实际上，教育特别委员会就是一个政治性决定的产物。同时日本的教育界和其他各界也达成共识，一致认为要改变以学历主义为指挥棒的应试教育，必须改革日本的人事制度等，教育改革必须是综合改革，应与政治、经济改革同步进行。

单一性和封闭性是以往教育被诟病的焦点，也是第三次教育改革矛头的直接指向。种种现象表明，原有的教育模式不利于学生的个性发展，也不适应社会发展和国民需求的多样性，日本社会迫切需要重构教育体系。建立一种开放的、适应性强的、灵活的新教育体系。随着经济全球一体化的推进，国与国之间的交流日益频繁，日本想要在国际社会中占据相应的位置和发挥应有的作用，需要拥有大量具有国际视野和跨文化能力的人才。因此，日本的教育必须做出大幅度调整，要改变以往的治学模式，破除单一性和封闭性，开放办学培养国际化人才。关于如何开放办学，培养国际人才方面，教育特别委员会的报告中提出了许多建议，如主张聘请外籍教师，加强外语教学，积极派遣日本学生出国留学和接受外国留学生，加强国际交流理解教育，开设国际学科，在大学推行学分互换制度，开办国际中学，为学生进行校际交流提供便利，开阔学生的视野，等等。总之，第三次教育改革主张的教育国际化成为日本教育面向未来的重大政策，也是未来日本教育发展的方向。

（二）家庭和社会参与教育治理

教育是家庭、学校和社会共同参与的综合工程，这三者缺一不可， 日本教育治理如果没有家庭教育和社会教育的配合就不可能取得理想成效。中曾根康弘在1983年提出的“教育改革七条设想”中指出：为了把青年培养成身心健康的一代，必须加强家庭、社会和学校的联系，促进各种青少年团体、妇女组织、文化机构等方面的各种活动。1984年，他又在施政方针演说中指出：现代学校暴力行为、青少年犯罪行为的剧增，我认为其原因是战后至今，我们只依赖于学校，不重视家庭教育、社会教育等综合教育。

家庭要更好地参与教育，需要具备一定的教育能力，为提高普通家庭的教育水平，自20世纪80年代起，日本文部省开始搜集家庭教育相关资料，并逐年编印成册，发放给各家各户。同时，各都道府县也先后办起了家庭教育培训班，召集已经或者即将成为父母的人，为他们实施有关家庭教育的培训。到1981年，这种家庭教育培训班共有27 700余个。此外，日本在1979年为三至五岁幼儿的母亲，专门创办了幼儿教育大学，教授她们教育学和心理学知识，以培养和提高母亲们的教育能力，让家庭能更好地服务于教育。

与此同时，日本的社会教育很快发展起来，成为学校教育的有效补充。日本地方各级政府为当地的青年、妇女和老人开办各种兴趣班，广泛开展各种文体活动，充实国民业余文化生活。同时，日本地方各级政府开办学习班，向国民灌输终身教育思想，引领民众自觉地构建终身学习社会。此外，还不断扩大社会教育网络，积极培育社会教育人员，充分利用机关、团体和社会组织，以及一切可利用的设施和场所，使之成为社会教育的一部分。日本通过国内国际时事、国家防务、以及社会经济生活等事件，对年轻人实施教化，对他们施以有教育意义的影响。

此外，各地的公民馆、图书馆等社会机构广泛开展民众教育活动，各社区教育团体、民间社团参与教育，个人参与学校管理和教学等各种教育治理活动也全面展开。

第三节　教育治理发展的原因

20世纪80年代开始蓬勃发展的日本教育治理是在相应的背景下发生的，主要有日本社会的变化、日本教育自身的问题、国外教育思想的传入等原因。

一、社会的变化

随着日本经济的快速恢复和发展，日本社会发生了巨大的变化。

（一）城市化的发展

20世纪50年代以来日本经济迅速发展，大大促进了日本的现代化进程，使日本成为世界上城市化发展最快、最发达的国家之一。1940年，日本全国城市人口占全国人口的35%，1990年增至78.2%。值得指出的是，按照日本的统计标准，这一比重仅包括市，其人口均在20 000人以上，而未包括其下的町，倘若记入，比重肯定会更大。[①]快速的城市化发展，使人们的活动空间受限，人与人之间交往变少，感情变得淡漠，社区对居民的责任减弱甚至丧失，从而导致其社会教育功能下降。

（二）社会成熟化

20世纪七八十年代，日本的社会经济结束了自明治以来的那种所谓赶超型现代化的时代，已经从发达工业国的成长期步入成熟期。成熟化的发展一方面使日本国民的经济收入增加，提高了人们的物质生活水平，自由支配的时间增多，对精神文化的追求向着多样化和高层次发展。另一方面，也给社会带来了许多危害，如城市环境日益恶化，自然生态遭到破坏，庸俗文化泛滥，犯罪率上升等等。这些都给日本青少年的生活方式和人生价值观带来很大的变化：富裕的家庭生活使青少年娇生惯养，丧失进取、刻苦、忍耐的精

① 张善余．世界人口地理[M]．上海：华东师范大学出版社，2002：147.

神；狭小的生活空间使他们缺少与大自然的接触，缺少在人格发展和心理成熟过程中所必需的环境熏陶，造成人格和心理的不健全，出现行为不良，甚至犯罪，集体主义观念淡化等现象。

（三）人口出生率下降

日本的出生率下降导致的少子化是日本社会成熟化后的一个突出问题，直接或间接地影响着日本社会的各个方面，对以“人”为对象的教育的影响也日益显著。日本的少子化主要表现在人口出生数和少儿人口数呈下降趋势，合计特殊出生率急剧下降等。据统计，1980年以后少儿人口总数迅速减少，由1980年的2 751.2万人减少到2000年的1 869.4万人，减少了32%。少儿人口是在总人口不断增加的情况下减少的，故少儿人口占总人口的比例迅速下降：1980年为23.55%。[①]造成少子化问题的原因是多方面的，首先是人们的思维观念发生改变。过去那种养儿防老的思想已经得到修正，越来越多的人不再寄希望于子女身上，而是投身于自己工作和生活中，积极享受当下的生活。现代日本女性的价值观、婚姻观和道德观等都发生了颠覆性变化，知识女性增多，她们追求男女平等，不再拘泥于家庭，积极融入社会，努力工作，实现自我人生价值。此外，育儿是一项繁琐而劳累的工作，由于社会竞争激烈、生活节奏也日趋紧张，日本年轻人的生活压力增大，不愿再承担养儿育儿的重担，日本现在选择晚婚晚育，甚至不婚不育的年轻人不断增多。人口出生率下降，儿童数量减少，使得儿童之间相互接触、交流的机会减少，同时有孩子的家庭往往会对儿童进行过度保护或干涉，严重影响儿童的自我判断和解决问题的能力，也会影响到学校教育教学活动的开展，最终会对儿童的身心健康成长、人际交往能力以及适应社会能力的培养造成不利影响。

（四）家庭环境的变化及其教育功能的下降

随着战后日本社会、经济的快速发展以及产业结构的变化，家庭环境也发生了较大的变化。如：家庭规模缩小，核心家庭比率上升；离婚和单亲家庭增加；家庭中人际关系趋于不稳定等，这些变化导致家庭教育功能的减

① 石人炳．日本少子化及其对教育的影响[J]．人口学刊，2005（1）．

弱。具体分析如下：

1. 家庭规模缩小，核心家庭比率上升

受出生率低，与父母分开居住等因素影响，日本家庭规模逐渐缩小。根据日本总务厅国情调查报告公布的数字，1920年至1950年，平均每个日本家庭的成员为5人左右，1955年仍为4.97人，1975年却锐减到3.28人，1990年又降到2.99人。[①]现在日本家庭，其成员多为父母和孩子两代人，三代以上同堂的家庭极为少见。

2. 离婚和单亲家庭增加

日本社会的变迁使离婚率越来越高，成为日本社会的一大问题。据日本厚生劳动省2017年4月公布的《厚生统计要览（平成29年度）》中人口动态总览中“关于离婚统计”显示：日本在2000年的离婚案达2 642 446起，是1960年（69 410起）的3.8倍，每千人的离婚率达到2.1。[②]在离婚的夫妻中，大约一半以上有未成年的孩子，这样就造成了许多只有母亲与子女或父亲与子女的单亲家庭。单亲家庭中的孩子不仅在幼小的心灵上受到莫大伤害，而且，由于受不到良好的关怀和教育，很容易走上不良轨道，形成少年犯罪等社会问题。

由于社会环境的变化、家庭规模缩小、核心家庭比率上升等原因，日本的家庭教育出现了许多不如人意的问题。例如，日本的父母们都希望自己的子女能上一流的学校，将来进政府部门或一流的公司，对子女过分溺爱、在学习上过分要求；还存在一部分的父母对孩子的教育漠不关心；不懂教育方法的家长增加了；父母与孩子一起活动的机会、时间减少了。这些因素导致日本家庭教育功能下降，这样促使孩子开始独立的时间变得越来越晚，社会性不足、道德规范和伦理意识不断下降、青少年犯罪事件不断增长等。日本总理府1989年进行的“少年犯罪问题舆论调查”表明，有47.1%的少年犯罪与家庭教育不当有关。

---

① 王化波，孟秋丽．日本的家庭结构现状及变化趋势分析[J]．东北亚论坛，2000（1）：80.

② 厚生統計要覧（平成29年度）[EB/OL]. https://www. mhlw. go. jp/toukei/youran/data29k/1-12. xls.

总之，日本推进的学校、家庭、社会一体化教育与社会的发展变化有着深刻而密切的内在关系。为了降低社会的发展变化对青少年学生造成的一些负面影响，需要加强学校、家庭和社会三个教育领域的交流与协作，促进各种教育资源的相互补充与共享，最大限度地发挥教育的功能。

二、教育本身的问题

随着20世纪80年代日本经济、社会的向前推进，其影响波及到教育本身的发展状况，使得教育中的问题逐渐显现出来。

（一）学历主义与应试教育

日本临时教育审议会曾在1985年的咨询报告中强调："我国经济的高速发展，教育在数量上有了很大发展，也带来了偏重学历的社会风气。人们为了进入一流企业、一流学校而展开了激烈的竞争。家长、教师和学生不得不被卷入这样一种只重分数、偏重智力教育的教育活动中去，而忽视了对学生个性发展的指导。"长期以来，日本企业界和政府机关中的人事录用上依然存在偏重学历的倾向，在评价个人时，往往轻视"学了什么，学得怎样"，而更注重"何时、在何地学习的"，甚至会根据毕业学校来判断一个人的个性和能力，从而得出某种结论。因此，学历完全成为显示个人社会威信的尺码。

日本社会偏重学历教育和热衷于追求高学历化的风潮，使得日本的学生从幼儿园到小学，从小学到初中，从初中到高中，从高中到大学，要参加无数的考试，并且越考越难，越考竞争越激烈，使得他们痛苦不堪，难以忍受，人们形象地称之为"考试地狱"。应试教育的激烈竞争使学校对学生的培养侧重于传授知识和提高考试分数的技巧方面，学校的课堂教学执行的是填鸭式的、知识灌输型教育，使学生对知识的接受主要靠死记硬背；对学生的思辨能力、表达能力和创造能力等的培养在学校教育中有所缺失。

另一方面，学历主义、名校效应也催生了社会教育培训机构，加重了学生学习负担。日本学生家长们为了让自己的孩子进入升学率较高的小学、初中到名牌高中，以便考入名牌大学，不遗余力地聘请家庭教师或把孩子送进社会上各种补习功课和应试辅导的私塾。据日本东海银行1993年1月对东京、大阪和名古屋三大城市的学生上私塾的调查结果显示，小学六年级学生上私塾的比率是65.8%，初中三年级学生达到74.5%。[①]

（二）文化、教育荒废现象

20世纪70年代中期以来，日本中小学出现了以强欺弱、逃学、校内暴力、青少年道德行为不良等教育荒废现象，且事态愈演愈烈，到了令人担忧的地步。这一现象既反映了日本教育的荒废和衰退的景象，也反映出了日本中小学生人格与情感危机。日本临时教育审议会曾在1986年的第二次咨询报告中分析了这一现象的本质：儿童处于现在的家庭、学校和社会之中，感到自己的人格尊严、价值、个性和自主性没有受到尊重，感到自己被置于种种心理重压之下。

校内暴力，又称校园暴力，是学生在求学期间对教师实施的暴力、学生之间产生的暴力以及对学校的物品破坏等暴力行为。校内暴力一词是1978年开始使用的，1982年文部省开始对校内暴力现象展开调查，统计的结果表明，自20世纪80年代中期开始，校内暴力在总体上呈逐渐增长的趋势。

“逃学”在日文中表示为“不登校”，日本文部省在1992年的《学校不适应对策调查研究协力者会议报告》中正式将“逃学”定义为，由于某种心理的、情绪的、身体的或社会原因和背景引起的不想或是尽管想去上学却不能去，并且在一年中缺席天数达三十日以上的现象（由于生病和经济原因导致的缺席除外）。从20世纪70年代后期以来，日本中小学生中不登校的人数基本上是呈逐年上升的趋势。

对于欺凌行为，日本文部省的定义是：对处在比自己弱势地位的人进行单方面的身体或心理上的持续攻击，使对方深感痛苦的行为，学校对其事实（相关学生、欺侮内容等）有所确认，而不管发生欺侮行为的场所是校内还是校外。

（三）学校教育僵化

日本的初等和中等学校教育在教育内容、方法和管理体制等方面存在明显的整齐划一性，各学校在文部科学省的各种规定和其颁布的详尽的《学习

---

① 陈宝堂．日本教育的历史与现状[M]．合肥：中国科学技术大学出版社，2004：234.

指导要领》指导下对学生实施教育。这种高度统一的学校教育不太利于儿童的身心发展和适应社会变化能力的培养。首先，教育内容和教学方法上过分地强调共性和一致性，就会忽视个性，不会因材施教，导致教育的片面性和僵化性，会使培养的学生缺乏创造力、思考力和探索力，难以适应社会竞争。高度统一的教育，使得学生个性难以被尊重，更谈不上充分发展，容易造成学生心灵和情感上的伤害，增加了学生心理压力和人格扭曲的危险性，也为“不上学、校园欺凌”等教育荒废现象的日趋严重增添了催化剂。其次，各地学校高度统一的教育管理体制以及政府的过多干预，限制了学校作为教育实施主体的主动性和能动性，妨碍了学校在教育治理实践过程中的探索与创新。

总之，二战后，日本在“教育立国”和“科技立国”战略的推进下，不仅经济得到迅速发展，而且教育事业也突飞猛进，跻身于世界教育先进国家的行列。但日本在人才教育和培养过程中过分强调一致性、突出实用能力和应用能力的培养，而忽视了教育在培养人的思想性、个性、社会责任感及积极的价值观等方面的作用和意义，忽视了人的潜能和创造力的开发。日本的教育表现出了诸如考试地狱、教育荒废等众多不健康的问题，这些问题引起了家长和社会各界的关注，这也是促使日本推进学校、社会、家庭一体化教育，共同参与教育治理的一个重要因素。

三、国外教育思想的传入

日本现代教育治理的兴起还受到外国思想的影响，特别是终身教育理论的影响。具有现代意义的终身教育理论是1965年12月联合国教科文组织成人教育处处长保罗·郎格朗提出的。此后，这一理论在全世界范围内得到推广和普及。日本是较早接触并导入终身教育理论的国家之一，这一理论在日本国内引起了广泛的关注，不仅政府部门给予了极大的重视，而且社会教育界的专家学者、产业界也积极进行传播、讨论终身教育理论。

1965年12月，东京御茶水女子大学的波多野完治教授受日本政府派遣，参加了在巴黎召开的联合国教科文组织第三届成人教育国际促进会议。1967年，日本国内教育委员会正式出版了波多野完治教授翻译的1965年会议的

“提案书”，书名为《社会教育的新动向》。此书一问世就引起社会的广泛关注，并由此掀起了终身教育研究与学习的热潮。1971年，日本中央教育审议会发表了《关于今后学校教育的综合扩充整备的基本政策》，在报告中指出“有必要从终身教育的观点出发，全面调整教育体制”。同年，中央社会教育审议会也发表了《关于适应社会结构急剧变化的社会教育的应有状态》的咨询报告，提出在社会变动的情况下，应从终身教育的高度，把家庭教育、学校教育、社会教育有机地结合起来。以联合国1970年出版郎格朗的报告《终身教育入门》为契机，从事社会教育的专家、学者发表的终身教育论文、著作逐渐增加，日本产业界也对终身教育论作出积极反应，并提出一系列报告，将终身教育作为经济社会计划、劳动力政策之一，按职业生涯的不同阶段制订职业训练计划。如1972年由经济审议会教育文化专门委员会发表的《信息化社会中的终身教育》、日本经济调查协议会经过三年多研究在1972年提出的《新产业社会中的人的培养——从长期的观点看待教育》报告，等等。

从20世纪60年代中期到20世纪70年代，日本主要把国际上的终身教育理论导入到国内，虽然没有形成自己独特的终身教育论，但是在社会教育界、学者、产业界及主管教育行政部门的共同推动下，终身教育思想逐渐为人们所认同，为终身教育理论在日本的普及作了思想上的准备。

从20世纪70年代末开始，日本把开展终身教育活动纳入到政府事业，通过制定相应的法律法规、建立系统的管理机构等方式来普及终身教育理论，推动该理论在日本的实践。中央教育审议会经过四年的调查，于1981年6月提出《关于终身教育》的咨询报告，终身教育明确地被作为政策目标提了出来：“整个社会要广泛地立足于终身教育的思想，尊重个人为提高自己所做的努力，并给以公正的评价，亦即向所谓的学习社会方向努力。”[①]报告首次采用“终身学习”的表述，并且对终身教育和终身学习的关系做了区分。受命于内阁总理大臣的临时教育审议会自1985年6月至1987年8月共

---

① 社会教育行政研究会编集．文部省内生涯学习社会教育行政必携[C]．文部省印，1998：192．

提出四份咨询报告，在报告中明确提出："为了主动适应社会变化，建立有活力的社会，以及满足人们日益提高的学习要求，就必须向终身教育体系过渡，对教育体系进行综合性重组。"临时教育审议会认为，"今后的学习，应当摆脱学校教育的封闭思想，在学校教育中努力培养自我教育的能力，在此基础上，根据每个人的自发意愿和需要，自我负责自我选择适合自己的手段与方法，并且应该通过人的一生来进行"。[①]

为构建终身教育体制，1988年7月文部省撤销了社会教育局，新设终身学习局，成为12个主要局级机构之一。终身学习局内又设立了终身学习振兴课、学习信息课、社会教育课、青少年教育课和妇女教育课五个科室，该局的任务是协调文部省其他司局实施有关终身学习的措施和部一级政策的规划。终身学习局的设立对终身教育理论在日本的普及做出了很大的贡献。为制定出合理的终身学习政策，1990年8月，文部省又专门组建了终身学习审议会这一全国性机构，使之成为文部大臣的咨询机构，为文部省政策的制定建言献策。随后，各都道府县也设立了相应的地区性终身学习审议会，分别向地方行政长官提出政策建议。截至1999年12月，36个都道府县设立了相应机构，742个市镇村设置了主管部门，1 994个市镇村成立了终身学习审议会。[②]1990年6月29日，日本制定并颁布了推进终身教育的专项法律——《关于生涯学习振兴施策与推进体制等的整备法律》（简称《生涯学习振兴推进整备法》）。该法的制定使日本开展和推广终身学习活动有了法律依据。自此，终身教育成为日本政府的一项基本国策和教育政策，而终身教育思想也深深植根于日本国民的心中。

日本学术界在终身教育理论普及过程中发挥了重要作用，理论上做了更深入的研究与引导，而且近几十年来出版了几千种有关终身教育的文献著作。此外，日本民间也进行了有关终身教育理论的宣传普及活动，其目的是为了加深国民对终身学习重要意义的理解和认识。例如，举办全国和地方的

① 瞿葆奎，钟启泉．教育学文集——日本教育改革[M]．北京：人民教育出版社，1991：467-468.

② 崔世广，张洪霞．日本开展终身教育的过程及其原因分析[C]// 日本研究论集，天津：天津人民出版社，2005：344-357.

“终身学习节”；举办一系列有关的活动、展览会、趣味性节目，各类研讨会、讨论会、大会、集会、竞赛；利用印刷品、广播和其他新闻媒介开展各类宣传运动，等等。此类活动多数是发动国民参加闲暇的业余学习活动，使人们知道学习是一种乐趣和爱好，对日本终身学习运动的兴起和发展起到了很大的作用。例如，1995年，日本有42个都道府县举办过终身学习节，绝大多数都道府县利用张贴海报和散发专刊及利用广播电视等媒体进行宣传普及活动。

综上所述，终身教育理论在日本广泛普及，人们认识到只有破除传统学校教育封闭式的治学模式，实现学校、家庭、社会三者之间的沟通与融合，才能构建起终身教育体系和实现终身学习化社会。正如郎格朗所指出的那样，终身教育体系形成的基本原则是不同教育部门的相互依存、相互联系，体现为学校教育、家庭教育和社会教育之间的有机结合，其中家庭教育是基础，学校教育是关键，而社会教育则是对家庭教育、学校教育的继续和完善，这种横向上的连续性是非常重要的。①因此，在终身教育理论的导入与普及的背景下，日本学校、家庭及社会的关系不仅重新受到重视，而且也进入了全方位的合作阶段，对推动日本教育治理模式的转变起到了积极推动作用。

四、“周休二日制”的实施

“周休二日制”是指每周五天工作、学习制度，即星期一至星期五工作或学习，星期六和星期天二日休息的制度，亦可称为“周五日制”。在日本周休二日制的实施也是循序渐进式地推进的。日本1992年5月开始在国家公务员中实施，后来逐步扩大到一般公司企业，后来为响应国家的周休二日制，《文部省第四号令》颁布，文部省规定日本的幼儿园及中小学开始实施不完全双休制，每周的星期日和每个月的第二个星期六休息，每个月比以前多休息一天。在这种做法持续了两年之后，《文部省第四六号令》于1994年11月24日公布，该法令规定中小学生在原来的每月休息一个星期六再增

① 顾明远，孟繁华．国际教育新理念（修订版）[M]．海口：海南出版社，2003：30.

加一个星期六，这样学生可以每月再增加一天休息。日本学校一般采取隔周双休的形式，为让学生们实现平稳过渡，该做法又持续了8年之久，一直到2002年4月的新学期所有学校才完全实施真正的“周休二日制”。

“周休二日制”的实施，使学生们拥有了更多的校外闲暇时光，确实有利于培养学生生存能力和个性，有助于实现教育的多样化、个性化。学生生存能力的培养需要时间与学校外的自然与社会接触，使学生们拥有较为宽松的校外时间，能够增加他们自我发现、自我思考和自我探究的机会，同时也可以在家庭和社会生活中积累人生阅历和社会经验。学生在自主地、自我地支配余暇时间中也能够充分发展自我个性，“周休二日制”的实行一定程度上扭转了日本中小学重知识传授、轻学生个性与能力培养的教育局面。另一方面，由于学生在家庭和社会生活中的时间增多，也进一步强化了家庭与社会教育的作用，促使学校、家庭、社会形成合力，改变了过去以学校为中心的教育模式，转向学校与其他社会机关、团体的自发性相互协作的模式，促进了学校在更广泛的领域中与社会的融合，使社会各界也融入教育当中，也承担起了教育的责任。

日本社会的变化、学校教育中出现的新问题、国外终身教育思想的导入以及“周休二日制”的实施等都是日本现代教育治理兴起的动因，这些变化引起日本整个社会对教育的关注与重视，日本积极探寻现代化的、互动式的教育治理模式，教育行政机关、民间企业组织以及社会公众也都积极投身于教育治理当中。

第二章　日本教育治理体系

经过100多年的发展，特别是战后日本教育的不断改革与优化，日本形成了独具特色的教育治理体系及模式。日本教育立法完善，在法制轨道上，形成了教育行政机关、学校、社会团体以及个人等实施主体职责明确，相互协作与促进的全民参与的治理体系。

第一节　教育治理的法律

日本教育治理是在日本《宪法》和教育相关法律规定的基础上进行的。日本早在1872年就颁布了《学制》。战后日本非常重视相关教育法律法规的制定和修订，既有国家的根本大法《宪法》对教育的相关规定，又有专门的《教育基本法》，还有各级各类教育相关的法律，为教育发展与治理提供了强有力的法律依据和保障，也体现了教育治理中的法律原则。

一、战前教育法律

近代明治政府在确立“富国强兵、殖产兴业、文明开化”三大政策的同时，就开始着手教育立法。

（一）《学制》

日本1872年颁布的《学制》由109章构成，1873年又增加了104章，共213章。规定实行学区制，每个学区必须兴办教育、兴办学校；还规定学童的受教育年龄、受教育阶段、受教育年限等。《学制》系统庞大且完整，作为国家性法令，它具有强制性。在《学制》颁布实施的第二年，日本小学入学率就达到28%，接着师范学校、中等学校等其他层次类型的学校教育也逐步展开，1877年还创办了国立东京大学。《学制》的颁布促进了日本初等教育的普及，推动了日本教育的全面发展，在日本教育史上具有举足轻重的地位。

《学制》的规定是强制性的，其实施过程采取的也是全国统一标准。由于当时日本社会经济的局限性，很多家庭无法负担学童的教育经费，加上在实施过程中政府官员的做法存在不妥之处，还有统治阶层的内部纷争，使得《学制》实行的时间并不长，在1879年被废止，继而被《教育令》所取代。

（二）《教育令》

《学制》被废除后，日本政府颁布了《教育令》，该法令由47条组成。它明确规定学校的种类为小学校、中学校、大学校、师范学校和专门学校；取消了《学制》中规定的学区制，放宽了学童学龄期的学校教育要求，承认非正规学校普通教育的合法性，缩短了公立小学校的学习年限，精简了教学内容，等等。《教育令》改变了《学制》强制干涉的中央集权体制，它承认地方分权、地方办学自由化和教学方式灵活化，放宽了就学义务的规定，充斥着自由主义基调，显示了明治政府在教育问题上的西洋化倾向。[①]后由于种种原因，1880年3月日本政府修改了《教育令》，即《改正教育令》，重新强调学童就学的义务，强化了中央集权。为配合实施《改正教育令》，明治政府又继而颁布了一系列的规则，如1881年5月的《小学校教则纲领》、1881年6月的《小学校教员守则》、同年7月的《中学校教则大纲》《师范学校教则大纲》等，逐步构建起一套趋于完备的教育法规，为日本后期的教育立法、国家主义教育法律法规的制定和修改做出铺垫。

（三）《学校令》

为进一步确立天皇的权威，明治政府于1886年初颁布了《帝国大学令》《小学校令》《中学校令》《师范学校令》等一系列教育法令，统称为《学校令》。《学校令》规定大学是研究学问的场所，以“适应国家需要，教授学术技艺，并探究其奥秘为目的”，中小学则是国民接受教育的场所，“要

① 冯志军．日本教育法规研究[D]．苏州：苏州大学，2004：9.

按当地实业的目的进行施教”。[①]在《学校令》的规定下日本建立起以小学为基础的完整的双轨制的学校教育体系，其直系是高等小学到寻常中学再到高等中学最后到帝国大学，旁系则是高等小学到寻常师范学校再到高等师范学校。

此外，《学校令》是以天皇敕令的形式颁布的，强调“善良臣民”的培养，这和之前政府颁布的《学制》和《教育令》从本质上讲是不同的。1890年，天皇下达了《教育敕语》，它在教育思想界和教育理论界占据极其重要的地位，使全国的教育思想高度统一。其后，学校令的系列法令都陆续被修改，如《帝国大学令》变成《大学令》，《小学令》变为《国民学校令》等。同时又新增了其他法令，如《高等学校令》《实业学校令》《专科学校令》，等等。一直到20世纪20年代末期，由于日本各界教育思想的高度统一，各级各类学校获得了较快、较好的发展。

20世纪30年代由于军国主义势力对日本当局的控制，教育变为为当权者服务的工具。1938年颁布的《国家总动员法》，强制征用劳动力，动员学生参军参战，严重扰乱了正常的学校教育秩序，导致日本教育的倒退。1941年颁布的《国民学校令》增加了军国主义教育内容，规定学校开设武道教育课程，加强对学生思想和身体的控制，这时的教育已失去了其真正的功能与意义。

在战争时期，日本教育偏离了其发展的正常轨迹，出现了倒退。但是，从教育立法和教育法制建设这一层面而言，近代日本政府所制定的各种教育法令、颁布的一系列教育法规，从形式上已经基本建构起比较完整的日本近代教育法律体系，也为战后日本现代教育法制建设奠定了基础。

二、战后教育法律

二战结束后，在以美国为首的盟军司令部的指导下和日本国民的强烈要求下，日本修改了《大日本帝国宪法》。在1946年颁布了《日本国宪法》，

---

① 瞿葆奎，钟启泉．教育学文集——日本教育改革[M]．北京：人民教育出版社，1991：30.

宪法中有关教育的规定为其后的《日本教育法》的制定与颁布提供了依据与保障。

（一）《日本国宪法》中的教育规定

1946年11月3日，日本公布了以“国民主权”“和平主义”“尊重基本人权”为基本理念的新宪法——《日本国宪法》，并规定新《宪法》于1947年5月3日正式实施。新《宪法》第三章第23条规定，保障学术自由。第26条关于“受教育的权利、教育的义务”中，第1款规定“全体国民，按照法律规定，都有依其能力所及接受同等教育的权利”。第2款则规定“全体国民，按照法律规定，都有使受其保护的子女接受普通教育的义务。义务教育免费”。史无前例地在《宪法》中对国民受教育的权利和义务作出明确规定。《宪法》对教育的规定成为其他教育法律、法规制定的根本依据和保障，彻底改变了战前的“敕令主义”，代之以“法律主义”，使教育的法制建设健康有序地推进。

（二）《教育基本法》

在《宪法》的基础上，日本制定了《教育基本法》，于1947年3月31日公布并于同日宣布实施。在反省战前教育的基础上，形成了序言和11条规定，总共600多字。该法以高格调和精练的语言概括了教育的理念和教育目标，被教育界的专家学者称为日本的“教育宪法”。该法在序言中首先明确了通过教育的力量来实现《宪法》理念的原则，以期实现培养重视个人的尊严，爱好真理与和平的青少年；同时须彻底普及以全面发展和创造富有个性的文化为目标的教育。

第1条规定了教育的目的。教育的目的是要使青少年形成健全的人格，换言之，即尊重个人的价值和尊严，使每个青少年所具有的能力能够得到最大限度地协调发展。同时，重视青少年对国家与社会所尽的义务与责任，以培养能为和平国家及社会做出贡献、身心两方面都能够健康发展的国民。

第2条规定了要尊重学术自由。

第3条规定了义务教育。保证教育机会平等，禁止教育过程中出现各种歧视。国家、地方政府负有完善学龄儿童就学条件的义务。

第4条规定了义务教育年限及费用。规定免费九年制义务教育。

第5条规定了男女同校。规定男女学生同校并在同等条件下学习。

第6条规定了保障教师的权益，指出学校教育有着公共性，学校的教员是公众的服务者，国家、地方政府必须尊重教师的地位，不断提高他们的各项生活待遇。

第7条规定了社会教育。奖励普及社会教育，不断完善社会教育的学习环境。

第8条规定了政治教育。为培养具有健全判断能力的公民，既要重视政治素养教育，同时还要禁止特定党派所从事的政治性教育或活动。

第9条规定了宗教教育。教育过程中既要注意对宗教采取宽容的态度，同时也禁止从事宗教性教育或活动。

第10条规定了教育行政。教育肩负着对全体国民负责的责任，所以不能服从任何不正当的统治和控制。教育行政基于此认识，为了完成教育目的所提出的要求，必须提供和完善教育所需要的各种条件。

第11条规定了《教育基本法》在教育法令中的基础位置。在实施《教育基本法》各项条款过程中，根据需要可制定相应的法律。

《教育基本法》是其他教育法律法规的基础，在此基础上日本国家和地方陆续制定和完善各级各类教育相关的法律、法规及条例等。

《教育基本法》在其颁布后的50多年里，对日本教育起到了指引性的作用，在其法律精神下日本制定了各类教育法规、健全了教育法制体系，极大地提高了日本教育水平。由于这部法律的卓越性，在实施后的50多年里未被修改，直到2006年12月5日《教育基本法修正案》出台。

（三）其他教育治理的相关法律

日本的教育法律立法已有一整套完整的体系，既有国家颁布的涵盖教育全貌的法律，又有专门针对某一方面的，还有地方制定和颁布的规范、条例等。除了《宪法》和《教育基本法》这两部基本法律之外，在此基础上产生的法律，归纳起来大致有：

第一，学校教育相关的法律。如《学校教育法》、《私立学校法》、《关于义务教育诸学校的教科书免费的法律》、《教育振兴法》（包括《理科教育振兴法》《产业教育振兴法》《青年班级振兴法》《非全日制的高级中学定时制教育及函授制教育振兴法》《偏僻地区教育振兴法》）、《学校图书馆法》、《学校保健法》、《学校膳食供给法》、《体育振兴法》、《学校设置法》、《日本私立学校振兴援助法》、《私立学校振兴援助法实施令》、《国立大学法人法》等。

第二，教育行政组织的相关法律。如《教育委员会法》《文部省设置法》《地方教育行政组织及运营相关法律》《国立学校设置法》等。

第三，教育财政的相关法律。如《义务教育费国库负担法》《义务教育的诸学校设施费国库负担法》《市町村立学校职员的薪金负担法》《私立学校振兴财团法》等。

第四，教职员的相关法律。如《教职员许可法》《教育公务员特例法》等。

第五，社会教育的相关法律。如《社会教育法》《图书馆法》《博物馆法》等。

此外，还有《终身学习振兴法》（《生涯学习振兴法》）、《日本学术会议法》、《日本学士院法》、《文物保护法》、《宗教法人法》，等等。

除了国家制定的法律外，还有各地都道府县等地方公共团体根据当地的实情制定的各种规定和条例等，这些实际上可视为当地的法规，其效力仅限于地方公共团体区域内。如《关于县立学校教学科目等的条例》《关于学校教职员的工资、工作时间、假日、休息等的条例》等。

现行日本教育立法的流程大致是，法案由文部科学省提交中央审议会审议，再提交给文部科学大臣，由文部科学大臣提交内阁法制局，交内阁会议，再提交国会，由国会通过形成法律。用图2-1教育法律产生流程图表示。

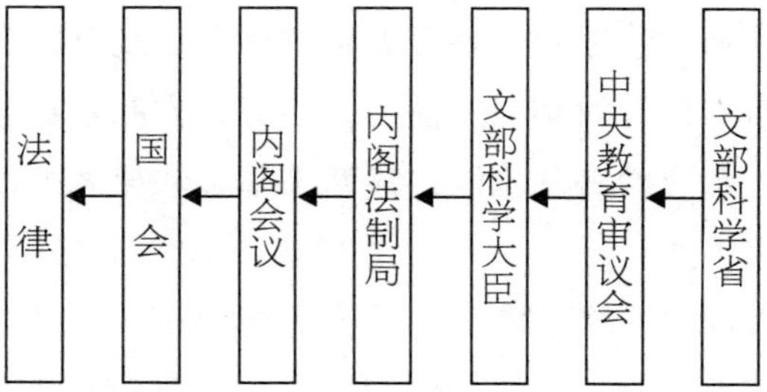

图 2-1　教育法律产生流程图

第二节　教育行政管理

日本教育治理是实施主体在较为健全的法律基础上有序进行的，日本教育治理的实施主体由教育行政机关、各级各类学校主体、各类非营利性社会团体、非政府组织、以及热衷于教育事业的个人组成。这些主体中，教育行政机关起到了至关重要乃至决定性的作用，各主体责权明确、相互协作与促进，形成了日本特色的教育治理体系。

日本政府的教育治理主要体现在其管理体制上。日本教育行政管理体制的主要线条为：从中央集权型到地方分权型再发展到中央集权制与地方分权制结合。日本的教育行政管理体现出“中央负责、地方自治”的特点。日本从明治维新后一直到第二次世界大战结束之前，实行中央集权型的教育管理体制。第二次世界大战之后，日本成为美国的附庸。根据美国教育使节团的建议，日本政府于1949年5月颁布《文部省设置法》，将中央集权制改为美国式的地方分权制。由于地方分权制不符合日本国情，不久宣告失败。

一、中央教育行政管理

战后初期，在美国指导和建议下，日本政府制定的《文部省设置法》《教育委员会法》等规定将以往的中央集权式教育管理权下放给地方，文部省的管理权力被大大削弱，其战前“统制和命令”的权力消失。文部省主要从事国家教育补助费的分配和拨发，进行调查研究并发布调查研究结果，变成了一个咨询性的服务机构。这显然不符合日本国情和日本教育传统，获得权力后的地方教育也无所适从。日本第二次世界大战后所实施的彻底的地方分权型教育管理体制很快就以失败告终。后来《教育委员会法》直接被废除。

进入20世纪50年代，日本就着手对管理体制进行改革。1952年修订《文部省设置法》，并颁布《文部省组织令》。1953年颁布《文部省设置法实施细则》。1956年废除1948年颁布的《教育委员会法》，制定并颁布《地方教育行政组织及运营相关法律》等。这些教育法律和法规的颁布，相应削弱了地方教育行政管理的权力，适当扩大了文部省的职责和权限。文部省对地方教育委员会、行政机关、大学和其他教育、文化与科学机构提供指导和建议；管理由文部省设立的大学和其他教育、科学与文化机构，任命都道府县和重要市的教育长或负责人，审定中小学教科书；对地方教育和其他教育、文化与科研机构提供经费补助，等等。现在日本中央教育行政的最高机构是文部科学省，是日本中央政府行政机关之一，在2001年1月6日起由原文部省及科学技术厅合并而成。负责统筹日本国内教育、科学技术、学术、文化、及体育等事务。

（一）文部科学省的组织机构

文部科学省是日本教育的最高行政管理机构，其最高行政长官被称为“文部科学大臣”，是内阁国务大臣之一，多数从国会议员中产生并由首相任命。2017年的日本文部科学省的最高管理层设文部科学大臣1名、副大臣2名、大臣政务官2名、事务次官1名、秘书官1名以及文部科学审议官2名。文部科学省所属机构，包括内部机关、附属设施等机构、特别机构以及直属厅。各所属机构又辖若干机关或组织。

就文部科学省的内部机关而言，包括“一官房、六局和一国际统括官”。

大臣官房主要负责个人业务，全面的秘书工作，预算和报告，规划和研究与教育、科学及其文化有关的基本政策，调研日本国内外的教育，信息变化与公共关系，内部机关的人事、教职员的福利待遇，有关教育文化设施建设的指导，对国家教育机构建筑物的修建。

生涯学习政策局推进终身学习体系的完善，构建终身学习社会，该局的职责是计划并协调对家庭、学校和团体产生影响的有关政策和措施，推动社区范围内的终身学习活动，改善与终身学习有关联的有益信息的表现方式，同时提供区域性的说服机构，进一步发展空中大学，创办特殊教育学校和混龄学校，发展和改进非正式教育机构，促进与非正规教育有关的成人学习活动和群体活动的开展。

初等中等教育局主要负责幼儿园、小学、初中和高中教育发展的相关事业，包括制定为小学、初中和高中，还有残疾人的特殊学校以及幼儿园的国家课程标准；提供有关教学和指导的职业性和技术性建议和意见；对教材预备指导书；为接受义务教育的儿童提供不受约束的教科书；编制教科书等。

高等教育局的主要职能：为高等教育指明基本的国家发展计划；提供与发展高等教育有关的计划、帮助和建议；建立综合性大学、初级大学和技术性大学并批准这类机构的设立；对学生的福利和助学金提供相应的计划、帮助和指导；批准高等学校法人的设立；对大学法人团进行指导和提出建议，设国立大学法人支援课，对国立大学法人实施援助；下设私学部，以促进并帮助私立学校或教育机构开展教育事业。

科学技术·学术政策局的主要职责是：发展和推进科学研究；计划、帮助和指导训练研究人员及改善研究机构条件；为研究项目提供财政援助；促进产学联合，以科学技术推动地域发展；促进科学技术、学术人才的培育。

除此之外，还有研究振兴局、研究开发局和国际统括官。

直属厅包括体育厅和文化厅。

体育厅的职责是：促进体育事业、运动及健康教育发展；推动学校体育的开展；改进学校健康和安全设施；传播和改善学校餐点计划；推进健康教育；发展和改善社区体育和运动器材；组织社区体育方案的指导者和教练的训练；加强和改善与提高竞技体育项目水平有关的措施；帮助各种运动团体和组织。

文化厅的职责是：推动和宣传文化及艺术活动的发展；促进包括文化中心以及国家艺术博物馆在内的发展；完善地方艺术和文化。它还与以下各项有关：通过规划、保护、重建和捐赠这些财产，传承和利用传统文化遗产；推广国家语言；宣传和推广版权制度；设立与宗教事务有关的政府服务机构。

文部省的所属组织详细结构如表2-1所示。

表 2-1　2017 年 4 月文部科学省组织构成①

文部科学省	干部	• 文部科学大臣 • 文部科学副大臣（2 名） • 文部科学大臣政务官（2 名） • 文部科学事务次官 • 文部科学大臣秘书官 • 文部科学审议官（2 名）
	内部机关	• 大臣官房 • 生涯学习政策局 • 初等中等教育局 • 高等教育局 • 科学技术 • 学术政策局 • 研究振兴局 • 研究开发局 • 国际统括官
	附属设施等机构	• 国立教育政策研究所 • 科学技术 • 学术政策研究所
	特别机构	• 日本学士院 • 地震调查研究推进本部 • 日本联合国教科文国内委员会
	直属厅	• 体育厅 • 文化厅

（二）审议会等机构

在文部科学省，除了其内部各局机关、附属机构以及直属的体育厅和文化厅外，还有“中央教育审议会”“临时教育审议会”等具有咨询机构性质的常设机构。

① 根据日本文部科学省主页内容整理，http://www. mext. go. jp/b_menu/soshiki2/04. htm.

“审议会”等机构是文部科学省的咨询审议机关，相当于智囊团，文部科学省制定和颁布的政策、制度、通知条令等都是以审议等机构的咨询报告为重要依据而形成的。目前文部科学省管辖的“审议会”等机构有科学·技术审议会、国立大学法人评价委员会、中央教育审议会、大学设置·学校法人审议会、科教用图书检定调查审议会、国立研究开发法人审议会六个审议会。其中中央教育审议会的职能范围最广，开展的事业也最多；中央教育审议会下又设教育制度、终身学习、初等中等教育、大学等5个分科会，对日本的教育事业进行全方位调查和审议。

（三）文部科学省管辖的各类法人

文部科学省还直接管辖其他一些机构和组织以及各类法人。文部科学省主管各种教育行政法人、国立大学法人以及特殊法人。

截至2017年4月1日，文部科学省主管22个行政法人，有国立特别支援教育综合研究所、大学入学考试中心、国立青少年教育振兴机构、教职员支援机构、日本学生支援机构、国立女性教育会馆、国立科学博物馆、物质·材料研究机构、防灾科学技术研究所、量子科学技术研究开发机构、国立美术馆、国立文化财机构、科学技术振兴机构、日本学术振兴会、海洋研究开发机构、国立高等专门学校机构、大学改革支援·学位授予机构、日本原子力研究开发机构等。同时还主管86所国立大学法人和4家大学共用机构法人（分别是人类文化研究机构、自然科学研究机构、高能源加速器研究机构和信息·系统研究机构），另外还主管日本私立学校振兴·共济事业团和放送大学学园两家特殊法人。

文部科学省通过直属的审议会等对全国的教育进行调查、了解、审议，通过政策研究所的研究论证，形成法令、政策和意见；通过其内部各部、局等机关对全国各级各类教育工作进行统一的、宏观上的管理和指导。

二、地方教育行政管理

日本教育行政管理是中央集权制与地方分权制的联合统一、协调管理模式，中央由文部科学省集中统一管理，地方分权主要是由各地方公共团体，即各都道府县的教育委员会实施分权治理。

（一）地方行政

日本法律规定，地方实行地方公共团体自治。日本的地方公共团体也称地方自治体，地方自治体政府分为两级，即都道府县一级（相当于中国省级）和市町村一级（相当于中国的市、县、镇级）。其主要职责是，在其行政区域内管理、协调各辖区内的社会公共事务。如：居民的户籍注册、婚姻登记、公共设施和道路建设，以及积极谋求当地经济、教育等各方面的发展等。

都道府县是建立在中央与市町村之间的一级行政区划，其政府的行政首长称为“知事”。都道府县有责任在其广阔的行政区域内实施司法权，或者根据需要，通过其特有的职能处理市町村所不能承担的较大的工作任务和行政管理事务，以联络、协调中央政府和市町村之间的关系，并对市町村的组织管理进行必要的监督和指导。

日本的自治地方依照人口规模、住宅密度、产业结构、基础设施状况等，每个都道府县又被划分成若干个市町村。市町村是与居民关系最密切的基层地方公共团体，都道府县是由各市町村构成的广域地方公共团体。从理论上讲，市町村与都道府县只有执行事务范围的不同，并无上下级之区别。但现阶段，日本的地方自治是不完全的，国家通过各种途径，除法律规定外，主要通过财政手段，对县和市町村进行干预。所以，都道府县事实上是市町村的上级机关。

都道府县和市町村被称作普通的地方公共团体，但也有一些地方组织被称作特殊的公共团体。比如，东京都，作为日本的首都，具有特殊的功能，为便于更好地进行管理，它被划分为千代田区、中央区、港区、新宿区等 23 个特别行政区，每个行政区虽与市相类似，却又有一些不同之处，有些区内事务通常由东京都直接进行管理。此外，有些都道府县的市町村，在人口规模、土地面积、地理条件等方面均有较大差异。有些市町村的功能不够健全，不能独自处理本辖区内的有关事务，需要彼此协助、相互合作。基于这样的理由，一些市町村要联合起来，共同处理、完成彼此相关的特殊任务。这种组织形式被称为地方事务管理互助会，是特殊的地方公共团体的组织、协调、办事机构。这类互助组织有义务、有责任为较广阔的地区服务，该组织机构应当随时随地地开展污水处理、火灾防范、中小学的开办、农业联产合作等多方面的内容。

地方公共团体包含各种各样的组织形态，这些组织或机构分工办理分内的各项事务。议会是最高决策机构，执行机关根据议会的决议来处理区域内的各项社会事务。执行机关的代表人为各地方公共团体的首长，即都道府县知事、市町村长。值得一提的是，为防止各地方首长的权力过于集中，还另设立了教育委员会、选举委员会等，教育委员会与地方政府在地位上是平等的，都是行政执行机关。

（二）地方教育行政

日本地方教育行政权主要集中在地方教育委员会手中。战后初期，在美国的指导下日本制定并颁布了《教育委员会法》，采用了美国式的教育委员会制度。该法规定“教育委员会负责管理都道府县和市町村所属的教育及相关事务，并管理和执行地方公共团体的教育事务”（第4条）。该法体现了美国等西方国家的民主意识，第7条规定“都道府县教育委员会由7名委员组成，地方委员会由5名委员组成。除1名委员是从当地的公共团体议会议员中选举产生外，其他委员均由地方公共团体的居民以公开选举的方式产生”。第41条规定“教育委员会下设教育长，教育长由教育委员会任命产生”。[①]赋予了地方教育委员会很大的权限，改变了过去地方教育行政长官由文部大臣任命的传统。

在外来势力的强制下，日本各地都道府县的教育委员会也建立起来。因为战后的民主教育改革不是日本国内的内生原动力使然，美国势力强制而生的地方教育委员会自治在长期实行中央集权式管理的日本缺乏根植的土壤，势必会导致问题丛生，难以为继。虽然后来《教育委员会法》被废除，但此法给日本教育带来了民主之风，为日本地方教育治理走向现代化道路指明了方向，该法对促进日本地方行政整顿与改革也发挥了积极作用。

---

① 教育委员会法（昭和23年法律第170号）[EB/OL]. http://www. geocities. jp/nakanolib/hou/hs23-170. htm.

（三）地方教育行政的组织结构

根据1956年日本颁布的《地方教育行政组织及运营相关法律》规定，日本各地方设立教育委员会，独立于地方政府，负责地方教育管理。现在日本的地方教育行政主要由两级负责，一是都道府县的教育委员会和市町村教育委员会。教育委员会成员一般由5名委员组成，委员经议会选举产生后，由地方行政首长知事任命，任期4年。二是地方教育行政长官为“教育长”，市町村教育委员会的教育长须经都道府县教委的认可和任命，都道府县教育委员会教育长的任命则必须得到文部科学大臣的认可。地方公共团体所辖区域内所设立的私立学校、公立大学及其他高等教育机构由地方政府直接管理，教育委员会主要负责发展辖区内的公立初等、中等学校教育，在人事、经费、设施设备、教育教学、课程内容和教师进修等方面对其所辖学校负责。日本地方教育行政系统如图2–2所示。

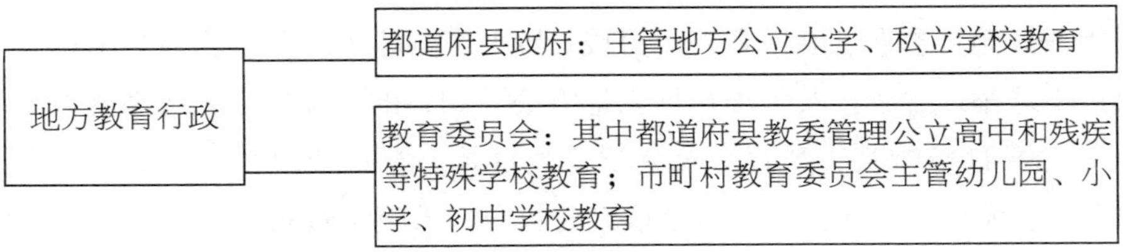

图 2–2　日本地方教育行政系统

地方的都道府县教育委员会以及市町村教育委员会，直接负责地方的教育事务。教育委员会下设事务局（有的地方称为“教育厅”，如福岛县），处理教育委员会所管辖的具体事务，事务局设有技术员、事务员、指导主事、社会教育主事，这些职员都由教育长推荐、教育委员会任命。教育委员会在中央文部科学省的指导下对所在辖区的学校设置、存废、财政、人事、学生学籍以及教务等事务进行全面把控和实施治理。

（四）都道府县政府内部的私立学校和公立大学管理机构

《地方教育行政组织及运营相关法律》规定，日本地方的私立学校以及公立大学由政府直接管理，日本的地方自治体，都道府县政府一般称厅，如“××县厅”等，因此日本各都道府县厅都设有相应的私学和公立大学管理机构，因地区不同，名称上会有差异，如福岛县的相应管理机关称为“私学·法人课”，对当地的公立大学和一般私立学校进行指导和管理。

第三节　各级各类学校

各级各类学校是日本教育最主要的组成部分，学校亦是实施教育治理最重要的主体之一。日本的学校教育由初等教育、中等教育和高等教育组成。初等教育由小学完成，中等教育由初中和高中来完成。日本实行9年制义务教育，分别为小学6年和初中3年；日本的中小学校里，既有独立的小学、初中、高中，也有义务教育学校（小学、初中教育9年一贯制）、初高中一贯制中学校，还有小学、初中及高中教育12年一贯制学校；高中阶段教育的学校除了一般课程的高中外，还有职业高中。高等教育由各级各类高等教育机构来承担，包括高等专门学校、短期大学和一般大学等。此外还有各种专修学校以及其他教育机构等。为实现各自的教育和培养目标，各级各类学校主体实施相应的学校教育治理实践。

一、学前教育机构

日本的学前教育机构有两种：一种是幼儿园，属于学校教育制度的组成部分，招收3—6岁幼儿，由文部科学省领导；另一种是保育所，隶属于厚生劳动省（主管社会福利、社会保障、公众卫生等的国家行政机关）管理下的保育系统，招收从出生到6岁的幼儿。两者创办宗旨有差异，幼儿园是学校的前期准备，以教育为主；而保育所有补充、完善家庭养育的功能。2006年《教育基本法》修订后，第11条“儿童教育”中明确规定：由于幼儿教育是人格培养的重要基础，国家及地方公共团体必须致力于为儿童的健康成长提供良好的环境，并采取适当的方法振兴幼儿教育。还将保育定义为“早期儿童时期的教育和照管”，从法律上保证了儿童受保育的权利。

《学校教育法》规定，幼儿园的教育目标：①培养健康、安全、幸福的生活所需要的日常习惯，并使其身体的各种机能得到发展；②让幼儿在幼儿园内体验集体生活，培养幼儿初步具有喜欢过集体生活和团结互助、自主、自律的精神；③培养幼儿正确理解和对待其周围的社会生活现象的萌芽观念；④指导幼儿正确地使用语言，培养他们对童话、连环画等的兴趣；⑤通过音乐、游戏、连环画等，培养幼儿对创作表现发生兴趣。幼儿园的教育内容分为健康、人际关系、环境、语言和表现5个领域。

与欧洲其他发达国家相比，日本的学前教育并不发达，根据经济合作与发展组织2011年的统计数据显示，日本幼儿教育的在学率为87.8%。日本文部科学省2017年8月的调查结果显示：截至2017年8月日本共有幼儿园10 877所（其中国立49所，公立3 952所，私立6 876所），比上年减少375所，在园儿童1 271 931人，比上年减少67 830人。[①]各幼儿园和保育所根据目标实施学前教育。

二、初等教育学校

日本的初等教育十分普及。日本实施初等教育的机构是六年制小学，儿童满6周岁入学，12周岁毕业，属于义务教育阶段。根据2017年8月3日文部科学省发布的最新学校调查结果显示：日本有国立小学70所、公立小学19 794所、私立小学231所，其中国立和公立学校减少了，分别比上年减少2所和217所。日本学校的在校学生人数比2016年减少了34 858人。[②]

各小学实施内部管理，保证基础教育的有效实施。新学年从4月份开学，多数小学采用三学期体制，三学期之间分别为暑假、寒假和春假。日本《学校教育法》规定小学的教育目的是适应儿童的身心发展，实施初等普通教育。

教育目标为：①根据学校内外的社会生活经验，使学生正确理解人与人

①② 文部科学省. 学校调查概要[EB/OL]. http://www. mext. go. jp/component/b_menu/other/__icsFiles/afieldfile/2017/08/03/1388639_2. pdf.

之间的相互关系，养成合作、自主和自律的精神；②引导学生对家乡和国家的现状与传统进行正确理解，进而培养国际协作精神；③使学生具有日常生活所必需的衣、食、住和产业等方面的基础知识，并掌握基本技能；④使学生能正确理解日常生活所必需的国语，并养成正确使用国语的能力；⑤使学生能正确理解和处理日常生活所必需的数量关系的能力；⑥培养学生科学地观察和处理日常生活中自然现象的能力；⑦培养学生健康、安全和幸福生活所必需的习惯，并力求使学生的身心发育协调；⑧培养学生掌握能使生活变得明朗、丰富的音乐、美术和文艺等方面的基本知识和基本技能。

教学内容：日本的教育内容按《教育基本法》的规定，由文部科学省制定并颁布《学习指导要领》（相当于中国的教学大纲），以此为基准实施，教科书由文部科学省审定。根据2008年修订的《学校教育法》规定，小学的教育内容由各学科课程、道德、外语活动、综合学习时间和特别活动组成。小学的学科课程包括国语、社会、数学、理科、生活、音乐、图画、家庭和体育。在文部科学省颁布的《小学学习指导要领》中对这些课程有详细而具体的规定。

小学道德教育的内容包括：①自己本身；②理解他人；③了解自然，具有高尚的情操；④自己与团体、社会的关系等四个方面。道德教育的目的在于培养学生尊重他人，重视生命，为创造民主社会和国家的发展而努力，为促进国际和平做贡献。特别活动是指班级、年级和学校组织的各种活动。

日本小学的学科课程重视基础知识学习，新《学习指导要领》恢复了在“宽松教育”时期所削减的课时，同时也重视道德、外语学习（主要为英语），以及各种班级、年级、俱乐部活动，培养学生的生存能力和综合能力。

三、中等教育学校

日本的中等教育分初中和高中两个阶段，初中属于义务教育的完成阶段。

（一）初中教育

截至2017年5月，日本共有国立初中71所，公立初中9 479所，私立初中775所。[①]《学校教育法》规定，初中是在小学教育的基础上，适应学生的身心发展，实施中等普通教育，目标有三：①培养学生作为国家与社会的一员所必须具备的资质；②教授社会所需职业的基础知识与技能，培养劳动的态度以及根据个性选择出路的能力；③促进校内外的社会活动，正确引导学生的情感，培养公正的判断能力。学制为三年。

根据2008年修订的《学校教育法》规定，初中的教育内容由各学科课程、道德、综合学习时间和特别活动组成。在2010年颁布的新《学习指导要领》对这些课程和活动有详细具体的规定。学科课程包括国语、社会、数学、理科、音乐、美术、保健体育、技术、家庭以及外语（主要为英语）。

（二）高中教育学校

《学校教育法》规定：高中是在初中教育的基础上，以实施高级普通教育和专门教育为目的，实现三个目标：①进一步发展和扩充初中教育的成果，培养学生成为对国家与社会有作为的建设者所必需的素质；②使学生能自觉地根据社会的需要和个人的特点，选择将来的出路，提高普通教养，掌握专业技能；③形成对社会有深刻的理解和健全的批判能力，形成个性。

日本高中阶段有全日制、定时制和通信制（函授制）三种课程形式。国立高中15所、公立高中3 571所、私立高中1 321所，比上一年略有减少。全日制高中修业年限为三年，定时制和通信制为三年以上。定时制有日间部和夜间部两种形式，夜间部占多数。高中教育分为普通教育和专门学科教育两大类型。普通教育是为准备升入大学等高等学校和准备就业但没有确定具体行业的学生需求而进行的教育，高中阶段绝大部分学生在普通学校学习，专门学科教育主要满足学生在特定领域内就业的需要。从1994年起，日本还创立了第三种学科——综合学科。这种学科可满足学生多种兴趣发展、提高适

---

① 文部科学省. 学校调查概要[EB/OL]. http://www. mext. go. jp/component/b_menu/other/__ics-Files afieldfile/2017/08/03/1388639_2. pdf.

应能力和毕业后选择各种出路。①

学生可以对普通高中课程和专门课程自主选修。高中教育内容同样由各学科课程、道德和特别活动构成，设必修课和选修课，实行学分制，按新的《高中学习指导要领》，毕业需要修满74学分。一般学科课程为国语、地理历史、公民、数学、理科、保健体育、艺术、外语、家庭及信息。各门学科课程在《学习指导要领》中又有若干具体规定。如“国语”课又包括“国语综合”“国语表现”“现代文A”“现代文B”“古典A”“古典B”等。各专门高中或职业高中作为专业课程主要有农业、工业、商业、水产、家庭、看护、信息、福祉、体育、音乐、美术和英语等。为适应科技和社会的变化，各科开设了与之有关的“课题研究”课，以提高学生解决实际问题的能力。

四、高等教育学校

日本的高等教育已经形成多层次、多类型的结构。办学体制主要有国立、公立、私立三大类。在国立大学中既有前身是帝国大学的东京大学、京都大学、东北大学、九州大学、北海道大学、大阪大学、名古屋大学，又有1950年以后创立的分布于47个都道府县的国立大学。根据日本文部科学省的统计，至2017年5月，日本共有国立大学86所，公立和私立大学694所。②

日本的高等教育从办学水平上来分，有高等专门学校、短期大学、大学、研究生院等。结构上属于三级结构：第一级结构是短期大学和高等专门学校，以开展高等职业教育和培养学生实际生活能力为目的。第二级结构是四年制大学，包括综合大学、多科大学和单科大学。第三级结构是研究生院，包括设置在学部的研究科和研究生院大学，旨在“教授和研究学术理论及应用，深究其奥义和促进文化发展”。办学形式有全日制、夜校、函授和广播电视大学以及公开讲座等。

---

① 汪辉，李志永．日本教育战略研究[M]．杭州：浙江教育出版社，2013：3.

② 文部科学省．学校调查概要[EB/OL]. http://www. mext. go. jp/component/b_menu/ other/__ics-Files/afieldfile/2017/08/03/1388639_2. pdf.

（一）高等专门学校

日本的高等专门学校创立于1962年，招收初中毕业生，修学年限五年，属于高等职业技术教育机构，以培养高等技术人才为目的。

（二）短期大学

短期大学在日本高等教育体系中占有重要地位。产生于1950年，学制二年，一般规模较小，只设1—2个学科，学习和研究专门的学艺，培养学生就业及实际生活所需的能力。58%的在校学生在幼儿教师、保育员等教育专业或营养师、福祉看护员等家政专业或养护师等保健专业学习。短期大学的高等职业教育的特点突出。

（三）大学

大学是日本高等教育体系的主要形式，医科和口腔科的学制为六年以上。以传授广博的知识、教授和研究高深学问为目的，实行教学与科研相结合。多数大学为综合性大学，一般设有学部（相当于中国大学的学院或系）。课程包括通识教育和专业教育，采用学分制。 大学的教学采取学科科目制和讲座制两种形式。所谓学科科目制就是按照必要的科目设置课程和安排教师上课；讲座制则是根据专业设置在同专业中开设一定的专业讲座，并根据讲座安排教师。

（四）研究生院

研究生院在日本称为“大学院”，以基础研究为主，担负推进学术研究和培养科研人员以及各类高级专门人才的任务。结构形式有附属于大学的研究生院、独立的研究生院和几所大学合作设立的联合研究生院，设博士前期课程（也称修士课程，即中国的硕士课程，学制二年）和博士后期课程（博士课程，学制三年），修满课程学分并通过论文答辩授予相应的学位。日本没有博士后制度，但有类似的特别研究员制度。

日本大学非常重视科学研究，以基础理论研究为主，将科研尽可能与教学结合，注重协作和开展共同研究，特别强调为产业服务，试图建立“官、产、学三位一体”的科研体制，集中政府、企业和大学的科研力量联合攻关，开展创造性的研究和培养高水平的开拓人才，推动大学由模仿型科学研究向创造型科学研究转变。

五、职业教育学校及其他教育机构

1951年，日本制定《产业教育振兴法》，规定产业教育是发展产业经济及提高国民生活的基础，通过产业教育确立对劳动的正确信念、传授产业技术的同时，培养具有就业能力且对经济自立做出贡献的有为国民。鼓励地方公共团体和企业发展职业技术教育，并规定国家在该方面采取经费补助政策。

（一）职业教育学校

职业技术教育在日本的学校教育中占有很重要的地位，培养出大批优秀的技术人才和熟练劳动力，促进了日本经济的高速发展。在日本，除了幼儿园和小学以外，各级各类学校都设置职业技术教育的课程科目，对学生进行职业技术方面的培养。日本已经形成多层次、多类型的比较完整的职业技术教育网，有学校、企业和社会办的几大类职业技术教育；有职前教育、在职教育、转业教育等，水平高低不同、时间长短不一，灵活多样、互为补充、互相促进。

在日本，学校教育体制下的职业技术教育主要包括初中的技术和家政科目教育、高中的综合学习科教育、“各种学校”、专修学校、高等专门学校和短期大学等。初中阶段职业技术教育目标是“培养学生具有某种社会职业人的基础知识和基本技能，良好的劳动态度，以及根据自己的个性来选择将来道路的能力”；高中阶段职业技术教育的目标是“培养学生具有一种必须完成社会使命的觉悟，使之能够根据自己的个性决定将来的道路，提高一般教养水平，掌握某种专门技能”；“各种学校”是实施类似学校教育的各种职业技术学校的总称，主要招收高中毕业生，但也招收其他学校在校生和社会人士；专修学校是1976年开始设立的新型职业教育机构，大多是私立的，由“各种学校”升格改组而来，发展迅速。专修学校可分为三种类型：设高中课程的高等专修学校（属高中水平，可授予毕业生高中毕业资格），招收高中毕业生而设专门课程的专门学校（属于高等教育，在专修学校中占主要地位，可授予短期大学毕业生同等的资格），设一般课程的一般专修学校（自由入学，是终身教育的典型场所）。不过，就学校教育整体而言，中等以上阶段的学校是职业技术教育的主要承担者。截至2012年，日本共有高等专门学校57所，短期大学347所，专修学校3 201所，“各种学校”1 229所。[①]

日本的职业教育贯穿于人生的每个阶段，建立了学校、企业、社会的职教网络，在实行产学研合作、政府经费补贴、企业建立系统的员工培训体系等方面具有成功经验。

（二）其他教育机构

作为建构终身学习社会的一部分，与我国继续教育相当的有社会教育、再生教育等。根据法律规定，日本在中央和各地都设有终身学习政策咨询审议机构，负责对推进终身学习相关事项进行审议。各都道府县还分别在教育委员会中设立了负责终身学习的部门或终身学习推进中心等，组织实施包括社会教育、继续教育在内的各种学习活动。2001年，终身学习政策局成立，负责规划日本终身学习政策的制定和落实，从终身学习的角度对学校教育、社会教育及文化体育等事项进行规划、政策协调、扶持与支援等。日本的社会公共教育设施十分发达。截至2008年10月，日本共有社会共有设施94 540个，包括图书馆、博物馆、公民馆、青少年教育设施、女性教育设施、文化会馆等。其中作为社会教育主要场所的公民馆16 566个，图书馆3 165个，社会体育设施47 925个。[②]日本现有盲人学校71所，聋哑学校106所，养护学校825所，特别支援学校1 059所。[③]几乎所有的日本国民都能根据自己的需要享有受教育的权利。

这些学校和教育机构接受国家教育行政机关的管理和指导，在教育法律的规定下开展教育事业，国家对教育的愿景和规划必须通过学校和教育机构才能实现，教育活动、教育质量也都有赖于学校和机构对教育过程实施有效的治理才能得到保证。

---

① 根据日本文部科学省．文部科学白書[Z]．東京：国立印刷局，2015：436–437．统计数据计算整理得出。

② 汪辉，李志永．日本教育战略研究[M]．杭州：浙江教育出版社，2013：3．

③ 日本文部科学省．文部科学白書[Z]．東京：国立印刷局，2012：394．

第四节　社会团体

在日本教育治理体系中，其治理主体除了政府的教育行政机关、学校主体外，社会力量也是实施治理的重要组成部分之一，其作用不容小觑。社会力量包括各种非营利组织、非政府组织以及非官方代表的社会个人。在日本有许多非政府组织、公益团体以及个人，他们非常热衷于教育事业，以推动教育事业健康发展为己任，积极谋划、捐钱捐物、建言献策，甚至身体力行亲自参与教育治理过程。

一、非营利组织

非营利组织，具有非政府性、自发性和非营利性等特征。非营利组织和政府的立场不同，按照日本官方定义，非营利组织主要指那些对社会做出贡献的团体，并且不仅指单一对团队成员进行收益分配的团体。这样一来，即使是从事相关收益性的事业活动，仍然可以被看作非营利组织。但是，这些非营利组织必须要从它的收益中拿出一部分来支付相关的活动经费，而且还应该为社会提供多种公益性的活动和服务。非营利组织主要包括任意团体、特殊法人、行政法人、学校法人、社会福祉法人、宗教法人、公益法人、非营利组织法人，还有按照非营利组织法规定的“特定非营利活动法人”以及医疗法人等。数量众多的非营利组织中，很多都和教育密切相关，如公益法人、学校法人等都在“特定非营利活动法人”范畴内，很大部分都属于教育非营利组织。

二、非营利组织与学校教育治理

非营利组织对于学校教育的贡献之大是其他任何组织都无法比拟的。这些组织不仅直接承担着教育任务、实施着具体的教育治理工作，对日本教育的发展起到了十分积极的作用。

（一）私立学校与学校教育

私立学校承担着绝大部分学校教育的任务。日本在1998年颁布了非营利组织法，从非营利组织的内涵看，学校法人，特别是私立学校法人也应该属于非营利组织范畴，私立学校中的私立大学和高等专门学校（专科学校）由日本文部科学省管理，其他类型的非营利组织学校法人均由其所在地方的地方政府管辖。学校法人是私立学校的法人代表，也称为母体。学校法人可以开展教育教学活动、进行研究活动，也可以进行合法营利活动，并且其营利金额不能在体系外进行分配，所以在形式上依然属于非营利组织形态。这种私立的学校在教育方面承担着大部分的教育任务，约有80%的大中专学生和幼儿园学生，以及30%的小学生教育由其担负。①

（二）非营利组织参与高等学校教育

日本的众多非政府组织的活动涉及教育领域，在参与日本高等教育治理方面发挥了积极作用。例如“日本国际志愿者协会”“笹川和平财团”等组织机构。“日本国际志愿协会”（既是非营利组织，又是非政府组织）协助日本高等院校开展国际交流活动。日本国际志愿协会面向国内各高校设立“海外研修项目”。项目规划每年春夏两个季节分别举办为期1到3个月的考察活动。泰国、越南、老挝、新加坡设有4个日本国际志愿者协会分会，分会负责此项活动。日本各高校本科生和研究生依照个人情况直接向该组织的东京办事处提交书面申请，经该办事处面试合格后对参加者进行培训。培训合格的志愿者被派往上述考察地，与当地志愿者协会工作人员配合开展对当地的援助活动。在活动期满后，志愿者要向协会提交活动考察报告，并取得协会颁发的研修证书。协会负责组织安排活动，个人基本交通和食宿费用由志愿者自负。②参加的高校学生不仅可以了解“日本国际志愿者协会”这一组织，又可以通过该组织的活动了解非政府组织以及非营利组织；同时扩大视野，增强自身跨文化能力，为今后发展增加历练，提供更多选择机会。于高等学校而言，扩大了其国际交流，助推了其国际化发展，从而提高自身实力和竞争力。

---

① 许艳，黄余霞．日本教育非营利组织（NPO）研究及其启示[J]．齐齐哈尔大学学报：哲学社会科学版．2014（3）：158.

② 夏美玲，胡树．日本高校与日本非政府组织合作开展国际教育活动及其对我国的启示[J]．内蒙古师范大学学报：教育科学版．2011（1）：39.

三、社会教育关系团体

无论哪个国家，与社会教育相关的团体都很多，日本也不例外。在日本的《社会教育法》中规定，社会教育是“不以学校课堂教育为主而进行的以成人及青少年为主开展的各种教育活动”。根据其涵义，美术馆、图书馆、体育馆和博物馆等公共教学设施都属于社会教育的领域，也应属于社会教育机构。此外还有诸多团体，虽然没有法人资格，但其功能却和社会教育非营利组织一样，比如市民合唱团、儿童联谊会以及老人俱乐部等。这些组织都属于社会教育关系团体的范畴。

上述教育行政机关、各级各类学校主体、社会团体以及热心教育的社会人士等共同构成了日本教育治理的实施主体，各实施主体明晰责权、相互配合，形成了中央行政指导、中央集中管理下的地方分权自治，政府主导下社会全民参与的、较为完善的教育治理体系，各主体相互协助，共同实施教育治理。

第三章　日本教育治理的运行机制

在日本教育治理中，中央政府、地方政府、学校主体、社会团体及个人在法制的轨道上，明确职责、相互联系、密切配合，共同对各级各类教育实施治理。形成了教育治理法律、制度完善，治理过程中中央负责、地方分权、学校自治、社会力量共同参与的运行机制与格局。

第一节　教育治理的法律机制

日本是个重视依法治理的国家，教育也是如此。日本在实施某项教育改革或措施前都会有相应的机构进行充分调查、研究、论证，并举办听证会，在集思广益的基础上先行制定相应的法律法规。大到发展方向、教育主体性质改变，小到教学环节的学时数的调整、学校膳食的调配等都有相应的法律规定与规范。真正做到了教育治理法治先行，使治理行为有法可依，有法必依。

一、教育审议会制度

日本的教育审议会为教育法令和制度建设提供依据。教育相关法律和政策的出台需要经过长时间的准备，必须有充分的理由和依据。教育审议会向文部科学省所提交的咨询报告是相关法律和政策制定、修改的主要依据之一。日本教育法律改革通常由文部科学省的教育咨询会议来起草讨论，或由中央教育审议会审议。日本各时期的相关教育审议会在教育法律的制定中起到了举足轻重的作用。

（一）二战前的教育审议会

早在1896年日本就正式成立了高等教育会议，并颁布了相应的规则，成为文部大臣的咨询机关。因此，日本便形成了在内阁或文部省设置教育政策立案咨询审议机关的惯例，高等教育会议成为教育审议会的前身。1913年，日本又实行教育调查会官制，成立了教育调查会，取代了高等教育会议。1917年，日本内阁又设立了临时教育会议，成为直属内阁的教育咨询机关。该临时教育会议在1918年10月到1920年3月，经过为期1年零6个月的审议，提交了诸多咨询报告，文部省据此制定了教育改革方案并付诸实施。[①]之后，日本又设置了诸如临时教育行政调查会（1922）、文政审议会（1924）等众多国家教育咨询机关。

在20世纪30年代日本文部省设立了学生思想问题调查委员会，针对学生思想问题进行调查研究。又设立教育制度调查会，增加了教育家以外的人士，研究日本教育制度，制定改革方案。在1935年11月设置教学刷新评议会（1937年6月被废），1937年改设文教审议会，很快又被同年12月成立的“教育审议会”所取代，这些组织都带有为军国主义势力服务的特色。随着法西斯战争的变化，1942年5月9日，日本撤销教育审议会，在内阁设置大东亚审议会，策划、制定大东亚建设的文教政策。此时的教育审议会被军国主义势力控制，变成了为其服务的工具。

（二）二战后的教育审议会

战后日本教育审议会制度是在移植西方制度的基础上发展的。以美国为首的盟军司令部进驻日本，开展了全方位的民主改革，为配合美国教育使节团的工作，日本成立教育委员会。1946年，日本内阁成立了教育革新委员会，作为教育改革研究的合议制机关。1948年7月，日本颁布《国家行政组织法》，该法第8条规定：国家行政机关在所管辖事务范围内，可以设置合议制机关，依照法律和政令的规定，召集有学识经验者进行合议，对重要的事项进行调查审议、异议审查。1949年，政府的审议机关统一定名为“审议

---

① 史景轩，王印华．日本教育审议会制度的演变及其历史作用[J]．保定学院学报．2012（1）：112.

会”，这是审议会制度的最初登场。

审议会制度逐步完善，对各行各业的重要事项进行调查审议。1949年5月31日，日本通过颁布《文部省设置法》，规定文部省设中央教育审议会。由于当时的特殊情形，直到1952年才将之前的教育革新审议会改名为中央教育审议会；随之颁布的《中央教育审议会令》，规定该组织为文部省、文部大臣的永久性咨询机构。日本国会还在1956年通过临时教育制度审议会设置法案，批准可以在中央教育审议会之外另设临时教育审议会，成为内阁附属的教育咨询机构。

1984年6月，日本规定中央教育审议会事务由政策课负责，在文部省内设理科教育、产业教育、教育课程、教科书审定调查、教育职员培训、学术、测绘学、保健体育等8个分科审议会。1984年8月，中曾根康弘为了推行以“多样化、灵活化、国际化”为核心的教育改革方针，成立了超越中央教育审议会、为期三年的临时教育审议会，直接负责回应内阁总理大臣的教育咨询。该临时教育审议会由政治界、经济界、教育界、新闻界等有影响的25位委员组成，委员均由首相任命，为日本教育如何适应经济社会和国际化发展做出了积极贡献。1987年设立大学审议会，指导和协调高等教育改革。

2000年，日本内阁根据《国家行政组织法》颁布《文部科学省组织令》，并修订了《中央教育审议会令》。据此法令，日本制定《中央教育审议会议运营规则》，使教育审议会制度更加完善。这些法令对原有审议会进行调整，规定在文部省内设中央教育审议会、教科用图书检定调查审议会、大学设置・学校法人审议会。①后来文部科学省的审议机构几经调整，2017年，文部科学省内所设的审议会等机构有六个，即科学・技术审议会、国立大学法人评价委员会、中央教育审议会、大学设置・学校法人审议会、科教用图书检定调查审议会和国立研究开发法人审议会，其中中央教育审议会的职能范围最广，开展的事业也最多。中央教育审议会下又设教育制度、终身

---

① 文部科学省．中央教育審議会大学分科会関係法令[EB/OL]．[2010-01-05]．http://www.mext.go.jp/b-menu/shim/chukyo/chukyo0/gijiroku/attach/1302448.htm.

学习、初等教育、中等教育、大学等5个分科会。

当前，中央教育审议会委员为30人以内，任期两年，可连任（在需要审议特别事项时可设置临时委员或专门委员会），委员由文部大臣从对该事项有学识经验者中任命，会长由委员选举产生。审议会设兼职干事，由文部大臣从相关行政机关人员中指定。

2006年9月，安倍晋三初次组阁，为实现其竞选纲领，10月10日，经安倍内阁决议组建了教育再生会议。2008年2月26日，日本内阁将教育再生会议改组成教育再生恳谈会议。

（三）教育审议会组织的职责

随着时代的变迁和日本社会的变化，不同时期，日本教育审议相关组织的职责是不一样的。

最初的“高等教育会议规则”规定，高等教育会议受文部大臣的监督，就有关教育事项回应文部大臣的咨询并提出意见，提交报告。文部大臣咨询事项包括7个方面：帝国大学及文部省直辖学校、图书馆的设置与废止；文部省直辖学校、公立私立学校的教育目的及学位课程设备与管理；学龄儿童的就学义务及小学校学费等有关事项；学事监督等有关事项；教科书等问题；文部省直辖学校及公立、私立学校职员的资格；文部大臣认为有必要进行审议的事项。

现在的中央教育委员会作为中央行政改革的一环，在原来中央教育审议会的基础上，整合终身学习审议会、教育及产业教育审议会、教育课程审议会、教育教员养成审议会、大学审议会、保健体育审议会的功能。2001年成立后，根据文部大臣的咨询，调查审议教育、学术或文化方面的重要的基本方针及政策，并就此向文部大臣提出建议。根据文部科学省设置法，中央教育审议会日常事务由大臣官房政策课负责，下设教育课程审议会等16个审议会。现在设有4个分科，即教育制度分科会、终身学习分科会、初等中等教育分科会以及大学教育分科会。各审议会和分科会内，根据需要可再设部或会。

现行中央教育委员会的主要职能：一是调查审议培养以推进教育的振兴

及终身学习为主的、具备丰富的人性的创造性人才的重要事项；二是调查审议关于整治终身学习的相关重要事项；三是处理法令规定的属于审议会权限的相关事项。

（四）教育审议会的作用

审议会制度是近代日本学习西方经验而引进的，日本政府所设的直属于各行政省厅的专门咨询机构，为各行各业法律和政策的制定起到了重要的作用，教育审议会在这方面的贡献更为突出。在近代，审议会制度推动各级各类学校教育的发展，促进了相关法令的颁布。高等教育会议提出的“专门学校制度化”等问题的咨询，推动了1903年《专门学校令》的颁布等。

1919年，在临时教育会议向文部省提交的报告的建议和推动下，公布了《大学令》《第二次高等学校令》等，使日本从小学到大学一体化的学校制度得以建成，也满足了当时日本国民的教育需要。由于各种形式的审议会都是日本政府设置的，为当权者服务是它的首要职能，因此在极端国家主义和军国主义势力控制日本时，它也不可避免地成为统治者进行军国主义教育的推手和帮凶。

战后，日本教育审议会的成员定期或在需要时向文部大臣或有关部门提供咨询答复，提出处理一些重大问题的建议或理论依据，或者为修改和制定教育法规提供论证。审议会的成员大都是各个领域的专家或知名人士，他们的咨询通常会对政府的教育决策产生一定的影响。例如20世纪80年代，中曾根康弘内阁在文部省之外设立了临时教育审议会直属内阁。临时教育审议会共提出4次咨询报告，不仅引起国内政府和民间的高度关注，而且在国际上产生了很大影响。临时教育审议会不仅为日本的教育改革拟定了基本方向，而且还为日本教育提出“重视个性”“完善终身学习体系”“适应时代”的三大原则。

2006年12月至2008年2月安倍政府设立的教育再生会议召开总会12次，第一分科会召开了17次，第二、第三分科会各召开了15次，分科会各成员的联合会议召开了8次。对《教育基本法》的修订和其他教育法律的制定、修改，以及教育政策的制定起了极大的推动作用。

日本的教育政策的决策首先由文部科学省的智囊机构——中央教育审议

会以及其他各种学科或专业审议会进行调查、讨论和审议，然后再提出具体建议。各审议会在调研、审议过程中，对一些重大问题要举行听证会，到各地巡回举行各种规模的听证会，首先发出安民告示，希望表达自己意见的人可通过报名申请，就审议的问题，每人10分钟，尽情地发表自己的意见。通过各种形式广泛征求意见后，再由审议会汇总，反映到审议报告中去①。这些报告直接成为制定日本教育政策的依据。

教育审议会制度的调查、审议既体现了日本教育决策的周密和专业性，又反映出其民主性。

二、《宪法》和《教育基本法》提供根本依据和保障

受教育权一般被视为公民的基本人权之一，在日本也是如此。公民享有受教育的权利，同时国家也有实施教育的权利和保障公民享受教育权的义务，日本通过法制路径来保障国家实施教育权。如前文所述，日本有着完善的教育法制体系，在实施教育改革和重大决策时，都是先制定了相关的法律、法规和政策。除了有国家宪法的规定保障，还有专门法规指导以及司法实践，完整的法律体系平衡了公民权利与国家教育治理之间的冲突，保证了日本教育的持续发展。

日本《宪法》第26条第1款规定“全体国民，按照法律规定，都有依其能力所及接受同等教育的权利”。第2款则规定“全体国民，按照法律规定，都有使受其保护的子女接受普通教育的义务”。在根本大法的层面对国民享有教育权以及全体国民履行让其子女受教育的义务作出明确规定。

为保障《宪法》规定的落实，日本于1947年制定、公布了《教育基本法》，该法对教育目的、义务教育等覆盖教育的11个方面给予明确规定。该法对战后日本教育几十年的发展起到了至关重要的推动作用。在其指导下，日本教育得到了全面发展。该法颁布后一直执行了50多年，一直到2006年才被正式修改了若干条款。进入20世纪90年代以后，日本社会贫富悬殊的加大

① 王智新．日本基础教育的经验、教训看我国教育改革[EB/OL].（2002-12-19）[2017-12-28]. http//www. edu. cn/yiwujiaoy-1074/20060323/t20060323-65358. shtml.

使得日本家庭结构与地方自治体的性质发生了根本性变化，使日本社会的少子高龄化问题突出。2000年以后，信息社会的来临、国际化的应对、地球环境问题的凸显等不断出现，要求在教育方针上有新突破的呼声愈来愈高。①

2006年12月22日，日本政府以平成18年法律第120号令颁发了新《教育基本法》，同时下发给各教育机关的还有《关于教育基本法相关政令整理的通知》和《关于中学校指导要领部分改正的通知》。

修改的新《教育基本法》体现出如下特征：一是形式上有所改变，本次修订后，新法采用"章"的形式。内容由前言和4章18条构成，第1章"教育的目的与理念"（第1条至第4条）、第2章"教育实施的基础"（第5条至第15条）、第3章"教育行政"（第16条至第17条）、第4章"附则"第18条。②这样做既可以与其他教育法律在形式上实现统一，也可以增加更多内容。二是新《教育基本法》较之旧法，内容更丰富、更详细。在教育目的和目标方面，对幼儿教育、小学、初中、高中教育的教育目标都有详细的规定。

较之旧法，新法新增了以下内容：①规定了终身学习的理念；②规定了教育机会均等；③增加了义务教育的具体规定内容和机会保障（取消了九年义务教育制规定）；④学校教育中规定了学校里必需的规律性生活，规定了学习欲望的具体内容；⑤增设大学条款；⑥增设私立学校条款；⑦增设家庭教育条款；⑧增设幼儿期教育条款；⑨增设学校、家庭及地区居民的相互合作条款；⑩增设了对教育行政中教育政策的制定与实施、教育财政的具体规定；⑪规定教育振兴基本计划的相关条款。

日本在不到一年的时间里，全面修正了《教育基本法》并颁布实施，同时出台了相关实施条令，体现了日本教育法制化建设的高效。此次《教育基本法》的修订推动了日本教育法制的新一轮建设，也推动了新一轮的教育改革。

---

① 高階玲治．教育基本法の改正で教育はどう変わるか[M]．東京：ぎょうせい，2007：1.
② 参照张德伟，译．日本新《教育基本法》（全文）（2006年12月22日法律第120号）[J]．外国教育研究，2009（3）：95-96.

三、专业教育法令指导各类教育治理

在《教育基本法》的指导下，日本制定了各类专业教育法令法规。涉及教育行政、学校教育、教育教学、教育经济、学前教育、初等中等教育、高等教育、职业教育、社会教育、教师教育等，可谓对教育整体实现了全面覆盖。在各类专业教育法律法规的指引下，不仅规范了各类专业教育治理，而且提高了治理效能。现以《教职员资格证书法》（《教职员许可法》）为例，来探讨其对日本教师资格问题的治理，以期对日本专业教育法指导教育治理的情形管窥一斑。

日本为了保持和提高教职员的素质和能力，制定了教职员资格证书的基准。1949年5月31日，日本颁布并实施《教职员资格证书法》，该法令又经过了不断修改，逐步完善。依照该法令，所说的“教职员”，系指《学校教育法》（1947年3月31日，法律第26号颁布；2002年修改案的法55号，法118号，法156号）第1条规定的小学、初中、高中、中等教育学校、大学、高等专门学校、盲人学校、聋哑学校、养护学校（以下称学校）以及幼儿园的教谕、助教谕、养护教谕、养护助教谕和讲师等。该法令规定教谕必须持有相应的符合能力的教师资格证书；资格证书分为普通证书、特别证书和临时证书三种。

“普通证书”是指不同类型学校（中等教育学校除外）中，教谕以及养护教谕的资格证书，分为专修证书、一类证书和二类证书（高中教谕的资格证书，分专修证书和一类证书）。“特别证书”是指不同类型学校（中等教育学校和幼儿园除外）中教谕的资格证书。“临时证书”是指不同类型学校（中等教育学校除外）中，助教谕以及养护助教谕的资格证书。

初中以及高中教谕的普通证书和临时证书，应根据不同学科而授予，分别是被授予“初中教谕”的学科有：国语、社会、数学、理科、音乐、美术、保健体育、保健、技术、家庭、职业（包括职业指导及职业实习）、外国语（分为英语、德语、法语及其他外国语）以及宗教。“高中教谕”被授予证书的学科有国语、地理、历史、公民、数学、理科、音乐、美术、工艺、书法、保健体育、保健、看护、看护实习、家庭、家庭实习、信息、信息实习、农业、农业实习、工业、工业实习、商业、商业实习、水产、水产实习、福利、福利实习、商船、商船实习、职业指导、外国语（分为英语、德语、法语及其他外国语）以及宗教。“特别证书”一般颁发给小学、初中以及高中教谕，根据下列学科或事项授予证书。小学教谕被授予证书的有国语、社会、数学、理科、生活、音乐、图画手工、家庭及体育。初中教谕被授予证书的有国语、社会、数学、理科、生活、音乐、图画手工、家庭及体育以及文部科学省令所规定的学科。高中教谕被授予证书的有国语、社会、数学、理科、生活、音乐、图画手工、家庭及体育，文部科学省令所规定的这些学科领域的一部分以及文部科学省令所规定的学科。“临时证书”是根据“特别非常任讲师制度”对一些没有教师资格证书的人颁发的，并颁发临时资格证书，让他们担任中小学校和特殊教育学校部分教学科目的非常任教师。一般非常任讲师可以承担中小学和特殊教育学校教学科目领域的一部分教学，担任更多的是课外活动、综合学习课程以及道德教育课的授课任务。以上三种证书的效用是：普通证书在所有的都道府县（初中以及高中教员的宗教科证书在国立或者公立学校）均有效；特别证书只在授予该证书的任命者所在的都道府县内有效；临时证书只在授予该证书的都道府县内有效，有效期为三年或六年。

日本在保证教育工作者的水平和质量方面，除了有对教师资格相关规定的法律法规，还对教师培训的相关要求、种类以及经费支出等都有明确的法律法令。在这些专门法的指导下，日本进行有效的教育治理。

第二节　教育行政机制

日本的教育治理是政府领导下，国家与地方行政部门，学校等教育机构以及社会力量参与、互动的宏大工程。在过去几十年里日本教育在各方面进行了卓有成效的治理，特别是教育行政发挥了最为重要的作用。

一、中央教育行政机构的集权式管理和指导

众所周知，日本政府对学校教育实行的是中央集权式的管理和指导。在过去相当长的一段时间内，文部科学省对教育，特别是日本的中小学教育，掌握着绝对的、集权式领导权。

在二战以前教育行政隶属于中央和各级政权，并为之服务。但是在二战后的一段时期内，在美国影响下，日本曾实行过地方分权制，不受地方政府的行政干预，都道府县和市町村教育委员会的委员一度由民选直接产生，都道府县和市町村教育委员会一度为独立于地方政府之外的教育主管机构，负责本地区的教育，有权设立学校和教育机构，拨发经费，安排学校课程等。但因日本长期以来形成的教育行政传统，教育行政独立制不符合日本国情，破坏了地方行政的统一性和综合性，在1956年颁布的《地方教育行政组织及运营相关法律》中，将都道府县和市町村教育委员会委员的产生由民选改为由都道府县知事和市町村长经同级议会同意后直接任命。地方各级行政首长控制了教育的人事权和财政权，并负责管理本级政府所设立的大学和短期大学，使都道府县和市町村教育委员会又成为地方政府的一个部门，并延续至今。

二战后日本实行义务教育，由中央和各级政府出资，基本上让学生就近入学，教育内容也根据教学大纲全国统一，并通过教科书审查制度来维持其内容和水准的标准。也就是说，它基本上是由国家规定、提供、确保运营，并由公费支出的。在实际的中小学教育运行中，一般也是实行的“文部科学省—地方教育委员会—校长—教师”这样一种管理模式。

二、分权下的地方教育行政治理

尽管日本教育很长时期内都处于中央集权式的管理和指导下，但日本的地方分权改革也在不断地尝试与完善。关于日本地方教育治理的举措较多，且具有明显的借鉴意义，该部分具体内容将在本书第四章中进行较为详细的探讨，此处只作简单介绍。

（一）日本地方教育行政分权化

从20世纪40年代后期开始，随着地方行政分权改革的推进，教育行政机构也尝试进行了分权化改革，但由于受到当时日本社会经济发展水平的限制，地方教育行政分权化不符合当时日本的国情，又变回到中央集权式领导之下。但是，自20世纪80年代后，由于日本国内外形势的变化，日本经济进入低迷阶段，中央对地方的管控相对减弱，地方权力逐渐增大。1995年，日本颁布了《地方分权推进法》，1999年，经中央审议会提议，又对《地方教育行政组织及运营相关法律》进行修正，废止教育长的任命承认制，对都道府县和市町村的指导进行修正，废止有关学校管理的标准设置等，地方教育行政的权限不断加强。2013年4月，日本《读卖新闻》报道，日本召开第六次教育再生执行会议，会议向安倍晋三提交了改革方案，旨在明确教育委员会的职责，实现教育长和教育行政责任的一元化，各地区政府长官在得到议会同意后，直接享有对该地区教育长的任命权和罢免权。①

（二）分权下的地方教育行政治理

日本地方教育行政的治理是通过各都道府县教育委员会来实施的。作为地方政府的教育行政机构，地方教育委员会的成员是由各地行政长官知事任命的。各都道府县和市町村教育委员会均由5名委员组成。教育委员会委员一般从拥有都道府县知事候选人资格、人格高尚，对学术及文化有深刻见识者中选出，任期四年。

根据《地方自治法》和《地方教育行政组织及运营相关法律》的相关规定，日本都道府县教育委员会的主要职责是发展当地的基础教育，在人事、经费、设施设备、教育教学、课程内容和教师进修等方面对其所辖学校负责。主要行使如下职权：设置并管理都道府县立中小学；设置并管理都道府县立社会教育机构；任免都道府县立学校及其他教育机构的教职员；任免辖区内公立学校中地方政府经费负担的教职员；颁发辖区内的中小学教师资格证书；对市町村长及市町村教育委员会进行指导、建议和援助；指挥监督市

① 日本召开会议制定教育委员会改革方案.［EB/OL］. http://www. jyb. cn/world/gjsx/201304/t20130430_536042. htm.

町村教育委员会的运行，代替文部大臣对市町村教育行政机关行使措置要求权；决定都道府县立学校使用的教科书；举办都道府县教育人员的在职进修等。

都道府县所管辖的各市町村的教育行政工作由市町村议会、市町村长、市町村教育委员会及其事务局分工合作管理。市町村议会、市町村教育委员会及其事务局在教育行政方面的职权与都道府县议会、都道府县知事、都道府县教育委员会及其事务局相同或相近，只是工作范围相对较小，市町村的教育委员会只拥有设置并管理市町村立小学，任免市町村经费负担的公立学校教职员的权限。

第三节　学校内部机制

学校内部治理是为了保证学校的良好运行和发展，治理的主要内容是学校经营，包括招生、教育教学运行与各种自我评价以及接受外部的评价。

一、以法律为基础进行管理运营

日本的学校经营总是依据相应的教育法律法规来进行。各学校基本上依据《学校教育法》《学校教育法施行规则》等国家教育法规及地方教育委员会制定的《学校管理规则》等地方教育规章制度经营和管理学校。若国家和地方教育委员会没有制定、颁发、施行具有法律意义的法规，学校不会我行我素；但对于具有倡导性质的指令，学校经营就显得自主化、多样化了，例如在学校升国旗、奏国歌，在1999年以前是自主化的。

《学校教育法》是中小学校经营中涉及最多的法律，自1947年颁布以来已修改了30多次，是一部有关学校教育重要事项的综合性教育法规，并有与之相配套的《学校教育法施行规则》。此外，还有涉及公立义务教育学校班级编制、教师定员、图书馆设置、教科书使用、私立中小学管理等各种具体法规。由于日本政府十分强调对学校教育实行法律行政，保障了对学校内部管理的监控。相应地，各中小学校在每学年都制定《学校要览》，将有关教育法规具体化和可操作化，对学校所属教育活动和事务管理等基本事项做出规定，如班级数编制与班额限定、教师设置与校务分担、课程科目设置、常规活动安排、财产设备设施的使用与管理等。这些具体化的法规内容对学校具体的管理运营起到制约、规范和指导的作用。这也与日本教育行政管理体制的法律主义原理一脉相承。特别值得一提的是，校长在取得任职、录用资格以前必须通过有关学校经营管理方面的法规知识的考试，否则就不能担任校长职务。

日本的私立学校比较多，这无疑得益于日本政府对私立学校的“法律行政”。法律健全、规范性强是日本政府管理学校的显著特征，有关私立学校行政管理的法律体系也较完备而严密，并具有一定层次性：第一层次是《教育基本法》，第二层次是《学校教育法》，第三层次是《私立学校法》，第四层次是各种部门及地方政府的具体法规。各层次的法律、法令及法规分别规定了政府对私立学校的管理权限，也使学校依法经营，使学校内部形成民主化、法治化的治理机制，形成了理事会、评议会和监事三权分立的机制，保证了私立学校的公益性、自主权，也有利于学校内部的科学决策、经营、管理。

二、以校长为中心，全员参与、分担校务、共同经营和管理学校

日本的中小学基本上实行以校长为中心，全体教师参与、分担校务、共同经营和管理学校的组织运营体制。这种体制对学校管理民主化、科学化，对形成和谐的人际环境和良好的师生关系，对提高教育质量起到了十分重要的作用。校务分担是日本中小学经营的基本组织原则，即所有教师必须集教学、指导、管理为一体，直接从事教育教学活动，也相互协作，共同参与学校为实现教育目标而进行的各种管理事务和活动。校务分担往往是围绕校长这个核心展开的，虽然各中小学校有自身特点，但校长作为学校法人代表，依据《学校教育法》分担“四个管理”和“两个监督”。“四个管理”包括学校教育的管理、所属职员的管理、学校设施的管理、学校事务的管理。学校教育的管理主要是教育课程的编成、实施、改善、修订、评价的运营管理。“两个监督”包括职务上的监督和身份上的监督。校长对教育的管理主

要是通过对所属职员，如教头（教头相当校长助理，具有法律意义）、教师、保健教师、事务职员、饮食供给指导等间接监督进行。具体地说，如对教师执行课程计划和课程标准的监督，对教师开展教育活动的监督，对教师工作业绩的监督，对教师研修及奖励作出安排和提出建议等。校务分担的组织原则是以民主性原则和合理性原则为基本，根据各校的条件、组织效能来应用，强调了组织的职能化和层级化。学校层面的管理通常由校长及教头担任。校长在学校中具有高度权威、拥有法定的权限和责任，具有统摄学校经营事务的职权，对学校依据自身特点制定经营方针、重点，开展自主的经营活动起领导、指导作用。教头作为校长的助手，协助校长实施学校经营计划，特别是对学校教育教学的管理，对教师的各种教育活动提供帮助和具体指导。

全员参与、校务分担主要体现在中层管理职能的分化和强化上。通常学校会依法设立中层管理职位，中层管理者在校长的领导下，组织指导其他职员进行相关的教育活动及事务管理。这些职位均由教师兼任，具有教师资格。中层职能一般分指导领域和管理领域。

指导方面包含了教育事务、学生指导、升学就业指导、保健指导、研究等。管理方面常指总务、图书、事务、校产、文书等的经营管理。虽然各中小学设置的中层职位有多少之分，但基本上都会依职能设立教务主任、研究主任、学生指导主任、保健指导主任、年级或班级主任、教科主任、总务主任、事务主任等。由于强调管理职能的细分化，各职能担当的分担任务具体明晰。例如教务主任，是学校必设的主任，主要承担教育课程的计划、实施、评价等事务，如编制课程计划，制订作息表，教科书使用、教育工学及方法的运用、学籍管理等。而普通的教师必须担当某项职能的工作，甚至是分担部分校务工作。校务分担的细分化在各中小学《学校要览》中得到具体阐述，如姬路市立船津小学《校务分担一览表》将校务分成教育运营、指导、研修、经理、杂务、涉外、管理等七块，具体到教育运营就细分为教育课程、月行事计划、学校评价、指导要录、转出入事务、出勤、就读修学事务、教科书事务、学校要览、新闻、各种委员会运营等。而指导也分成学科指导、活动指导、生活指导、教育指导（如性教育、国际理解教育、环保教育）、班级管理。每一项职能的细分化都由相应的教师兼任，保证了学校经营网络的综合协调功能和效能的实现，达到了共同经营之目的。

第四节　社会参与机制

在日本的教育治理体系中，社会参与占据重要的位置。日本现代教育治理的社会参与包括社区教育、地方学校向社会开放相关设施等教育资源以及邀请社会人士参与学校教育活动等。

一、社区教育

日本的社区教育开始较早，主要是通过一个个社区进行，一般社区会设立固定场所来实施相应的教育活动，一般城市的社区教育在20世纪90年代就开始了。比如在大阪市大开地区便设立了终身学习室。当地成立了终身学习推进委员会，由该地区志愿者牵头并组织活动。终身学习室依托终身学习推进委员会、社会教育关系团体、志愿者等民间非营利性的组织机构成员来进行运作，并解决学习室的师资和资金问题。从1992年4月起学习室向大开地区和外区的居民开放，开展各项终身学习相关活动。

学习室的实施运作过程如下：第一，通过问卷调查确定开设讲座内容。终身学习室的推进员每年2月，向该地区居民发放一次问卷调查表，广泛征求居民对终身学习室开展学习活动的意见和建议，了解居民的学习需要，并将此作为开设课程和讲座的依据。第二，为参加者提供咨询和学习信息，学习室安排每周三14:00—16:00，对地区住民开放进行“咨询和商谈”。由终身学习推进委员为需要参加学习或者学习上遇到困惑的居民提供信息咨询、辅导等服务。第三，公开聘请课程和讲座的讲师。终身学习室推进委员会根据课程和讲座的内容，采取在住宅区宣传栏张贴招聘告示和网上发布招聘帖等方式，公开招募志愿者讲师。第四，参加学习或希望聆听讲座的人员采取网上自由报名的方式。第五，构建地域社会终身学习支援体系。终身学习室运营委员会联合地区家长教师协议会、妇女联合协议会、青年团体协议会等社会教育关系团体，共同组成“大开地域终身学习支援体系”，为广大住民的学习提供各种服务。第六，组建“小学校区教育协议会培育网”。学习室设有“儿童课外开心教室”，工作日的下午3: 30—5: 30开放，小学生可免费参加各项活动，由此解决了双职工家庭对儿童放学后看管的后顾之忧。在大开小学的四百多名学生中，有一半以上的学生参加了“开心教室”。教室里由“儿童监护”志愿者与儿童一起开展各种娱乐、学习和体育活动，促进了学校—家庭—地域社会的有机结合。

二、学校资源向社会开放

学校教育侧重的是一种知识教育，是一种相对定型而统一的教育，无法全面顾及学生的个别差异性，对于学生的社会化和个人品德的完善方面的功能相对较弱。另外，随着终身学习时代的到来，学校不能像过去一样处于封闭状态，它也应是社区居民从事学习、运动和进行文化活动的场所，因此，在不影响学校正常教学的情况下，向社会敞开学校大门成为必然趋势。在日本，学校采取了很多途径来具体表现学校向社会开放办学资源。

在不影响正常教学的情况下，日本学校利用节假日积极地向社会开放其设施，学校设施对外开放空间一般集中在体育馆、图书馆、音乐教室、家政课教室等，使之成为社会人员开展学习及体育等活动的场所。1993年到2002年间，向社会开放其设施的学校数量基本呈上升趋势。1993年，日本全国平均有89.0%的公立中小学校向社会开放其设施；1997年为89.4%；到2002年，增加到92.9%。可见日本中小学校加快了向社会开放的步伐。另外，为进一步促进学校设施的对外开放，日本政府提出“学校设施的开放不应仅限于现有的设施，应该在现有的基础上增设用于开放的新设施”。例如，将社会教育设施、学校、室内游泳池有机地结合起来，形成设施间的相互利用。同时，文部省为了鼓励学校向社会开放和社会成员合理利用学校的设施设备，不仅提供各种各样的学习机会，而且在学校的安全管理和经费资助等方面也采取了相应的措施。如文部省为了简化多余教室转用于社会教育设施的财产处理手续，于1999年发行了《多余教室转用》指南，期望以此促进学校多余教室更多地成为为社会人员提供终身学习的场所。

三、社会人士参与学校教学活动

学校所在地区的居民从事着不同的行业，其中有很多人在某一行业、某一领域有着突出的表现，或精通某种技能，或掌握某种知识，日本学校就充分利用了这些宝贵的人力资源，把他们请到课堂为学生上课。这些教师依据自己的专业特长及丰富的阅历为学校提供生动活泼的教学内容和有效的教育手段，使学生增长了知识，陶冶了情操。同时，政府还设立了让具有不同实践经验的社会人员到中小学校任教的“特别非正式讲师制度”。从1988年起，根据修订的教师资格许可证制度，日本的普通人经过登记，可以在学校中担任非正式教师。这一制度确立以后，一些在特定领域具有特殊才能的人，尽管没有教师资格证书，但通过都道府县教育委员会的审批，也可进入学校执教，审议会认为可以在社区内挖掘人才，以“非常勤教师”的形式服务于学校。目前，日本大力推崇并实施这一制度，到2002年，已经有14 695名社会人员通过该制度登上中小学讲台，[①]帮助指导学生的学习。

四、社会民众参与学校运营

日本为了更好地促进学校开放，在学校的运营方面做了深刻变革，通过实施让家长和社区居民协助学校运营的“学校评议员”制度和参与学校决策的“学校运营协议会”制度，使社会参与学校的运营、评价等事务有了制度上的保障。同时也使家长和社区居民真正感到学校是自己的学校，愿意为学校做贡献。

（一）学校评议员制度

1998年，日本中央教育审议会在《今后的地方教育行政》咨询报告中，提出了导入学校评议员制度的设想。2000年的《学校教育法施行规则等部分修订》中，详细说明了导入学校评议员制度的目的、意义及措施等，并决定从2000年4月开始施行，这是日本第一次将家长和社区居民参与学校运营制度化。导入评议员制度的宗旨：一是为了建立赢得家长和社区居民信赖的学

① 文部科学省．特別非常勤講師の活用状[EB/OL]. http://www. mext. go. jp/b−menus' hakusho/ html/hpab200201/hpA6200201 2 031. htm1#fb1040103.

校，学校、家庭和社区联合协作并形成一体，共同培养下一代，进一步促进学校对社区的开放。二是在学校管理方面为了使学校根据社区的实际情况反映家长和社区居民的意见并得到他们的帮助。

学校评议员是各学校校长接受本地区各行业推荐，由当地教育委员会委派。每所学校的评议员一般为3至7名。学校评议员的主要职责是讨论学校的有关事宜，如对学校的教育目标、计划及教学活动等提出建议；帮助学校开展各种教育活动；向家长和社区说明学校的各种情况；组织学校师生参加社区举行的各种活动；邀请社区居民参加学校活动等。

（二）学校运营协议会制度

2004年6月，日本通过国会修改了地方教育行政的组织及运营的相关法律，导入了家长和社区居民具有一定权利和责任、可以直接参与学校运营的“学校运营协议会制度”，并于同年的9月开始实行。学校运营协议会以小学、初中为中心，幼儿园和高中可以在全国所有区域的公立学校设置。学校运营协议会是教育委员会从家长和社区居民中任命部分成员构成的合议体组织。日本把已经建立学校运营协议会的学校简称为“共同体学校”。

学校运营协议会的委员由学校所在地的居民、学校老师、在校生的家长、有学识经验的人以及教育委员会认为的必需人员组成。作为合议制机构的学校运营协议会有如下权限：一是拥有对校长提出的学校运营基本方针进行认可的权限，这样可以使家长和社区居民的教育愿望在学校运营中得到迅速而切实的反映。二是拥有将与教职员任用相关的意见向教育委员会反映的权利。教育委员会在实行聘任时必须尊重这些意见。例如，运营协议会建议对于基本方针中的重点专业和确定的学科，要聘用对该学科指导能力强的教师，使教育活动的效果更佳。总之，学校运营协议会要对学校的运营全面地把握，对校长所制订的学校经营计划进行认定，对与人事相关的教职员任用，向任命者反映意见，任命者要尊重这些意见。①

学校运营协议会的建立，对构建自律的学校经营有着重要意义。学校运营协议会从教育委员会那里得到一定的权力，这也就意味着学校权力的扩

---

① 李天鹰．日本中小学开放式学校经营制度及启示[J]．教学与管理，2007（7）．

大。学校与家长、社区居民形成对等关系，共同处理、解决学校的问题，可使双方产生紧张感和责任感，学校明确自己的经营责任，也有助于学校综合能力的提高，双方都必须更好地配合与发挥作用。对学校的评价和校长治校基本方针的认定等，也均为学校的改善起到了不可或缺的作用。[①]

① 小岛弘道．关于学校运营协议会[N]．日本教育委员会月报，2004（10）．

第四章　日本地方的初等、中等教育治理

日本初等、中等教育由小学、初中以及高中阶段的学校教育构成，初等教育是指小学阶段教育、中等教育包括初中和高中阶段的教育。日本明治政府就确立了义务教育，开始规定为四年，到1907年就延长至六年，现在日本法律规定小学六年和初中三年教育为九年制义务教育，也称为基础教育阶段。日本义务教育的普及率在1982年就达到了99%以上，2000年则上升为100%。日本的中小学校，按学校办学主体分为国立、公立和私立学校三种。这三种学校的办学经费的主要来源是国家财政、地方政府财政以及民间社会团体或个人；国立中小学校主要是各国立大学的附属学校，公立中小学校为各地自治体创办的学校，私立中小学校由学校法人设立，资金来源于学费、社会捐助和一定国家的资助，国立和公立中小学校占日本中小学的绝大多数。

日本的国立、公立学校和私立学校在财政和资源配置上有所不同，私立学校的办学更为自主、灵活；但政府对它们在宏观治理上却是一致的，中小学教育治理是通过中央指导下的地方分权治理，在地方政府和教育委员会的领导下，学校以及社会各界的共同参与来实现的。日本义务教育阶段的治理，实行教育行政上的地方分权制。根据日本的《教育基本法》《学校教育法》《义务教育费国库负担法》《地方教育行政组织及运营相关法律》等的规定，基础教育阶段实行的是中央的集中领导下的地方分权制。国家教育行政机关文部科学省，负责制定规划、拟定标准、制定中小学教育课程标准及大纲（《学校指导要领》[①]）和审定教科书、划拨经费等；其他学校教育的

---

① 《学习指导要领》是日本文部科学省为小学、初中、高中学校教育制定的教育内容、开设课程与标准授课时数等教学相关的国家标准，具有法律约束力。它规定了每阶段的每学年的学习课程以及每学科的教学目标与学习内容。根据需要由文部科学省咨询机构“中央教育审议会”对《学习指导要领》进行审议修订（大约10年），其修订内容将纳入教科书的编写中。

其他事项则由各地行政区域的地方教育行政机构负责。

从日本中小学的数量来看，公立中小学校所占比例达到近92.3%，可以说日本的初等、中等教育几乎全部依靠公立学校完成。由于这些学校分散在日本47个都道府县内，因此，研究日本的初等、中等教育治理，实际上也是对日本地方教育治理的探讨，可以为中国的中小学教育以及地方教育的均衡发展提供有益借鉴。

第一节　地方教育委员会

日本对中小学教育的行政治理实行中央政权领导下的地方教育行政分权治理模式。国家为中小学的设置、办学经费的配置等制定相关的法律法规，规定了中央和地方政府的权限和义务，中央和地方政府在分权中共同维持和推动着日本的初等、中等教育学校的运行和发展。

除极少数国立中小学由国家直接拨款和管辖外，其他公立中小学是在日本的地方政府及教育行政机构“教育委员会”的指导之下实施教育。日本《学校教育法》第29条和第40条规定，日本每个地方行政的市町村（日本现有3 218个市町村）一级的政府都必须设立所辖区域内学龄儿童所需要的小学和初中。因此中小学校遍布辖区各地，义务教育阶段的学校主要由市町村政府负责，各市町村都相应设有“教育委员会”。辖区内学校的设置与增减由地方教育委员会根据实情和国家相关法律法规决定，地方教育委员会具体负责所辖公立中小学的运营管理。

各地教育委员会为地方教育制订出具体的发展规划和实施计划，对其所在地区教育进行宏观、甚至某些微观方面上的治理，学校内部治理也多是在其指导下实施的。日本的地方教育治理包括地方教育行政，在地方教育行政、财政、师资以及各级各类学校运营、社会公共教育等方面亦形成了自己的特色。

一、教育委员会制度

教育委员会制度是对美国民主教育制度的移植，在第二次世界大战结束以前，日本并没有此项制度。该制度是战后美国对日本实行民主化改革的重要组成部分，并于1948年公布《教育委员会法》后得以确立。此后，日本的教育行政机关分为中央的文部省和地方民主自治的教育委员会。地方教育委员会虽然在一定历史时期并不适应日本的国情，其职能曾一度被迫停止，但是它在推进日本教育的民主化方面却功不可没，也为现代日本教育治理明示了方向和路径，该项制度在日本诞生至今经历了70多年的发展，对日本教育发展发挥了积极作用，在对中小学的教育治理实践中也占据主导地位。

（一）战前中央集权化的教育行政

明治维新后，日本确立天皇制度，行政上的主要目标是加强中央集权，尽管当时日本向西欧借鉴政治制度，实行地方自治，但都有名无实，不仅在行政上如此，教育、文化等方面亦如是。日本二战前一直实行中央集权的教育行政制度，细谷俊夫仅就当时的实际指出：日本教育行政作为一般行政的一部分，由都道府县知事和市町村长来担任行政要职，负责监管和执行地方学校和相关教育机关的工作。在教育行政上未能反映地方居民的教育意愿。当时的日本地方教育行政隶属于中央行政，实行的是高度的中央集权管理模式。

（二）教育委员会制度的植入

二战后，以美国为首的联军司令部指导日本进行了民主化改革，包括对教育的民主化改革，在日本导入了教育委员会制度。

1. 教育委员会制度确立的原因

首先，日本当时的经济状况是教育委员会制度得以确立的首要原因。第二次世界大战对日本经济社会的摧毁是全世界有目共睹的，战争刚结束时日本国内劳动力奇缺，工厂没法恢复生产，生活物资极度匮乏。日本国民居无定所，穷困潦倒，急切要求快速脱离贫困。其次，当时的政治，尤其是政党势力的变化也是影响教育委员会得以确立的重要因素。当一个政党或集团占据国家的统治地位后，势必会控制国内的其他资源为其政权服务，在第二次世界大战期间，日本教育就沦为为军国主义势力服务的工具，导致了日本教育发展滞后。战争结束后，受西方民主化的强烈影响，战争中被军国主义势力压制的政治团体重新活跃起来，各种政治势力重新组合，日本国内出现了自由党、进步党等新的政党。战后新组建的政府根基不稳，此时美国以指导为由，帮助日本实施民主政治化改革，无疑能为新政权解燃眉之急，也为百废待兴的日本指明了发展方向。此外，教育委员会制度符合当时日本国民的民主愿望。国民痛恨战争期间施行的集权统治，渴望民主和自由，在教育方面希望能有地方的自主权。日本前文部大臣田中耕太郎就曾直接批判文部省集权化的行政管理模式，并提出应确保地方行政的自主性。[①]彼时，美国为日本制定出的民主改革方案正好符合日本国民愿望，国民主张在日本实施教育委员会制度。

2. 教育委员会制度的确立

战后日本的经济、政治以及国民意愿等因素的作用，以美国为首的盟军代表团所制定的非军事化的民主化改革在日本各个领域大规模地实施开来。在教育方面，为削弱文部省的权力，提出了建立地方教育委员会，以强化地方教育行政的自主权。1946年4月，美国教育使节团正式提交报告，建议日本“在都道府县设立地方教育委员会，废除学务委员制度，委员会委员由民众投票选举产生，以代表民意”[②]。报告提交后，当时并未受到日本文部省的真正欢迎，文部省也曾经进行消极抵制，但民众响应积极，呼声较高，文部省最终被迫接受。于是，日本很快便组建了“教育革新委员会”，全面谋划全国范围内的教育改革，制定相关方案和政策，并开始着手策划在地方上建立教育委员会。经过两年时间的研讨和论证，1948年4月，教育革新委员会在给政府的建议中明确并详细地提出实施教育委员会制度的相关细则。同年7月《教育委员会法》在日本正式出台，标志着教育委员会制度正式确立。该法《总则》的第1条就明确指出：“不服从不正当的教育控制，直接

① 海後宗臣. 教育改革——戦後日本の教育改革（第一巻）[M]. 東京：東京大学出版会社，1975：272-273.

② 加藤地三等. 戦後日本教育史料集成第一巻：敗戦と教育の民主化[M]. 東京：三一書房，1982：66.

对全体国民负责，根据公众的意愿和地方的实情执行教育行政，设立教育委员会，以达成教育本来的目的。”[①]美式的教育委员会制度得到法律认可。依照该法律，日本在地方的都道府县和其所辖的市町村设立相应级别的教育委员会，负责当地的相关教育事务。该法律规定都道府县教育委员会成员7名，市町村教育委员会成员5名，皆由当地人组成，其中1名委员长，负责召集和组织召开相关会议。教育委员会下设其辅助行政机构，通常称为教育厅或者事务局（其最高职务者被称为教育长，不同于教育委员长），负责实施教育委员会的决策。教育委员会制度的确立，使地方教育行政从一般行政中相对独立起来，也符合日本国民对自身教育利益的愿望，使民主变得现实和具体，为日本教育的现代化奠定了基础。

3. 关于地方教育委员会的争议

作为舶来品的教育委员会制度从一开始就存在争议，主要集中在教育委员会与教育长、地方一般行政首长之间的关系以及教育委员会委员的非专业性等方面。

首先，是教育委员会和教育长之间的关系与权限，《教育委员会法》的第4条明确规定“教育委员会负责管理都道府县和市町村所属的教育及相关事务，并管理和执行地方公共团体的教育事务”，第52条第3款规定“教育长受教育委员会的指挥、监督，执行教育委员会处理的所有教育事务。教育长对教育委员会执行的所有教育事务有建议和推选的权利”。教育长是教育委员会的常设机构、决策执行机构的行政长官，其地位从属于教育委员会，权限自然应该小于教育委员会。可是由于教育委员会制度是以美国制度为蓝本制定的，要在长期集权当道的日本推行，不可避免地会遭遇阻力，产生冲突，需适时地做出调整。

其次，关于教育委员会委员的非专业性问题也是当时争议的重点之一。《教育委员会法》规定，“除1名委员是从当地的公共团体议会议员中产生外，其余均以公开选举的方式由地方公共的居民中产生”。对委员身份没

① 教育委员会法（昭和23年法律第170号）[EB/OL]. http://www.geocities.jp/nakanolib/hou/hs23-170.htm.

有特别规定，使得委员多为非教育专业人士兼任。其非专业性成为争议的焦点，专家认为这些人员在决议时需要专业人士的建议，而教育长正是合适人选，非专业的委员与专业的教育长之间互为补充又相互牵制。

另外，教育委员会与地方一般行政首长的关系与权限也是被关注的对象。《教育委员会法》规定教育委员会拥有广泛的权限，不仅承担自身事务，还要分担地方行政首长的工作，甚至可以制定地方教育预算，除了“与公私立大学相关的学校用地和设施的教育财产的获得权与使用权，教育委员会有关的契约、预算执行权等”权限外，其他教育事务均由教育委员会负责。该法律的规定表明，各主体之间是相互依存、互为补充的关系。相关规定也正是在民主基础上分权与制衡的体现。

4. 教育委员会制度实施的意义

教育委员会制度在日本的发展虽然曲折，但对日本教育发展具有重要意义。该制度的确立是以往的教育行政中央集权制度瓦解的开始，也是日本教育民主化、现代化的开端。该制度实施后，日本地方在教育行政上开始分权，在谋划地方教育发展和实施教育治理中拥有了更大的自主性，同时对推动日本地方行政分权方面也发挥了积极作用。

教育委员会制度是战后日本教育改革的重要内容，其目的是推行地方分权。其愿景美好，但实施过程却并非一帆风顺。在该制度被移植之前，日本教育一直处于中央集权的管控之下，集权模式早已被认可和接受，成为日本人文化认知的一部分。面对外来制度，日本民族自上而下都缺乏足够的文化认知，制度实施过程中问题不断，教育行政中央集权的回归也日渐明显，日本重新审视该制度，并在1956年废止了《教育委员会法》，另外颁布了《地方教育行政组织及运营相关法律》，教育委员会制度的发展也随之受挫。由于教育委员会和教育长之间相互牵制，权力界限模糊，问题出现后，双方相互推诿责任，特别是20世纪70年代以后，各地教育事件频出，教育委员会逐渐失去公信力，曾一度被民众要求废止。

二、地方教育行政分权

日本教育行政的地方分权化不是孤立进行的，它受日本一般行政的地方分权化影响而与之几乎同期发生。1947年4月17日，日本颁布了《地方自治法》掀起了地方分权化改革的开端。该法律第一编第2条的第2项规定：一般地方公共体依照此法或基于此法而定的政令处理地域内的事务和其他相关事务。这里的事务包含教育事务。第7章第3节第2款对教育委员会作出规定：教育委员会应依据相应法律对学校和其他教育机构进行管理，处理学校的组织构成、教育课程、课本及其他教科书相关事项，同时管理教职员的人事，管理并执行辖区内的社会教育和其他与教育、学术及文化相关的事务。[①]这表明地方教育行政由教育委员会承担，地方教育委员会成为教育行政分权化改革的实施者。日本的《学校教育法》的第5条规定学校由设置者管理，从而使地方在教育上拥有的权限更大，日本的地方教育行政也独立出来。可是，随着美国指挥部撤离日本，中央集权的教育行政体制使教育行政的地方分权化趋势大大倒退。

20世纪70年代之后，受国内生产力发展状况和国际经济环境的影响，日本经济发展速度变缓，其高速发展周期结束。进入90年代，日本国内经济开始陷入低迷时期，而国际上由于苏联解体，世界格局发生改变，日本集权化的行政和经济体制已经不能适应新的国际环境。另一方面，在经过高速发展后的日本，国民的物质生活已经相当丰富，在文化教育以及价值观上出现了更高层次的多样化追求，既有的国家经济、政治体制以及治理模式已无法满足国内民众需求，需要构建包括教育在内的新的社会治理体系。

因此，从20世纪80年代中后期开始，日本以重建财政为基调，开始探索国家和地方公共团体机能分担的体制。据此，日本开始了国家和地方在行政分权下的改革。[②]

自日本经济陷入停滞不前的低迷状态之后，国内中央集权式的管控开始减弱，无论是一般行政还是教育行政，地方的权力都在逐步扩大，这一点在

---

① 日本电子政府综合窗口·法律法令电子数据库[EB/OL]. http://elaws. e-gov. go. jp/search/elawsSearch/elaws_search/lsg0500/detail? lawId=322AC0000000067 文中引用的有关该法律的条款均出自此。

② 包金玲．日本教育行政地方分权化改革的背景及其评价[J]. 国家教育行政学院学报 2007（11）：88.

教育方面体现更为明显。

首先，都道府县教育长的选任方式发生改变，在得到地方议会同意后由地方行政首长直接任命。1988年，中央审议会提出废止文部大臣对教育长的任命承认制。1993年6月，日本众参两院一致通过“关于推进地方分权的决议”，开启了新一轮的地方分权改革。1995年6月，日本《地方分权推进法》的公布，标志着日本开始真正进入分权化时代。1999年，经中央审议会提议，决定对《地方教育行政组织及运营相关法律》进行修正，废除教育长的任命承认制，对都道府县和市町村的指导进行修正，废除有关学校管理的标准设置，以上规定被收纳到《地方分权一揽子法》（以下简称《一揽子法》）①。此前，《地方教育行政组织及运营相关法律》规定“市町村教育长采用兼任制，教育长从教育委员中选举产生，但教育长不可兼任教育委员长”，而都道府县教育长的选任方式却仍保持着任命承认制。在《一揽子法》之后，都道府县的教育长与市町村教育长的选任方式统一，由任命承认制改为兼任制，即地方行政首长推荐的教育长在得到议会同意后直接任命，教育长虽不能兼任教育委员长，但兼任教育委员会委员。教育长任命承认制的废止，在一定程度上减少了中央对地方的控制，与教育委员会制度确立之初的“地方分权化”相契合；但由于教育长身兼教育委员会委员的双重身份，导致决策执行过程中牵制过多，效率低下。②因此，有的地方开始策划教育地方首长负责制，比如大阪府率先施行地方分权，将原属于都道府县教育委员会的义务教育阶段的教师人事权下放至府内北部的五个市町村，且知事与五个市町村就“教育应由地方首长负责”达成共识，并考虑在未来废除市町村教育委员会，教育事务完全交由地方首长负责。③

其次，以往权力界限模糊的地方教育委员会和教育长之间的权限与职责

---

① 1999年日本国会通过了有关《地方分权一揽子法》的修正案，对包括地方自治法在内的475个相关法律、法令进行修订，并于2000年开始实施。地方分权总括法是以国家行政组织运营的简单化、高效化，国家减少对地方的干预，扩大地方自主权为目标。

② 侯晓颖，丁永为．日本教育委员会制度的变迁——从1948年到2014年[J]．外国教育研究，2015（10）：41.

③ 日本大阪府下放教师人事权：废除教育委员会制度[J]．世界教育信息，2010（5）：7.

逐渐明晰。前文中提到的《一揽子法》也关注到了教育委员会与教育长之间的权限与职责，也有明文规定，但现实是在很长一段时间内二者间的责权仍无法明确划分，在遇到教育事件时仍有推诿责任的情况出现。一直到21世纪后，二者的权限和职责才得以明晰。2012年，安倍晋三重新执掌日本政权，提出了“经济再生”“教育再生”作为其重要的政治任务，并组建了“教育再生执行会议”这一教育咨询机构。2013年，“执行会议”向安倍晋三提交了改革方案，提议要明确教育委员会的职责，实现教育长和教育行政责任的一体化，各地区行政首长在得到议会同意后，直接任免该地区教育长，同时指出为保障政治上的中立性，教育长在决定教育基本方针、教育内容时，需要通过教育委员会的审议。 2014年6月，日本政府向众议院递交了改革教育委员会制度的方案，提出将教育委员会长和教育长合二为一，成为新的“教育长”，由地方行政首长任免。日本国会通过此方案，通过了《地方教育行政法修订案》，并宣布从2015年4月起正式实施。依据此法，地方教育行政开始了新的改革，使得教育委员会的权限和行政责任变得清晰，身兼教育委员会长和教育长二职的“新教育长”由地方行政首长知事直接任免。教育长原本是教育委员会常设机关的行政长官，隶属于教育委员会，名义上在教育委员会长的领导之下，可如今教育长不再由教育委员会任免，对教育委员会负责，而是直接听命于地方行政首长并对其负责，教育长在推动地方教育发展中拥有更大的自主权，而教育委员会的权限变得更加虚无。这次改革通过立法进一步明确了地方教育行政主体的责权，但与战后初期的教育委员会制度已大相径庭。现在地方行政与教育行政联系过于紧密，教育长已超越教育委员会的权限，地方教育行政权力过于集中，导致新的治理模式的产生，即教育行政的地方集权式治理模式的出现。

地方教育行政分权改革实际上是地方教育行政主体的分权过程，也是教育委员会制度的发展变化过程。教育委员会制度从确立之日起就备受质疑，诚然，教育委员会长与教育长之间的模糊的责权关系、教育委员会长与地方行政首长之间的关系以及教育委员的非专业性和非专职性等的确在某种程度上影响到教育委员会的执行效率，在处理教育事件时，受权力和委员精力等因素的限制，处理不及时、不得当等情况也确有存在。国民对教育委员会不满，甚至抵制也无可厚非。但是，在发展过程中教育委员会制度不断本土化、专业化，在民主建设上做出了积极贡献。有调查显示，20世纪90年代后期的教育委员会以“和地区居民的联合协作”“和首长的联合协作”为中心开展工作，为民众与地方行政首长之间架起沟通的桥梁，满足了民众在表达教育和其他意见等方面的基本诉求，对积极推动政府的政治、经济等方面的改革也起到了作用。

地方分权改革背景下教育委员会制度的改革实际上也是民主与集权的博弈过程，其间充满各种力量的较量与调和，受国内国际环境的影响，在日本某一时期内可能会出现某一方占上风的局面，但长远来看地方分权、民众参与的民主化的社会治理趋势是不可逆转的。

三、分权下地方教育委员会治理的权限和职责

在地方分权下，地方教育委员会对于日本各地的初等、中等教育的发展起到了决定性的主导作用；中小学，尤其是义务教育阶段的小学和初中都在各级教育委员会的指导下开展包括学校课堂教学在内的各种教育活动。

（一）权限

都道府县教育委员会是地方政府的教育行政机关，不同的历史时期其权限有所不同。战后初期的教育委员会5名委员的产生实行公选制，由当地民众直接选举产生，委员会的权限较大，不仅拥有对当地学校设置和监管的权限，还拥有制定教育预算的权力。《地方教育行政组织及运营相关法律》颁布之后对其权限进行调整。各都道府县和市町村的教育委员会依旧由5名委员组成，但不再是公选产生，而是由地方行政首长任命，任期四年。委员一般都拥有都道府县知事候选人资格，是人格高尚且对学术和文化有深刻认识的当地有识之士，没有专任委员，由非教育专业人士兼任。同时，教育委员会不再拥有制定教育预算的权限。依照法律规定教育委员会主要拥有如下权限：设置并管理辖区内的公立中小学、设置并管辖区内公立社会教育机构、管理县财政负担的公立学校和其他教育机构教职员的人事和研修、审批中小学教师资格；管理公立学校的课程设置与教材选用、对下一级教育委员会予以指导、建议和援助等。

由于教育委员会委员都是非专业、非专职人士，需要有专门机构和专业人士来建议并贯彻执行其决策，因此在教育委员会内设事务局。事务局的最高长官为教育长，其下另设指导主事、办事员、技术职员及其他所需职员。在2015年开始实施的新《地方教育行政组织及运营相关法律修订案》规定，教育委员会长与教育长合二为一，成为新的教育长，任期三年，教育长的产生方式发生改变，不再由都道府县教育委员会提名，报文部大臣同意后再由教育委员会任命，而是由地方教育行政首长提名，经地方议会同意即可直接任命。教育长负责属于教育委员会权限内的一切事务，接受教育委员会的监督。由教育长领导的事务局内部设有职能部门、审议机关还有一些直属机构。职能部门主要负责教育信息搜集、教育政策、学校教职员人事与福祉管理、辖区各级各类学校管理、学校教育教学指导、终身学习以及文化财产管理等。审议机关非常设机构，有体育活动振兴审议会、地方产业教育审议会、社会教育审议会等，这些机构对地区教育发展只需进行必要的审议。还有都道府县立教育研究所、教师研修所、图书馆、博物馆、青年之家、儿童自然研究中心、社会教育机构等直属机构。

各市町村教育委员会与事务局的权限与都道府县教育委员会及其事务局相同或相近，只是管辖的地域范围相对缩小。在对中小学教师的人事管理上，只拥有任免市町村立学校中的由当地财政负担的教职员的权限，对于其他经费负担的教职员无权任免。

（二）职责

教育委员会的主要职责是发展基础教育，在人事、经费、设施设备、教育教学、课程内容和教师进修等方面对其所辖学校负责。

《地方自治法》和《地方教育行政组织及运营相关法律》是地方教育行政制度确立的法律依据和保障。《地方教育行政组织及运营相关法律》第21条对地方教育委员会的具体事务主要有19项规定，现列举其主要内容：①开设、关闭及管理其所在辖区的公立学校及其他教育机关；②管理辖区各公立学校、教育机关所有资产；③任免和调动各公立学校教职工、管理各级学校的职工编制和相应人事工作；④管理各级学校学生的入学、转学、退学以及相应的学籍工作；⑤设置相关学校教育课程、负责学生学业指导、活动指导以及毕业生的就业指导等事务；⑥处理有关教科书及其他教材的采用等；⑦组织学校校长、教师及其他教职员工在职进修等。此外还包括所处地区的文化遗产、艺术、联合国教科文组织的活动等所有与文化教育相关事务。

为有效地实施教育治理工作，各地区各级教育委员会制定教育政策实施纲要，每年都规划具体工作目标。如东京都教育委员会有比较明确的任务与职责，都立的高中、盲聋哑人学校、特殊教育学校等由都教育委员会管理，公立幼儿园、小学及初中由都下属的区市町村教育委员会管理。就如何处理有关教育事务问题，东京都教育委员会要负责对下属的区市町村的教育委员会进行指导、帮助。都教育委员会还要负责管理整个东京都内区立学校的教育课程、教科书事务，而在市町村，这些都由各自的教育委员会负责。

需要指出的是，各地教育委员会的权限和职责仅限于治理所辖区域的初等、中等教育，不能管理，也不能对辖区内的公立大学等高等院校的教育治理进行干预。各地的县立大学和地方政府设立的公立大学或高等专门学校教育由各都道府县行政管理，直属知事负责，都道府县立大学校长、各系部主任以及教职员都由知事任免，还有一些市町村设立建设的大学和短期大学则由市町村的首长负责并管理，其相应学校校长、系部主任及教职员也都由市町村的行政首长任免。

纵观教育委员会制度和教育委员会70年的发展历程，其制度发展大致经历了照搬、变革与本土化三个阶段。起初该制度所植入的是美国的民主理念，在长期集权控制的日本便出现了明显的水土不服，在制度推行过程中产生了许多问题，引起社会不满。如教育委员会和教育长之间责权不清，出现了遇事相互推诿等现象，这一现象在20世纪70年代后期表现尤为突出。此外，该制度所采用的美式民主合议制，在日本被指行政效率低下，非专业、非专任的教育委员也被国民诟病。在校园欺凌事件频发时期，所发事件未能得到及时妥善处理，引起日本民众的强烈不满，指责教育委员会的不作为和形式化，甚至要求政府将其废止。尽管如此，日本教育委员会及其所属机构促进了教育民主化和现代化，使民主理念深入人心，在打破日本教育中央集权模式，实现地方分权治理方面功不可没。教育委员会在发展中不断积累经验，在民主与集权的张力间发展，在现实问题中不断调整，逐渐脱离美国影响，适应日本国情，实现本土化和专业化。对公立小学和初中的管理就形成了以市町村地方教育委员会和政府为主，都道府县政府参与的格局。尽管教育委员会制度当今依然面临诸多争议，但它使地方获得更多教育行政权，在地方教育发展上更具自主性，建立起民众意见反馈机制，实现民间与政府间的有效沟通，可以缓解教育的矛盾与冲突；也推动了中央和地方的共同治理。

四、地方教育督导

为实现对学校教育教学进行有效监管、保证学校教学质量，日本各地设置了教育督导，隶属于地方教育委员会的事务局。日本的教育督导在不同时期称呼不同，先后有“督学”“视学官”“指导主事”“补充指导主事”等。在确保地方教育质量、开展学校教育教学过程中，教育督导发挥了重要作用。日本的教育督导制度由来已久，在不同时期显示出不同内涵和特征。

（一）地方教育督导制度

早在明治时代，随着1872年《学制》的公布实施，日本的各大学区出现督学局，由一名督学和数名附属官员组成，在文部省的领导下与日本地方行政一起对地方学校进行监督，当时主要是督促学童就学和学校的正常维持。1877年后，督学局被撤销，中央视学的任务由文部书记官承担，一直到1885年12月文部省决定设立视学部，1886年设置视学官，随后各地方也设立相应的视学人员，都道府县级别的称视学官，郡级别的称郡视学。1890年颁布的《改正小学校令》对每郡设立郡视学一事作出明文规定，形成了完整的中央集权式的视学制度，即督导制度。在战争期间，教育督导体制带有浓厚的军国主义色彩。督导并非教育专业人士担任，多数为中央和地方的行政官员，他们遵照国家统一的规章制度，严格执行上司的命令，对地区的各级各类学校进行监督与指导。在教育的中央集权模式管理时期，由文部省掌管着地方教育督导的活动权。二战后，随着地方分权改革的推进，教育上也得到了相应的权限。以往各级教育行政机关之间的上下级隶属关系不复存在，原来的中央控制变成了中央对地方的指导和建议。

1948年日本颁布的《教育委员会法》标志着地方分权教育管理制度的确

立。1956年公布的《教育行政组织及运营相关法律》第17条规定：各地教育委员会事务局设立指导主事、办事员技术职员以及其他需要的职员。指导主事即教育督导，其工作职责就是按照上级命令，对《学校教育法》中规定的学校及幼儿教育机构的教育课程、教学、学生学业指导以及其他与学校教育相关工作的专门指导。该法对教育督导的任职条件也作出规定："教育督导必须对教育有深刻认识，并且拥有熟悉和了解学校内部的教育课程、学业指导以及其他与学校教育相关的专业知识，并具备教育实践经验的人员。此外，作为补充督导可以由除大学之外的公立学校的教职员兼任。"①

日本对督学人员的资格要求一直很严，中央的督学，要求必须出自大学或高等专门学校，并对学校的学科教育课程有深入研究，学识渊博、教育实践经验丰富的校长或教授。地方教育督导则是大学以外的公立学校的实践经验丰富的教育专家。现在，在日本教育界活跃的督学和督导，中央级的人员很少，主要集中在都道府县一级，其次是市町村一级，并且专职督导越来越多，兼职人员逐渐减少。根据日本文部科学省的统计和公开数据显示，2017年5月，在各都道府县教育委员会内，共设有指导主事1 913人，比2015年增加180人，占专职事务局职员的11.9%；补充指导主事2 941人，占专职职员总数的18.3%。②教育督导是为促进学校教育而设置，都道府县和市町村级别的督导所从事工作一致，只是工作范围的差别，他们在现代学校教育的课程建设、教材、学业指导、学生指导、学校组织运行等方面履行职责，发挥作用。

（二）督导的职责和工作内容

日本督导（指导主事和补充指导主事）需要对所有法律认可的公立学校和教育机构实行监督，以促进学校改进工作，更好地开展教育教学，提高人

① 日本电子政府综合窗口・法律法令电子数据库[EB/OL]. http://elaws. e-gov. go. jp/search/elawsSearch/elaws_search/lsg0500/detail?lawId=331AC0000000162.

② 文部科学省. 結果の概要—平成29年度教育行政調查（平成29年度5月1日現在）[EB/OL]. http://59. 80. 44. 46/www. mext. go. jp/b_menu/toukei/001/005/__icsFiles/afieldfile/ 2018/11/29/1406079_2. pdf.

才培养质量，促进地方教育发展。首先，日本督导的工作范围广。所监督的对象不仅是国立、公立的中小学，还包括公立大学和职业教育机构以及学前教育机构等。现今日本教育实行的中央指导与地方分权的治理模式，这一点也体现在教育督导的工作上。中央的督导少，他们面向全国，主要是负责宏观指导，为地方的各级各类学校提出发展意见和发展路径；为专门教育提供指导，比如对教师教育中的教师资格以及教师培训等提供指导和意见。并不涉及微观层面的具体学科课程的教育内容和教学方法等。

相对中央督导大方向的宏观指导与调控，日本地方教育委员会的教育督导的工作职责与内容更为微观、具体与细致。工作范围上，地方督导面对所在地区的所有公立中小学、职业教育机构以及学前教育机构。在中央教育方针和政策的指引下，为促进地方教育发展，对学校和教育机构的具体的教育教学进行监督与指导。地方督导的工作对学校而言可谓面面俱到。从学校组织编制、学校行政管理与运营，学校对教育政策的落实、课程的设置与建设、教材的采用与编写，甚至到课堂教学内容设计与教授方式等，都在督导的视野之内，所以学校是地方督导的主要工作活动地点。督导会将发现的问题形成报告及时反馈给被监督学校，以便改进。

（三）督导工作的民众参与

第二次世界大战结束前，在中央集权控制时期，日本各地虽然也设立了教育督导，却是自上而下的集权控制，教育督导权在中央文部省的视学官手中，地方视学官属于下级，实则从属于中央。普通民众，甚至连学校教师都无权过问教育之事，更别提参与和监督。战后日本教育改革，随着教育委员会制度的确立、教育行政的地方分权的推动、民主思想的普及，日本也建立起供专业指导和建议的督导机构，鼓励普通国民积极参与教育监督。各地督导在进行教育督导活动时也积极听取学校教职员工、学生及其他工作人员的意见，他们代表教育委员会在进行督导报告时，经常邀请社区的居民、社区知名人士、学校领导、教师参与到督导听证会议中，集体商讨有关学校改进工作的相关事宜，不仅拓宽民众参与教育管理、教育督导的各种途径，也使形成的意见更为全面和客观，更能有效地促进地方教育良性发展。

第二节　教育财政治理

一、教育财政政策

日本的教育经费主要靠政府的财政支出和家庭经济共同负担，日本政府教育财政主要由中央、都道府县以及市町村来分担。学校教育经费则主要依靠学校创办者来承担，国立学校主要由国家，也就是中央财政承担，公立学校的创办者是各都道府县和其所辖的市町村，因此公立学校教育经费主要来自地方财政。20世纪60年代起，日本教育蓬勃发展，教育财政规模亦随之增加，为减轻基础教育阶段学生的家庭负担，确保义务教育的顺利实施，各地政府不断加大对公立学校以及其他公共教育的财政支出。在整个教育财政中，地方公共财政承担了60%左右的经费，40%左右为家庭自费承担。后来地方公共财政在教育支出上发生很大变化，政府逐年增加在基础教育，特别是义务教育方面的投入，同时逐渐减少在高等教育中的公费投入。

日本的中央政府和地方政府之间纵向的财政不平衡状况十分明显。中央政府每年征收全国财政收入三分之二左右，向地方政府转移支付了其财政收入的一半左右。根据日本制定的“地方交付税、国库支付金制度”以及“地方让与税制度”，中央向地方公共团体进行财政拨款，一般性税收财政，国税与地税的比例是3∶2，而行政负担方面，中央与地方以2∶3的比例分担，基本上是集权模式。因此，进入20世纪90年代后期，伴随地方分权改革的推进，地方在财政上的分权要求也越来越突出。财政是保证地方教育分权得以实现的必要条件，日本地方在保障地方教育的财政权限和财源方面做出了不懈努力。

教育行政地方分权改革也是地方行政分权化改革的重要一环，主要通过放手国家权限来扩大地方和学校的自主权，以促进区域教育和特色学校的发展。扩大地方和学校的自主权必然涉及地方的自主财源问题，因此在教育行政地方分权改革中，首先遇到义务教育经费财源保障与地方分权的税收转移之间的矛盾。[①]

日本的教育财政依附于一般财政，教育经费主要来自一般财政划拨。随着教育的发展，地方自主权的扩大，教育经费的需求日益扩大，日本在财政上进行了改革，在以往财政集权制度的基础上，对财政制度不断调整。日本内阁2004年提出的“关于经济财政管理的基本方针”中指出了财政改革具体内容。这次改革主要是针对“税源转移、国库辅助负担金、补助税”这三种税源的分配方案进行综合改革（此次改革又称“三位一体改革”）。具体做法是，为使地方的权限下移以及构建地方财政体系，中央政府在向地方自治体转移地方税源同时，对地方政府的财政补助以及地方补助税金将减少。在这次改革中，关于教育财政改革的核心问题在于教育经费谁负担的问题，焦点聚集到是否对以往的国库负担制进行改革的问题。对于是否改革国库负担制，在日本国内出现了两种截然不同的声音：一种不主张改革该制度，以保障教育经费的财源；另一种是主张改革国库负担制，主张地方分权，扩大地方税收转移，增加地方税和地方补助税，以保证教育财源。

一方面，主张继续国库负担制的代表是中央教育审议会，认为只有国库支付才能保障教育经费财源，一旦义务教育阶段的教育经费来源实现社会一般化，就会导致教育质量下降和出现地域之间的差距，从而违背《宪法》所保障的教育机会均等理念。因此必须坚持实行国库负担来支持教育发展以及维持教师的收入和待遇。为强调国库负担的重要性，中央教育审议会于2005年10月提交了题为《创造新时代的义务教育》的咨询报告，指出：“为了维持义务教育制度的根本，继续坚持国家的责任，从按照国家和地方负担的方式保障义务教育阶段的教职员全额工资的意义上讲，现行的负担率的二分之一由国库负担的制度作为优先的制度今后必须维持。”另一方面，主张改革国库负担制的主要是以地方知事为代表的各地方自治体，他们主张向地方实行税收转移，甚至认为应该废除国库负担制。他们认为向地方的税收转移，扩大地方的财政权限，可以提高地方自治体的自主自治意识，在教育发展

① 包金玲．日本义务教育经费国库负担制改革方向——重建教育财政中的中央与地方的关系[J]. 教育与经济 2009（4）：52-56.

上，提高自主办教育意识，增强其积极性与主动性，进一步加大投入，提高教育发展水平。

日本实施的“三位一体”的财政改革，其目的在于推动地方分权改革，促进国家与地方包括教育在内的财政健全化和行政效率化。上述的两种主张，无论哪种都是要求保障合理的教育财政投入，促进教育的可持续发展。

（一）制定和修订中小学校办学经费相关法规

日本制定和颁布了专门的教育财政经费投入的相关法规。这些法规对教育机构的设置和管理，对税收、免税和教育投入的核拨乃至校舍和土地的使用等都有规定，因此日本教育经费投入的管理，从宏观到微观，一般都有法可依。如二战后颁布的《教育基本法》《学校教育法》《财政法》《地方财政法》《地方交纳税法》；在教育财政方面，《义务教育经费国库负担法》《公立学校设施灾害修复费国库负担法》《义务教育诸学校设施费国库负担法》《公立高级中学危险建筑物改建促进临时措施法》等一系列法律，用以保证公立中小学校的办学经费。为保证初等、中等教育质量，确保中小学师资力量，日本制定了《市町村立学校教职员工资等负担法》《教育公务员特例法》，后来又制定了《公立学校教职员加薪国库补助法》《青年学校教育费国库补助法》《关于国立、公立义务教育各学校教职员薪金的特别措施法》等，以确立中小学教师公务员身份，保障了教师的收入和待遇。

针对相对偏远、落后地区和弱势人群，日本政府特别制定了一些专门保护和支援的法律法规，如《关于国家援助困难儿童和学生就学奖励的法律》，规定国家在预算范围内对经济原因导致就学困难的儿童和学生实施援助；颁布《偏僻地区教育振兴法》，规定：“市町村、都道府县及文部大臣有义务共同振兴偏僻地区的学校教育。”之后制定了《偏僻地方教育振兴法施行令》和《偏僻地方教育振兴法施行规则》以保障《偏僻地区教育振兴法》的实施。随后各都道府县政府又制定了多项条例，根据当地条件，将学校分为五等，然后，根据学校等级，给予不同数额的补助金。[①]为了振兴偏

① 徐辉，黄学溥．中外农村教育的发展与改革[M]．重庆：西南师范大学出版社，2000：339.

远地区的教育，该法案还制定了一些具体的措施，如，为确保教职员住宅，国家对在该地兴建中小学教职员工住宅所需经费予以补助；改善班级编制及教员定额标准；为改善上学交通不便，对市町村增设校班车和购买小型船只等所需费用予以50%的补助；对寄宿儿童的食宿实行免费，等等。与此相对应，日本还专门制定了《孤岛振兴法》《人口过疏地区教育特别措施法》《大雪地带对策特别措施法》等，都对国家给予落后地区的财政支持做出了规定。

此外，《高中定时制教育及通信教育振兴法》《夜间课程高中学校伙食的法律》及《免收公立高中学费及发放高中等就学支援金的法律》等，对于高中教育阶段的财政支出等都有明确规定。

通过一系列法律法规的制定和颁布实施，日本逐步加大了政府在初等、中等教育经费方面的投入，促进了教育财政资源的均衡配置，推动初等、中等教育的良性、可持续发展。

（二）教育经费的分配

办学经费是学校教育事业的前提和基础，办学经费是否充足直接影响着学校的教育教学设施等硬件建设情况以及教育教学活动的开展。因此，经费对教育，尤其是对中小学教育事业的发展具有举足轻重的作用。日本的中小学教育实行中央、都道府县、市町村三级分担的教育财政制度。

教育行政部门对财政所分配的教育经费进行管理。教育经费包括中央财政支出和地方财政支出，中央政府的教育支出主要用于国立学校的设置与管理所需要的费用、支付给都道府县和市町村以及学校法人的教育经费补贴、奖学金和教育贷款等费用。地方政府的教育支出主要用于地方上的公立大学和中小学、幼儿园和公共教育设施的设置、管理所需要的费用以及对地方各公立学校教职员工的工资津贴等进行补助。都道府县主要负责都道府县立教育机构及教育事业的管理经营费、市町村立中小学和定时制高中教职员的工资以及市町村教育事业的补助金，市町村财政主要负责市町村立中小学的管理经营费和市町村教育设施的管理经营费。

1. 中央、地方共同承担办学经费

日本《学校教育法》规定每个市町村都必须设立满足本地区需求的小学

和初中，明确了学校的办学主体和责任者，但是这并不意味着上一级的都道府县政府以及国家对那些学校就完全没有责任和义务；《学校教育法》还规定，当都道府县一级的教育委员会确认市町村政府无法完成上述规定时，都道府县政府必须对市町村给予必要的补助。另外，根据1947年颁布的《公立学校设施费国库负担法》等法律的规定，市町村在创办义务教育学校时，国家也要负担相应比例的经费。因此，中央政府和都道府县这两级政府有共同负担办学经费的法律义务。

2. 中央和地方共同负担学校设施、设备费

根据1952年颁布的《义务教育费国库负担法》，中央政府负担公立学校教职员工资的一半；根据1953年颁布的《公立学校设施灾害修复费国库负担法》，中央政府负担学校设施灾害救济的三分之二，其余由地方政府承担；根据1958年颁布的《义务教育诸学校设施费国库负担法》，中央政府负担新建学校设施经费的一半，负担改建设施所需经费的三分之一，其余由设置学校的各都道府县承担。

3. 中央和地方各承担一半义务教育阶段的教师工资收入

1948年日本颁布的《市町村立学校教职员工资等负担法》规定，日本公立中小学教职员的工资等由都道府县政府负担。不过，为了保障全体国民都能接受义务教育，进一步落实《宪法》确定的义务教育无偿制原则，日本政府于1952年8月又颁布了《义务教育费国库负担法》，由国家（中央政府）负担公立义务教育学校教职员工资等的一半，从而确立了日本目前公立小学、初中学校教职员工资等由中央政府和都道府县一级政府各承担一半的支付体制。

日本公立义务教育学校的教职员，属于地方公务员身份，为了吸引和保证优秀人才能够充实到义务教育学校教师队伍中，1974年又制定了《关于保持和提高学校教育水平，确保义务教育诸学校教育职员人才的特别措施法》（俗称“人才确保法”），规定“对于义务教育诸学校教育职员的薪金必须采取比一般公务员的薪金水平优待的必要措施”，也就是公立义务教育学校的教职员工资水平高于一般公务员的工资水平（一般高出5%左右）。日本教师工资薪酬制度是教育财政制度中最重要的部分。在教育财政预算中，教职员工资所占的比例最大，目前大约占到80%。

4. 中央财政负担教材费、书本费

根据1962年颁布的《关于义务教育诸学校教学用图书免费的法律》，中央财政全额负担义务教育阶段的教科书经费等。早在1960年，中央财政对中小学校教育经费的负担额就占48.4%，地方占51.6%，其中县占30.3%，市町村占21.3%。①这一比例后来虽有变化，但日本在划拨经费时充分考虑到地区均衡问题。

5. 教育经费支出形式

根据《义务教育经费国库负担法》等法律规定，日本中央政府对农村义务教育的财政支持的支付方式主要有两种形式，即国库支出金和地方交付税。国库支出经费属于规定使用用途的专项补助，主要用于支付地方教师的部分工资和福利、改善学校设施以及对困难家庭学生进行补助等。

6. 高中教育的财政经费

《地方财政法》第9条规定，“执行地方公共团体的事务所需的经费由该地方团体全额负担”，指明了设置者支付经费的原则。②日本的高中和相当于高中的职业教育属于非义务教育，2000年，日本高中的入学率达到96%左右，实际已成为准义务教育。日本的高中分为全日制、定时制、函授制三种，其中绝大多数是全日制学校。从学校办学主体上看，分为国立、公立、私立三种。国立高中主要是各地国立大学的附属高中，由中央政府教育行政机关承担其办学经费，由中央政府财政支付；私立学校由学校法人出资；公立高中则由都道府县地方政府开办，其经费主要由各都道府县财政负责。日本规定从2010年开始实行公立高中免学费的制度，免除学费的那一部分经费由中央政府向各都道府县转移支付，这也意味着中央财政的教育支付比例增加。

在保障地方教育财政分担机制中，中央财政通过国库支出金和地方交付

---

① 苅谷剛彦．教育と平等[M]．東京：中公新書，2010：58.

② 山本裕词．地方分権下の「教育の機会均等」に関する国家の责任［J］．東北大学大学院教育学研究科研究年報，2008（1）：429–444.

税转移支付等和专项配套补助相结合的形式实现。地方交付税是中央财政给予地方财政的一般性补助，根据地方财力大小等标准作为评定标准，根据地方的基本情况确定拨款金额。地方交付税又分为两部分，包括普通交付税（94%）和特别交付税（6%）。普通交付税分配给那些基本支出需求超过基本财政收入的地方，因此越是落后的地区得到的中央交付税越多；特别交付税作为普通交付税不足情况下的补充拨款。①地方交付税是日本政府为了解决地区财政不均衡问题而确立的财政调整制度。这种制度的实施可以消除不同地区之间因经济发展水平不同而导致的教育经费的失衡状态，从而使各地区的教育得到均衡发展。

二、偏僻地区教育财政治理

二战后，随着民主政治改革和教育改革的全面展开、新式教育制度的实施，教育公平、教育均等理念深入人心，为保障国民公平享有受教育的权利，实现教育均衡发展，日本政府自20世纪50年代初期起，就将不发达地区的教育发展纳入到国家整体发展部署，专门制定有关振兴偏僻地区教育发展的法律和政策，希望通过教育促进该地区其他方面的发展。

所谓偏僻地区，日本政府的定义是：交通条件和自然、经济、文化等各种条件恶劣的山区、离岛等地区。偏僻地区的学校就是指上述地区的公立小学和初中学校以及义务学校，还有《学校给食法》（1954年）中规定的供餐机构。②

（一）制定《偏僻地区教育振兴法》

为了使振兴偏僻地区教育有法可依，确保偏僻地区教育振兴政策的有效实施，日本政府1954年6月1日制定和实施《偏僻地区教育振兴法》，明确规定其目的在于："根据教育机会均等的原则和基于偏僻地区教育的特殊

---

① 李祥云．义务教育财政转移支付制度：日本与美国模式[J]．教育与经济，2004（2）：54-57.

② 日本电子政府综合窗口·法律法令电子数据库[EB/OL]. http://elaws. e-gov. go. jp/search/elawsSearch/elaws_search/lsg0500/detail?lawId= 329AC0000000143.

情况，明确国家和地方公共团体在振兴偏僻地区教育中所必须采取的各项措施，以期提高偏僻地区教育水准。”[①]

《偏僻地区教育振兴法》的第3条、第4条对最基层的市町村、都道府县在发展地区教育中应承担的职责和任务作出了明确规定。第5条除了规定国家文部科学大臣的任务外，还对偏僻地区教育财政和具体教育经费作出明确规定。现文部科学大臣主要负责组织对偏僻地区教育实施必要的调查研究和资料整理，并对市町村和都道府县的工作进行指导、监督和协调，以确保市町村和都道府县能够顺利完成振兴该地区教育任务。都道府县负责所在辖区公立学校教职员以及公共供餐机构人员的地区补贴。该法的第6条规定了国家对偏僻地区教育实施补助，其补助经费为该地区教育经费的二分之一。该地区的教育经费主要是市町村完成该法第2条所规定的职责与任务所需要的经费，包括建设办学场馆、改善办学条件、为教职工修建宿舍等经费。国家的补助经费除振兴教育外，不得挪作他用。

（二）制定国家财政补助制度

一个地区教育发展的基础和核心在于是否拥有有力的教育财政保障，以及充足的教育经费。《偏僻地区教育振兴法》颁布之后，日本政府便依法制定了专门针对偏僻地区教育发展的国家财政补助制度。该制度一经实施，效果可谓立竿见影。《偏僻地区教育振兴法》制定前的1953年，日本用于补助偏僻地区教育的全部预算仅为7 062万日元，制定后的1954年马上就翻了一番多，上升到了1亿8 228万日元；到1994年的财政预算总额已达到167亿8 902万日元。[②]日本对偏僻地区的教育财政补助制度相对完备，大致包含如下几个方面。

1. 教师和工作人员的额外补助

对教师和工作人员的额外补贴主要有两种，一是对偏僻地区教师的地区津贴，二是对担任多个年级班主任的教师发放多年级班主任津贴。根据日本的有关法律和法规，各都道府县必须以特殊勤务津贴的方式为处于偏僻地

---

① 市川须美子．教育小六法[M]．東京：学陽書房，2004：849.

② 李文英．战后日本振兴偏僻地区教育的措施及其启示[J]．教育研究，2004（12）：75.

区的公立小学、初中的教师及职员发放偏僻地区津贴。《义务教育费国库负担法》规定都道府县发放偏僻地区津贴所需实际经费的一半由国家来负担。偏僻地区津贴的每月实际支付额度由工资和扶养津贴的月补贴之和乘以偏僻地区的偏僻级别率得出。偏僻地区的级别分为五级，一级率为8%，二级率为12%，三级率为16%，四级率为20%，五级率为25%。①

由于偏僻地区的资源所限，相比经济发达地区教师数量较少，所承担的教育工作更多。有的教师承担多个班级或年级的班主任，管理多个班级事务，也有教师必须承担多个班级甚至多个年级的教学工作。为保障教师的合法权益，国家制定了补助制度，对承担多班级教学或管理工作的教师给予一定的经济补贴。这种补贴，在一段时间内是各地区按照自身情况予以支付的，因此各地的津贴额度不尽相同，甚至出现了很大的差距，招致一些地区教师的不满。因此日本政府在1959年对该项制度进行修订，制定了统一标准，公立小学和初中的教职员工遵循这一标准，同时重新规定国立小学和初中的教师若担任复班班主任或多学年的教学工作，同样可以获得该项津贴。

2. 偏僻地区小学、初中教职员工住宅建筑费补助

在偏僻地区工作的教师，由于受工作环境的限制，在住房方面存在较大困难。为了解决偏僻地区教师的住房困难，偏僻地区会修建教师住宅。日本政府于1953年开始为该项目提供住宅建筑费补助金，补助预算额为982万日元，到1994年补助预算额已达25亿2 700万日元。住宅金补助金额度最初为租金的四分之一，1954年提高到三分之一，1959年再次提高为二分之一，这一比率一直维持到现在。②

3. 偏僻地区多功能场馆设施建设费补助

偏僻地区的多功能馆是中小学用于体育、音乐授课和开展社会教育活动的场所。《偏僻地区教育振兴法》明确规定市町村必须根据本地区的需要设置多功能场馆，但由于市町村的财力有限，承担多功能馆的建设比较困难。为了促进兼具室内运动场、礼堂、社会集会等多种功能馆的修建，日本政府

---

① 李文英．战后日本振兴偏僻地区教育的措施及其启示[J]．教育研究，2004（12）：75.

② 文部省．我が国偏僻地区の教育[M]．東京：弘报印刷株式会社，1961：95.

从1954年开始实施偏僻地区多功能馆设施费补助，补助金额为多功能馆建筑费的一半。1954年到1961年间，总计资助1 614所学校，补助金总额为10亿7 000万日元。[①]

4. 偏僻地区学校发电设备购置费补助

由于地区财力所限，偏僻地区普遍存在电力供应不足等问题，电力不足势必对教育教学造成不良影响。为了解决电力不足，增加学校自身的发电能力，从1957年开始，日本文部省开始设专款预算，帮助学校建立小型发电设备，以用于正常教育教学。一般学校所设置的发电设备多为2千瓦至3千瓦的小型发电机组，添置发电装置，通常国家补助其费用的一半，其余由地方财政支出。

5. 偏僻地区学生上学用的交通工具购置费补助

由于偏僻地区的交通条件一般都很恶劣，给学生上学受教育造成很大困难。为解决学生上学的交通难题，日本政府出台了补助政策，补助偏僻地区购买学生上学所需的校车或船只等交通工具，规定学生上学交通车船所消耗的燃油费用等不得由学生家庭承担，应由市町村的财政承担，还规定了所购交通车船接送学生的学校范围和学生数量。

6. 偏僻地区中小学电视机等设备费补助

从1960年开始日本就对偏僻地区中小学添置电视机等教学设备实施补助制度。偏僻地区的公立中小学购买电视机等教学设备时，由当地的市町村财政负担一半的费用，另外的一半申请国家财政支付。1960年资助了300所学校，1961年资助了400所学校。[②]

7. 偏僻地区学校保健费补助

偏僻地区社会经济水平低，医疗条件相对较差，为了确保偏僻地区儿童享有《学校保健法》所规定的定期健康体检、健康咨询等权益，日本实施了偏远地区学校保健补助政策。从1958年开始，日本政府对市町村向偏僻地区学校派遣的医生实施补助，补助其所需经费的二分之一。1994年国库补助金

---

① 文部省．我が国偏僻地区の教育[M]．東京：弘报印刷株式会社，1961：99.

② 文部省．我が国偏僻地区の教育[M]．東京：弘报印刷株式会社，1961：102.

的预算额总计达4 394万日元。[①]

8. 偏僻地区学校供餐补助

日本的中小学设有供餐制度，为促进儿童的生长发育，学校实施供餐制度，主要是提供午餐。为保障学校午餐的正常供应，日本实施供餐补助制度。既为给学校提供午餐的配餐机构给予费用补助，也为支付餐费有困难的学生提供补助；同时还为配餐机构提供低价小麦粉等，通过系列举措大力普及学校供餐制度。1961年，政府专门拨款1 752万日元用于补助偏僻地区学校购买必要的设施设备，以便推广儿童发育所需主要营养源——牛奶。[②]

除上述政策和制度外，针对偏僻地区学校还设有就学奖励补助、教材费补助以及理科学习教具费补助等。日本政府对偏僻地区教育所实施的各种补助制度保证了偏僻地区儿童的教育平等权，使《偏僻地区教育振兴法》的条款真正落实，促进了日本教育的均衡发展，对于促进日本地方经济、社会、文化的全面发展，缩小地区差距、城乡差距起到了积极作用。

第三节　教育教师资源治理

师资是学校教育必备的前提和基础之一，教师素质的高低直接影响着教育教学的质量以及学生的发展水平。合理配置和有效地使用教师资源是实现中小学教育均衡发展的重要一环，如何在保证教育质量的同时，实现初级、中级教育的均衡发展，在教师教育治理方面日本有其独到之处。日本采取了一系列的措施来实现城乡教师资源的均衡配置。教师教育治理包括教师培养、录用、在职培训以及实施教师流动制等。

---

① 文部省小学科．偏僻地区教育资料第52号[Z]．東京：胜美印刷株式会社，1995：118.
② 李文英．战后日本振兴偏僻地区教育的措施及其启示[J]．教育研究，2004（12）：76.

一、教师的养成与录用

日本在教师教育方面有比较完善的体系，有专门的教师教育机构和师资，对教师资格考试以及中小学教师的录用考核也十分严格。

（一）培养高水平的中小学教师队伍

日本对教师教育有专门要求，教师一般由综合性大学和教师培训学院来培养。这些教育机构都具备一整套教师资格证培训相关课程，且获得了日本文部科学大臣认定。希望取得教师资格证书的学习者，必须修完文部科学大臣认定课程中所规定的教学科目并积累达到所要求的相应学分。日本大学里的教师教育课程，一般包括教育学专业课程以及与中小学各学科相对应的学科课程。学校的课程设置、教学内容安排、教学方法，则根据自主原则由各校自行安排。学员通过学习应具有上岗后能够带班、进行课堂教学，并具备学科指导和学生指导所必需的素质和能力。

1997年7月，文部省发布了名为《关于面向新时代的教师养成改善策略》的咨询报告，提出21世纪教师培养目标是培养具有使命感、特长与个性的教师。1998年6月又通过修订《教育职员许可法》对教师教育的相关课程设置作出调整，增加了中小学教师教育课程中学科教学相关课程的比重，对教师职业的要求越来越专业化，还要求准教师们必须修完日本《宪法》、体育、外语、电脑操作等各两个学分，以提高教师的综合能力。日本的教师教育注重实习实践教育，将教师教育专业学生的教育实习分散到大学的四年中，第一年进行“体验实习”，第二年是“基础实习”，第三年为“教育实习”，第四年为“研究实习”，最后完成毕业论文设计。通过四年的实习，可以提高学生的教育实践以及教育理论的综合运用能力。

（二）教师的录用

日本中小学教师入职门槛逐年提升，要成为一名中小学教职员，必须首先具备教师资格证，然后通过各都道府县组织的录用考试，考试合格后方可被录用。

1. 教师资格证书制度

拥有教师资格证是报考各地组织的中小学教师招聘考试的先决条件。教师资格证书制度层级分明，中小学教师资格证书有对应的小学、初中和高中之分。教师资格证书由都道府县教育委员会颁发。教师资格证书根据其适用范围又分为普通资格证书、特别资格证书和临时资格证书三类。

第一类为“普通资格证书”，全国各地通用。普通资格证书又分为三种，即高级资格证书（硕士学位以上）、一级资格证书（学士学位以上）和二级资格证书（准学士学位以上）。日本《教育职员许可法》对教师资格证申请人的受教育层次有严格的要求，规定要取得普通资格证书必须在大学等机构获得学士学位，同时修完文部科学大臣认定课程中所规定的教学科目与教职科目所有课程并取得相应学分。而对于在大学未修完相应规定课程或学分者，须通过教师资格认定考试，合格者才能取得普通资格证书。为确保教育教学的专业化，《教育职员许可法》还要求教师教育课程开设一般教师素养科目、学科教育专业科目和教育专业科目，一般教师素养科目分为人文、社会、自然三大领域，至少各修8学分以上，共24学分；还要修外语12学分，保健体育4学分。并对小学、初中、高中的教师资格作出相应的学分数规定。日本法律还规定，从1998年4月起，小学和初中教师资格证书申请者必须要在生活福利部门或特殊教育学校等地看护、帮助老年人或残疾人，或与之交流，并且这种生活体验必须在7天以上，才能获得教师资格证书。

第二类为“特别资格证书”，该证书在颁发的都道府县内有效。不具备教师资格条件，但是在某一领域拥有出色的知识、技术且经验丰富的社会人士，可以参加由都道府县教育委员会组织实施的教育职员鉴定考试，合格后取得特别资格证书。持有特别证书者可应聘相关行业的职业教师。

第三类为“临时资格证书”，只在颁发该证书的都道府县内有效，有效期为三年或六年。日本对于一些没有教师资格证书的人还实施“特别非常任讲师制度”，并颁发临时资格证书，让他们担任中小学校和特殊教育学校部分教学科目的非常任教师。一般非常任讲师可以承担中小学和特殊教育学校教学科目领域的一部分教学，担任的更多是课外活动、综合学习课程以及道德教育课的授课任务。

2. 录用

获得教师资格证书的人，只是表明其具备教师的任职资格，并不能成为真正的教师。要成为正式中小学教师，还必须通过各都道府县组织的录用考试。日本的教师录用制度已经法律化，进入21世纪以后，日本的教师录用考试越来越严格，在考核内容上，已不仅仅局限于专业知识的考试，更重视教师能力、人品、个性的考查，外语、计算机等相关的教育技能技术也是必考科目；考核形式也是多样化，不仅有笔头考试，还有个人面试、集体面试、小组讨论、课堂试讲、实际教育技术考试，等等。

早在2006年文部科学省对公立学校进行的“教师录用选考方法的调查”中就显示，教师的录用选考方法已呈多样化。在被调查的都道府县及政令指令城市共61个行政单位中，实施一次考试和二次考试并且实施面试的达到48个，实施个人面试与集体面试的达到58个，还有43个行政单位起用民间机构的人士担任面试考官，21个行政单位起用临床心理师及学校顾问担任面试考官，45个行政单位引用模拟授课。[①]

日本的中小学教师选考制度虽然复杂多样，但也充满了人文关怀。比如，对于拥有特别技能和成绩，并具有丰富社会经验的参考人员，有些教育委员会还实施特别选考或部分项目免考措施；残疾人在参加考试的过程中也会得到特殊照顾，比如对眼睛残疾者使用盲文试卷、允许使用放大镜等。

此外，文部科学省还向各地各教育委员会提出建议，提议对新录用教师采用“条件附属录用期间制度”（类似于试用期），通过有条件录用来判断被录用的新教师在通过研修和实习后，是否真正适合该工作。一般教师的带条件录用期为1年。总之，日本要求教师要对教师职业满腔热忱，并具备教育专家的教学技能和策略，且综合能力突出，通过各种灵活多样的考查形式，选拔出特长突出、能力超群的优秀人才扩充到中小学的教师队伍。

二、中小学教师在职研修

为确保教师的教学水平，日本的中小学教师并不是一经录用后就立即上岗执教，而是先接受研修培训。教师研修一般分国家和地方两个层面进行。一是国家层面的研修。由国家机构实施的研修，主要是面向教育管理者实施

① 罗兰．日本中小学教师的培养与录用[J]．教师教育研究，2007（6）：77.

的研修和有关紧急问题的研修，主要以中央研修讲座形式进行。二是地方层面的研修。由都道府县的教育委员会等组织实施，包括新任教师研修、10年教龄教师研修和有教育职业经验的教师研修等。同时，为确保教师研修的顺利实施，国家对于各类教师研修给予事业补助费。

1. 新任教师研修

新任教师的个人素养和专业水平的高低，将直接奠定其教师生涯的人格基础和专业教育格调，因此日本十分重视对新任教师的培训，新任教师研修也成为日本中小学教师研修的特色之一。日本有关制度规定，新任教师在录用后的一年内，必须在担任班主任和授课的同时，还要参加实践性研修。日本新任教师研修，不仅培养其实践指导能力和教育使命感，还通过相关课程促使其丰富知识，开阔眼界。仅2002年，日本约有15 300位新任教师参加了新任教师的研修。

新任教师研修包括校外研修和校内研修。校外研修一般集中在教育中心等机构进行，研修的形式和内容主要是新任教师参加教育中心等机构举办的讲座和演习、到企业和社会福利部门等地实习，参加社会服务体验活动、进行生活体验和自然体验研修等。要求同校内指导教师指导下的研修有机地结合起来。

校内研修主要指各校自行安排的研修活动，以个人自修为主，为新任教师配备经验丰富的教师或教导主任充当教学导师，对其日常教学活动进行专业指导。研修主要涉及对教师必须具备的素质修养方面的指导、对新任教师的授课进行听课、观察，指导新任教师接触和处理学校教学和教务相关的各类业务，具体包括备课、授课、教材研究、班级管理、生活指导、保健、安全指导等；要求参加教研组、年级组研讨会、公开观摩教学、全校性研讨会，以及到校外参观学习等，新任教师校内研修时间约60天。

2. 10 年教龄教师研修

根据日本中小学《学习指导纲要》，为切实掌握基础知识和教学基本功，培养学生独立学习和独立思考的能力，同时，为进一步充实心灵教育，要求实际担任研修指导的教师进一步提高指导能力。

10年教龄教师研修通常有长期脱产研修和在职研修两种。研修的时间一般在20天左右。长期脱产研修一般参加人数较少，集中在教育中心等专门机构，由资深教师、指导干事组织实施。研修通常有模拟授课、教材研究、实例讨论、旁听大学及大学院课程等环节。

在职研修主要是在校内，由同学校的校长、教导主任、教务主任等担当研修顾问，通过研讨性授课、教材研究等方式进行。

3. 教师的长期社会体验研修

教师的长期社会体验研修是指在职教师被派往民间企业、社会福利机构等校外机构进行为期一个月至一年的研修。研修目的在于使教师作为社会一员不断扩大自己的视野，这种长期的社会体验研修有助于教师更广泛地接触社会，提高人际关系适应能力。①

4. 其他在职研修

除上述研修外，都道府县、政令指定都市以及核心城市教育委员会还实施其他类型的研修，主要有针对具有一定教职经验教师的研修（例如5年教学经验者研修）；职务研修（例如校长、教导主任、教务主任研修）；有关教学课程指导或学生指导的专题研修（例如针对校内欺凌现象问题等的研修）；同时，各级教育委员会还会派遣教师赴大学、大学院、研究机构、企业等进行的长期研修等。

三、中小学教师定期流动

日本中小学教师经过各种考试，合格后进入附加条件的录用，试用期结束考核合格后成为正式的中小学教师，接受各种研修和历练，提高自身素养和专业教育水平。日本公立学校的中小学教师不会在一所学校长期执教，经过一定时间后必须流动到所在行政区域的其他同层次学校任教。

日本法律规定，公立初等、中等学校教师在同一所学校连续工作不得超过5年。

日本教师的定期流动，从地域看可分为两种情况。一是同一县市、街区、村之间流动；二是跨县一级（相当于中国省一级）行政区域间流动。教

① 齐放．日本中小学教师的管理机制及其启示[J]．中小学教师培训，2007（10）：61.

师流动的地域以就近为主。各类学校跨县一级和“政令指定都市”一级行政区域流动的教师相对较少，主要集中在较大城市间轮岗。偏僻地区学校同其他地区学校之间以及不同类型学校之间教师交流的比例大致平衡。从流动的学校级别和类型来看，教师既可在同级同类型学校之间流动，如从小学流向小学，从高中流向高中等，也可在不同种类学校之间流动，不过同级同类型学校之间流动居多。

中小学教师流动不分级别和年龄，学校管理层（包括校长）和一般教师都必须遵守这一制度。日本文部省根据近年来教师的平均流动率推算，全国公立中小学校的教师平均每6年流动一次；多数的中小学校长一般3~5年就需要换一所学校，每一名校长从上任到退休，一般要流动两次以上。此外，日本教师的流动非常规范，从教师在同一学校任教的年限，也可看出教师流动的频率。小学、初中、高中、特殊教育的流动不存在大起大落的现象。由于绝大数教师都在同一行政区域内的学校之间流动，而且教师还可以根据自身情况申请目标学校。所以，教师流动制度并不会对教师的生活带来太大的影响。

日本的中小学教师“定期流动制”在促进教师素质提高、合理有效地配置和使用人力资源、促进地区初等、中等学校教育均衡发展等方面起到了很大的作用，是一个比较成熟而且能够较大限度地实现教师资源均衡配置的行之有效的措施。校长的轮换制度有利于教育思想和教育理念的更新与交流，有利于学校的教育改革和发展。除了定期在本区域城乡之间的教师轮换之外，日本还有一些在不同区域之间进行的跨区域教师交流项目。通过这些项目，可以让不同地区之间的教师进行交流与切磋，也有利于地区之间教育资源的平衡，促进初等、中等教育的均衡发展。

四、中小学教师评价体系

教师是重要的教育资源，对教师进行合理的评价对于促进教师自身发展和提高国家的师资水平具有重要的积极作用。世界各国都非常重视对教师评价体系的建构与完善。经过几十年的探索与实践，日本建立起相对完善的教师评价体系。

（一）日本教师评价制度的发展历程

战后日本教师评价机制的发展经历了三个时期。

1. 20 世纪 50 年代的教师考评制度

20世纪50年代，日本就开始对教师实施考核评价制度。日本公立学校教师属于教育公务员，日本的《国家公务员法》和《地方公务员法》也同样适用于公立学校教师。1950年，日本提出对公务员实施“工作考评制度”，要求各地方政府对地方公务员的工作效率、责任感、工作态度、知识、技能、性格等13个方面进行考评，根据结果决定对被考核人员予以升职、加薪、降职、减薪，甚至开除等人事调整。同年颁布了《地方公务员法》对地方公务员的考核作出明确规定：“委任者对职员的工资进行定期评价，并采取相应的奖惩措施。”由于公务员评价制度的实施，作为教育公务员的中小学教师的考评工作也势在必行。

1956年，日本公布了《地方行政组织及运营相关法律》，规定市町村教育委员会按照地方教育委员会的计划对辖区的中小学教师实施考核与评价。文部省也积极推动各地的中小学教师评价工作，各地的教师评价制度由地方教育委员会制定并执行。1956年，为缓解地方财政问题，爱媛县率先导入教师工作的考核制度，其他各地都道府县也先后引入该制度。爱媛县以政府财政赤字为由，根据教师工作的实绩，仅给予部分教师升职加薪的奖励，有三成的教师未能获得加薪。[①]此事成为掀起日本全国反对教师考评运动的导火线，爱媛县的教职员协会、日本教职员协会以及其他地区教职员协会共同反对教师工作评价制度，谋求带薪休假。这场运动历时三年，席卷了全国。这场抗争取得胜利，其影响也深远，自那之后的很长一段时间，日本的教师评价制度成为了一纸空文，各地的教师考评制度并未真正形成，也未能真正开展实施。从20世纪50年代到20世纪90年代，日本公立学校教师的升职加薪主要还是依靠论资排辈，按工作时间的长短来决定，与实际工作能力并无多大关系。

---

① 佐藤全．教員に求められる力量と評価[M]．東京：東洋館出版社，1996：83.

2. 20世纪90年代出台的教员评价制度

一方面，受新自由主义的影响，日本国内各方面都出现了新自由主义的趋向，教育领域亦是如此，教育的“自由化”“个性化”主张的提出，相应的各项教育改革开始应运而生。20世纪80年代，日本教育领域出现诸如“校园欺凌”“学级崩坏”“学生不上学”等问题，社会把关注焦点转向学校和教师，家长对学校和教师的不信任感增强。专家们研究认为，产生教育荒废问题的主要责任在教师的指导力不足。因此，教育界十分关注如何提高教师能力的问题。1997年，日本教职员培养审议会发表了《面向新时代的教师培养方法改革》，希望通过提高教师能力来提高学校教育水平。另一方面，“教师评价”再一次成为被关注的焦点之一，社会普遍认为，教师评价制度不仅仅是人事考核和管理制度，它应该成为促进教师能力和水平提高的有效策略。在这种社会共识下，日本国内开始探索开展教师评价工作的方法。1999年，东京都率先开始执行“自我评价”与“业绩评价”相结合的“教员评价制度”。

至此，对于教师评价工作的制度建设紧锣密鼓地开展起来。2000年12月，日本教育改革国民会议提交报告提议：“建立能认可教师的态度和努力，并使教师的付出能得到相应回报的评价体制。”还具体提出对长期努力工作、成绩显著的教师，应当给予金钱、人事等方面的奖励，使其努力获得回报。[①]2001年日本政府颁布了《公务员制度改革大纲》，提出要改革公务员评价制度，采用能力评价和业绩评价相结合的新评价体系，并指出业绩评价使用目标管理的方式对业绩进行评价，评价结果将业绩与工资挂钩。根据公务员评价制度，东京都适时调整了教职员评价体制，实施新的评价制度。

3. 2006年出台的新教师评价体系

继东京都之后，还有其他地方的教育委员会，如三重县、香川县等也陆续采用东京都的评价体系对本地区公立学校教师进行评价。在2003年至2005年间，日本文部科学省对指定地区的地方教育委员会进行“教师评价体

① 教育改革国民会議．教育改革国民会議報告－教育を変える１７の提案－[EB/OL]．[2018-03-24]. https://www. kantei. go. jp/jp/kyouiku/houkoku/1222report. htm.

系”的执行情况和效果进行调查，并对评价体系进行不断修改和完善，要求2006年正式使用教师评价体制。受公务员制度改革的影响，公务员评价制度中的能力评价和业绩评价被直接引入新的教师评价体系中。随着地方教育行政分权化的推进，各都道府县的地方教育委员会拥有了自主决定教师薪酬的权力，可以根据教师的能力和业绩对其薪酬进行调整。

新的教师评价体系是对20世纪90年代教师评价制度的改革与修订，主要对教师的能力和业绩进行测评。根据文部科学省的调查统计，在2006年10月，日本62个都道府县和指定地区中，已经有27个开始执行新的教师评价体系，另外33个地区同时执行新、旧两个评价体系；只有两个地区没有执行新教师评价制度。①到2012年的时候，所有地区全部执行“新教师评价体系”。②

（二）现行教师评价体系的主要内容和评价方式

现行教师评价体系被称为“新教师评价体系”，日本实行该评价体系的目的是为了提高教师素质和指导能力、促进学校管理和办学水平、建设能被社会和学生家长所信赖的学校。当然，其最终目的是为了培养未来能够支撑日本发展的人才。

1. 评价内容

日本的新教师评价体系是基于目标管理办法而建立的“PDCA”循环管理程序，即计划（Plan）、实施（Do）、评估（Check）、处理（Action）的四个环节循环。新教师评价体系主要由业绩评价和能力评价组成，尊重教师的自主性，由教师制订自己的发展计划，主要是业绩目标，行政管理人员通过面谈对教师的发展目标以及目标的实施进行指导，然后通过考核人员对参评者以面谈的方式进行考核评价，最后以结果公开或不公开的方式向教师反馈一年的工作绩效，提示下一年度的努力方向。由于教师评价结果将直接影响教师的晋升、加薪以及各种奖励，文部科学省提醒日本各地教育委员会：

---

① 刘钟鸣，吴晓威，唐泽静．日本“新教师评价体系”研究及其启示[J]．外国教育研究．2015（12）：103-112.

② 文部科学省. 新しい教員評価システムの取り組み状況（平成22年4月現在）[EB/OL]. [2018-03-24]. http://www. mext. go. jp/b_menu/houdou/22/10/attach/1298542. htm.

“教师评价不是为考核而评价的，对每个人进行适当的评价是为了培养教师的责任心和自信，促进教师成长。评价体系应排除主观臆断，注重评价的客观性，评价内容和标准应当明晰。”①

现行教师评价体系的评价对象为在职的公立学校教职人员，日本各地所实施的教师评价机制在考查项目的观测点上以及评价方式上略有不同，但基本思路是相通的。教师评价体系注重教师的主体性，注重能力、业绩评价相结合，导入目标管理模式。

评价内容分为工作能力、工作态度以及工作成绩三方面，具体的评价项目和指标由各地方的教育委员会制定。各都道府县的教育委员会根据当地实际情况进行设计与规定，例如京都市教育委员会规定，工作能力包含知识掌握、理解能力、指导能力、执行能力、策划能力、判断能力等；工作态度包含进取心、忍耐力、责任心、协调性、积极性等；工作成绩包含工作成果、教学大纲的完成情况、教学情况等。②青森县的工作态度考核内容包含责任心、积极性、纪律性、协调性、忍耐力、进取心等；工作能力包含知识、技能、信息搜集及使用能力、判断力、分析能力、理解能力、策划能力、协调能力等；工作成绩包含个人目标的完成情况以及目标以外所取得的成绩等。③

2. 具体评价机制和流程

对教师评价的期限一般设为1学年，从4月1日到次年的3月31日。在时间安排上各地会有所不同，但是基本流程是一致的。现以日本高知县的教职员评价为例。

第一步是教师制订自我评价的目标管理报告书。一般在学年初（4月份），以校长指明的年度学校目标为依据，教师制订个人该年度的教育活动

---

① 文部科学省. 中央教育審議会（第53回） 配付資料（3）人事管理及び教員評価の改善・充実－分限制度の厳格な適用や教員評価の処遇への反映等－[EB/OL].［2018-03-24］. http://www. mext. go. jp/b_menu/shingi/chukyo/chukyo0/gijiroku/attach/1346172. htm.

② 京都市教育員会. 新たら教員評価システムの導入に向けて[EB/OL].［2018-03-25］. https://www. city. kyoto. lg. jp/kyoiku/cmsfiles/contents/0000007/7135/kh_saishu. pdf.

③ 青森県教育委員会. 教職員の人事評価制度 の手引き（平成28年3月）[EB/OL].［2018-03-25］. https://www. pref. aomori. lg. jp/soshiki/kyoiku/e-kyoin/files/hyoukaseido-tebiki. pdf.

的目标和规划，将个人具体计划写入自我评价的目标管理报告书中，报告书中要具体写明教育活动的时间节点、个人能力目标等。在目标管理报告书定稿前一般要与校长面谈，听取校长建议。目标管理报告书的最终确定时间一般在6月份。第二步，中间确认，根据自己拟定的目标，教师进行各方面努力，8月份，校长和教导主任为鼓励教师，将对教师进行教育上的指导和帮助，主要是通过面谈或听课等形式来了解和掌握教师的工作状况，对目标任务进行确认，教师需要将目标任务进展情况写进报告书中，此环节称为“中间确认”。第三步，被评价者自我评价。次年的1月，被评价者进行自我评价，主要对目标达成情况进行评价，自我评分（评分等级分为5、4、3、2、1五等）形成书面报告呈交给学校。第四步，评价者给出评价。2月份，教务主任和校长根据教师提交的报告书进行一次评价和二次评价形成综合评价意见，给出评价等级。第五步，最终面谈。综合评价后，在3月31日前，评价者将和被评价者进行最终面谈，在听取被评价者的自我评价意见后，将综合评价意见反馈给被评价者，根据被评价者的要求，最终评价结果可以对外公示。第六步，市村町教育长依据最终评价结果向都道府县教育长申报被评价者的晋升或奖励。最后，地方最高教育长官依据评价报告决定对被评价者的晋升或奖励额度。①

（三）现行教师评价体系的特点与问题

根据日本文部科学省对“新教师评价体系”实施状况所做的调查统计显示，全国有48个地方政府将教师评价作为教育公务员考核的一项制度在执行，有19个地方政府将其作为单独政策执行。②该制度的实施在做法上各地虽有差异，但其目的为提高教师能力，增强学校管理的灵活性，从而提高学校教育质量。

---

① 文部科学省．教職員評価の現状（2016）．配布資料[EB/OL]．[2018-03-25]．http://www. mext. go. jp/b_menu/shingi/chukyo/chukyo3/052/siryo/__icsFiles/afieldfile/2016/01/05/1365651_10. pdf.

② 文部科学省．新しい教員評価システムの取り組み状況（平成22年4月現在）[EB/OL]．[2018-03-24]. http://www. mext. go. jp/b_menu/houdou/22/10/attach/1298542. htm.

1. 新教师评价体系的特点

纵观日本现行教师评价体系，从其建构理念、测评内容、评价方式和实施情况来看，具有以下特点。

一是评价突出教师的主体性。评价的重要组成部分的目标管理报告由被评价者自己制订，教师参照学校的发展目标与规划制订自己一学年的教育活动、能力以及业绩目标，根据目标进行教学和自我发展，并对最终结果进行自我评价，整个过程都体现了教师的自主性和主动地位。这和以往自上而下的评价体系有着本质不同。

二是新教师评价体系注重教师能力评价。除了对教师业绩进行测评外，强化能力评价，以促进教师能力的提升。

三是将目标管理模式导入教师考评体系。运用目标管理，使评价更清晰、更客观，对教师的评价更公正，也可使评价更高效；使学校管理更具灵活性，对于增强学校教育活力和提高办学质量都具有积极意义。

四是评价方式、手段比较人性化。在评价过程中，学校教务长和校长作为评价人对教师的评价是以面谈方式进行的。面谈前后至少有三次，最初面谈为教师制订目标提供指导，中间面谈对实现目标提供帮助，最后对结果进行综合评价，给出中肯意见，为教师下一年的发展指明方向。面谈为学校领导与教师之间架起交流平台，也能体现出学校对教师发展的人文关怀，受到管理层和一般教师的普遍认可。

2. 教师评价实施过程中反映出的问题

新教师评价体系在日本被广泛采用，对教师、对学校教育也产生了一定的积极作用，但在实施的过程中，也暴露出种种问题，对被称为“能力开发型评价体系”，学界的意见也是褒贬不一。

一是制度本身的问题。该制度受公务员考核制度的影响，对教师的评价期限设定为一学年，这并未充分考虑到教师职业的特殊性。教师工作面对的是学生，对学生的培养和教导不是一名教师在一段时间内能实现的，需要不同阶段、不同类型教师的共同付出。另外，由于学生发展因人而异，也具有较强的不确定性。因此教师很难制订出一年期的业绩目标和能力目标，即便是参照学校的发展规划制订出目标，由于具有不确定因素，在目标实现方面难以完成，同时对于教师能力以及所付出的努力是难以通过目标管理以量化指标来评价的。

二是评价过程烦琐。很多教师反映此项流程复杂且费时，增加了教师工作量。评价的过程中需要制订大量表格和文书以及面谈会和准备会等，使得教师的工作量增加，并且在面谈会上，年轻教师因为要顾忌领导和前辈们的看法，而不能畅所欲言。[①]

三是缺乏合理性。该评价体系有教师的自我评价，然后就是学校管理层对教师的评价，缺乏同事之间的评价以及其他第三方的评价，这种评价结果是否真正体现出了公正与合理，这种管理层对教师的绝对评价结果与教师的晋升加薪以及获得各种奖励直接挂钩是否合适等问题也值得商榷。这些都是日本现行教师评价体系实施所面临的问题。

第四节　学校教育治理

教育虽然有多种形式，但是最主要的教育场所和教育形式仍然是学校教育，可以说教育质量的高低和教育目标能否实现主要还是取决于学校教育。学校教育又是通过学校主体运营来完成的。学校教育的主要环节就是教学。因此探讨日本地方教育中的学校教育教学十分必要。学校教育包括学校形态、内部结构、学校培养目标、教育内容、课程、教材、教学方法、教学管理，等等。

日本中小学校的体制改革以及教学环节治理并非由学校完全自主进行，主要还是在中央指导和地方教育行政部门的主导下实施。

一、学校体制改革

日本的初等、中等教育改革一直没有真正停止过，在战后日本经济高速

① 諏訪英広．高等学校における目標管理の運用方法に関する事例研究[J]．学習開発学研究，2015：239.

发展时期，日本的初等、中等教育亦得到长足发展，但是受到国内外各种因素的影响，义务教育和高中教育改革的呼声越来越高。一方面，随着知识及经济社会的逐步形成，面对国际化、信息化以及日本人口的出生率下降、老龄化严重的现状，日本社会经济结构发生了急剧变化，对人才的需求增大，而且人才类型、层次亦呈现出多样化状态。另一方面，伴随着经济社会发展而产生的青少年信仰迷失、文化荒芜现象，如校园欺凌现象、恐学、不上学的现象频繁出现，给教育治理带来难题。此外，教育理论界受西方“新自由主义”思潮的影响，扩大了对教育自由化、教育选择等要求；由于教育中市场经济原理的导入，引起公共教育的萎缩，教育民营化程度提高，使更多的教育选择成为可能；然而当时的中小学学校教育、各学校的教学内容整齐划一、管理体制僵化，严重限制了学习者对教育的选择，当时的学校教育在某种程度上被认为不利于青少年的身心健康。再加之，当时各发达资本主义国家推行的企业国际化及全球经济一体化，国际竞争加剧，各发达国家纷纷进行教育改革，抢占国际教育市场也对日本教育形成冲击。为满足社会和教育自身的需求，从20世纪90年代开始，日本在初等、中等教育领域开展了两次比较大规模的教育改革。

（一）学校类型增多

出现了“初高中一贯制教育学校”。1997年，日本中央教育审议会在《21世纪我国教育展望》中提出了初高中一贯制这一构想。1998年，日本修改《学校教育法》，并在1999年开始正式施行。初高中一贯制学校主要有三种类型：

“中等教育学校”在同一所学校内实施初、高中6年一贯制教育，前3年称前期课程，后3年称后期课程，前期课程结束后如果不愿继续升入高中，亦可获得初中学历。

“并设型学校”在初中和高中学校的办学主体相同时，两校实施6年一贯制教育，初中毕业生升入高中时无须参加入学考试，高中名额如有富余时可以对外招生。

“共建型高中”（日文汉字为“连携型”）即几所不同的初高中合作，共同开发课程计划，组建教师团队，开展学生交流，实施初中教育与高中教育的全面合作，初中毕业生升入高中时只进行简单的考试。①有时几所初中可以同时与一所高中进行共建。②中等学校教育体制的变化使中等教育多样化，进一步适应社会和青少年个性化发展的需要，为青少年的未来提供了更多选择，也更有利于培养多样化人才。

（二）高中教育体制变化

学校体制最显著的变化集中体现在高中阶段教育上。战后日本新制高中主要有：以升学为目标的“普通高中”、以某一职业技能为中心的“职业高中”（如农业高中等）以及“综合制高中”。“综合制高中”包括了既有普通科又设有职业科的高中，或者是综合设置几个专业的综合职业高中（如工商高中、商工高中、实业高中等）。但在“综合制高中”里，普通科和不同职业科之间存在壁垒，学生在选择时只能选择其一，或选普通学科，或选某一职业学科。这种普通科与职业学科的分离致使无望升入大学的学生也得不到相应的职业教育；同时想进入普通大学学习的职业科的学生也不能接受普通高中学科的教育。这种模式阻碍了青少年的发展。

高中学校体制改革后出现了三种类型的高中。

一是“综合学科高中”。为改变原有高中的单一培养模式，日本政府经过不断调研和论证，于1991年，中央教育审议会提交的报告中明确指出必须要打破普通科与职业科分离的限制。1994年开始创设“综合学科高中”，学生可以选择同时接受普通和职业学科教育，并形成制度。

二是“学分制高中”。此类高中规定学生修满一定的学分方可毕业，因此不要求学生必须完全按照年级和专业进行课程学习，学校开设了大量可供选择的课程，学生可以根据自身需求和时间安排选课学习。这类高中打破了以往的非全日制（定时制）高中和函授高中（通信制）办学模式，实现了办学的灵活性，也为学习者提供了更多、更好的教育服务。

二、修正宽松教育、提高学生能力

1998年修订版的《学习指导要领》，初等、中等学校实施新的课程和教

①② 高益民．面向个性化的日本高中教育改革[J]．比较教育研究，2010（6）：51．

学改革，提高学生综合能力。课程改革是日本中小学教育改革的重要一环，日本中小学教育的课程教育是按照文部科学省制定颁发的《学习指导要领》进行的，也是随之变化的。《学习指导要领》是中小学校教学内容的最高实施标准，对日本中小学教育各阶段的教育理念、教育目标、学生能力、所学内容，各学年开设课程、课程要求、学分、学时数等都有明确细致的规定。根据学校教育质量、反馈效果和实际需要，文部科学省会对其进行不定期的修订，由于《学习指导要领》的权威地位，所以文部科学省在修订时也十分谨慎，需经过反复调研和论证。最早的《学习指导要领》是在1958年制定的，以后大约每10年修订一次。

1998年修订版的《学习指导要领》一改过去“填鸭式”作风，倡导“宽松教育”理念，精简了必修内容、减少中学阶段的所修学分、缩短了授课学时数，同时增设了“综合学习”课程、扩充选修课程、加强对学童个人化的教学指导，希望通过减负来创造“宽松”的学习环境，让学生养成自主学习、自主思考和自主解决问题的能力。可是，近十年的实践表明，“宽松”教育的结果不尽如人意，在此《学习指导要领》标准下培养的学生表现出不爱学习、学习能力水平下降等现象，遭到学生家长和教育界的广泛批评。

文部科学省也意识到了“宽松教育”在教育实践中的操作难度较大，在不断摸索中对《学习指导要领》进行了局部调整，2003年12月，文部科学省明确提出了《学习指导要领》只是学生必须掌握的最低标准，教师可以根据学生学习的实际情况增加相应的教学内容；教师可以根据学生对学习内容的实际掌握程度，采取课外补习或者发展性学习的方法。日本在2005年审定的教科书中，尤其是理科类教材明显比之前的增加了页码，学习内容也增加了。

表 4-1 日本小学教育内容的年标准授课时数[①]

（2011 年起实施）

（单位：课时，每课时为45分钟）

<table>
<tr><th colspan="2"></th><th>第一学年</th><th>第二学年</th><th>第三学年</th><th>第四学年</th><th>第五学年</th><th>第六学年</th></tr>
<tr><td rowspan="9">各教学科课时</td><td>国语</td><td>306</td><td>315</td><td>245</td><td>245</td><td>175</td><td>175</td></tr>
<tr><td>社会</td><td></td><td></td><td>70</td><td>70</td><td>70</td><td>70</td></tr>
<tr><td>数学</td><td>136</td><td>175</td><td>175</td><td>175</td><td>175</td><td>175</td></tr>
<tr><td>理科</td><td></td><td></td><td>90</td><td>105</td><td>105</td><td>105</td></tr>
<tr><td>生活</td><td>102</td><td>105</td><td></td><td></td><td></td><td></td></tr>
<tr><td>音乐</td><td>68</td><td>70</td><td>60</td><td>60</td><td>50</td><td>50</td></tr>
<tr><td>图画</td><td>68</td><td>70</td><td>60</td><td>60</td><td>50</td><td>50</td></tr>
<tr><td>家庭</td><td></td><td></td><td></td><td></td><td>60</td><td>55</td></tr>
<tr><td>体育</td><td>102</td><td>105</td><td>105</td><td>105</td><td>90</td><td>90</td></tr>
<tr><td colspan="2">道德</td><td>34</td><td>35</td><td>35</td><td>35</td><td>35</td><td>35</td></tr>
<tr><td colspan="2">外语活动</td><td></td><td></td><td></td><td></td><td>35</td><td>35</td></tr>
<tr><td colspan="2">综合学习时间</td><td></td><td></td><td>70</td><td>70</td><td>70</td><td>70</td></tr>
<tr><td colspan="2">特别活动</td><td>34</td><td>35</td><td>35</td><td>35</td><td>35</td><td>35</td></tr>
<tr><td colspan="2">授课总时数</td><td>850</td><td>910</td><td>945</td><td>980</td><td>980</td><td>980</td></tr>
</table>

① 日本文部科学省 2010 年修订版《小学校学习指导要领》，第ⅲ页。

表 4–2　日本初中教育内容的年标准授课时数[①]

（2011 年起实施）

（单位：课时，每课时为50分钟）

		第一学年	第二学年	第三学年
各教学科课时	国语	140	140	105
	社会	105	105	140
	数学	140	105	140
	理科	105	140	140
	音乐	45	35	35
	美术	45	35	35
	保健体育	105	105	105
	技术・家庭	70	70	35
	外语	140	140	140
道德		35	35	35
综合学习时间		50	70	70
特别活动		35	35	35
授课总时数		1 015	1 015	1 015

此次修订使1998年版《学习指导要领》中被删减的教学内容和教学时数基本上得到恢复，着重加强了基础知识、基本素养课程学习时数，特别加强了数学等理科学科的学习，延长了教学时间。小学六年间的总课时从5 367课时增加到5 645课时（见表4–1），净增278课时，其中数学、理科占209课时。初中三年，增加到3 045课时（见表4–2），较之前增加了105课时。这是在被称为“去宽松化”的基础上再次作出的修订，全面修正了以往宽松教育的内容。各地小学和初中学校按此《学习指导要领》实施课程教学。

① 日本文部科学省 2010 年修订版《初等学校学习指导要领》，第ⅳ页。

2020年日本将实施新一轮的《学习指导要领》，因此从2016年开始，文部科学省已着手新一轮的修订工作。此次修订，日本文部大臣专门发表相关决议，指出：日本新一轮《学习指导要领》的修订目标是面向2030年，最大限度挖掘并激发每一名学生的潜力和可能性，帮助学生独立自主地开拓未来。①“教育强劲化”决议指出，新一期《学习指导要领》修订需紧紧围绕三大重点：一是不再进行“宽松教育”和“填鸭式教育”的对立探讨，不削减学习内容；二是全面引入基于对话探讨的“活力型学习”，通过对话型、主体性的深层次学习，在不削减知识量的同时提升深度理解、完善学习过程；三是改革学科构成，推进小学英语教育学科化改革，在高中新设“公共”科目。②

从将要修订的《学习指导要领》目标来看，“宽松教育”时代被删减的教育内容已被全部恢复，并且在此基础上进一步挖掘学生潜能，表明了政府强化基础教育的决心，后期日本教育如何发展与治理值得关注。

三、学校教育课程研发及相关治理

日本中小学的教育课程管理和研发是在地方教育委员会的领导下进行的，学校也参与。地方在课程的管理中主要承担着三方面的职责：实施与管理国家课程；研发与管理地方本位课程；指导与管理学校课程。地方作为课程管理与研发的重要主体，充分发挥其协调、指导、评估、监督的职责，能保证整个基础教育课程体系的建设与实施，学校及教师则参与课程的研发工作。

（一）日本中小学课程管理与研发模式

在课程的研发过程中涉及“课程行政”。所谓“课程行政”是指一个国家的政府（中央或地方）对学校课程管理的行为方式，即对课程的制定、选择、组织、评价及教科书的编、印、发的行政管理模式。③日本实施的中央

①② 李冬梅．日本基础教育走向“强劲化”[J]．世界教育信息，2016（14）：77.

③ 徐辉，章光洁．日本地方对基础课程的管理及开发[J]．外国中小学教育，2002（3）：11-14.

集权与地方分权相结合的教育治理模式，反映在课程行政上则是一种集中分散型的课程管理模式。日本实行教材的标准制订权与具体教科书的编写权相分离、审定权与选择权相分离的治理方式。文部科学省制订课程设置标准和课程计划，学校依照标准，结合本地和本校的实际，制订教学计划，由地方政府审查后实施。文部科学省制定《学习指导要领》（国家标准和教学大纲），民间自由编写教科书，经文部科学省审定，地方和学校在已审定的教科书范围内选择使用。日本地方教育行政部门对于课程管理方面的内容主要体现在以下四方面：

第一，制定地方课程基准。日本的国家课程基准是由文部省制定的《学习指导要领》，其中阐明了包括目的、教学内容和规定的时间标准在内的每一个年级课程的基本结构。《地方教育行政组织及运营相关法律》规定："教育委员会在不违反法令或者条例的限度内，就属于其主管的学校及其他教育机构的设施、设备、组织编制、教育课程、教材以及其他的有关学校及其他教育机构管理运营的基本事务，制定必要的教育委员会规则。"在文部大臣的指导建议下，都道府县教育委员会遵循国家基准并结合当地实情制定教育课程的都道府县基准。同样，在都道府县教育委员会的指导建议下，市町村教育委员会遵循国家基准和都道府县基准并结合实际制定教育课程的实施规则和指南。国家基准和地方基准是各学校制订教育教学计划、编制教育课程的依据。国家基准有助于确保教育机会均等以及一定的教育水准。而地方基准的制定既保障了国家法定课程的实施，又实现了课程的多样性，有助于调动地方、学校和教师的积极性、创造性。

第二，教科书的采用。日本现行的《学校教育法》规定中小学"必须使用经文部大臣检定的教学用图书或具有文部省著作权名义的教学用图书"。为进行教科书的审定，文部省设有"教科用图书审定调查审议会"。但审查通过的教科书，在同一学年同一学科不止一种，因此教科书的采用成为重要的问题。依照1963年制定的《义务教育各学校教科用图书免费措施有关之法律》所规定的教科书共同采用制度，教科书的采用由都道府县教育委员会负责。采用制度包括下列内容：都道府县教育委员会为使各都道府县内之义务教育学校能够适当选择所使用之教科书，对区域内义务教育各学校所使用的教科书做进一步的研究、计划与执行措施；都道府县教育委员会对市町村的教育委员会以及国立、私立义务教育各学校的校长进行的有关教科书选择的事务，给予适当的指导、建议和援助（如制定采用基准、提供选定资料、进行采用方法指导、确保选择公正等）；在进行这些指导、建议和援助时，必须听取都道府县内设置的教学用图书选定审议会的意见；都道府县教育委员会应在该区域内，在市或郡的区域，或者合并这些区域，成立教学用图书采用地区；教科书采用机构（公立学校为辖区的教育委员会）必须遵照都道府县教育委员会所实施的指导、建议和援助，并依照各学科分别选择一种教科书。同一采用地区，必须使用同一种教科书。实施教科书广域采用制度，在于考虑教科书供给的迅速化、教科书价格的合理化、学校共同研究的方便以及学生转学时课业的衔接。

第三，对学校实践课程的制定、实施和评价等给予指导和建议。战后日本教育行政的重要特点之一是指导行政，主要体现在两方面：一是国家、都道府县、市町村等各级教育行政机关间的指导行政；二是教育行政机关对开展教育活动的事业机关、团体等的指导行政，指导、建议的行政行为对于教育课程行政来说，是符合教育的特性的。在学校编制、实施教育课程的过程中，直接与教育行政相关的是来自指导主事的指导和建议。指导主事是为了处理有关学校的教育课程、学习指导及其他有关学校教育的专门事项的指导事务而在地方教育委员会事务局里设置的专门职员。《地方教育行政的组织与运营相关法律》规定："指导主事必须为具有教育方面的学识，并且对学校的教育课程、学习指导以及其他有关学校教育的专门事项有修养和经验者。"指导主事对教师和校长进行建议和指导，但不得命令和监督。日本地方两级教育行政机关都设有指导主事，分别负责本辖区内的学校。但日本现行的指导主事制度存在的问题是人员过少，指导主事平均每人负责的学校和教师过多，妨碍指导主事充分发挥其职能。指导主事的研修不足，也不利于其进行专门性的指导和建议。[①]

---

① 李园会. 战后日本教科书制度的改革[C]//台湾比较教育学会. 各国教科书比较研究，台北：台湾书店，1989：312.

第四，制定学校评价标准。为了综合、客观地对学校进行评估，检查学校的工作，地方教育委员会制定学校评价标准，对学校的日常工作以及教学工作提出具体的目标、要求，并指示各中小学校根据这些标准，切实做好评估工作，进一步提高中小学校的质量。评价标准的制定依据《学习指导要领》，20世纪90年代，修订了《学习指导要领》，东京都教育委员会根据新的学习指导要领，重新修订了《东京都公立小学评估基准》和《东京都公立初中学校评估基准》。学校评估基准根据学习指导要领的要求评估出学生变化的情况，对教职员工在教育课程编制、实施、评估等整个教育活动中的情况做出评估，对学校开展的教育活动及其过程做出评估，等等。

（二）日本地方中小学课程的管理与研发实例

日本地方教育委员会除了对国家法定课程予以督促实施、对学校实践课程给予指导建议外，也逐渐结合各地区的实际情况研究开发教育课程，目的在于更好地实现各级学校教育目标。通过开展具有创造性的教育活动，编制出既有统一性又有个性的教育课程并加以落实，培养学生的个性、能力和适应性。东京都教育委员会在地方课程的研究开发上采取了一系列的具体措施。

小学教育方面：①成立小学教育开发委员会，对小学的各教育学科进行具体研究。在这个委员会里设12个课题小组，分别对小学的语文、算术、体育、美术等教育科目根据形势的发展、社会的变化，研究和开发适合小学教育用的教材和内容，并将该委员会的研究成果按小组课题，汇编成册分发到每个学校，适时还举行说明报告会，加以推广；②指定小学教育研究员必须由各校第一线教师担任，按《小学学习指导要领》的规定，科目编成小组主要任务是对规定科目进行研究，分析在具体教学上会出现的各种问题，做出答案和寻找出解决方法，通过介绍、推广，以充实和提高小学教育质量。

初中教育方面：①成立初中教育课程委员会，东京都教育委员会依据文部省实施的新《学习指导要领》，颁发了《东京都公立初中学校教育课程编制基准资料》《东京都公立初中各教育课程指导资料》《东京都公立初中各教育课程评估资料》等，供各初中编制和实施教学课程时参考使用。同时，东京都教育委员会又设定了10所初中作为教育课程研究学校，要求他们根据新《学习指导要领》进行研究实践。②组建初中教育开发委员会，该委员会的总课题是“开发使每个学生都具有自我学习的愿望，发展个性的指导与评价”，由143名研究委员组成了13个小组，分头对初中各门教育科目以及道德教育、特别活动等进行专题研究。各小组把研究成果汇编成册，分发到各所中学。③成立初中学校教育研究会。主要针对日常学校教育中所碰到的问题进行实践性研究，对初中的13门教育课程以及道德教育，特别活动等进行研究，目的在于解决日常教学中的困难，向大家提供经验，提高中学教育质量。研究成果按专业汇编成册，分发到各所中学并进行推广。④筹建道德教育研究协议会，这是个小学和初中联合的研究会，目的在于提高和充实在小学和初中里所展开的道德教育，对道德教育有关联的问题及内容进行协议和研究。有210名研究员，分为小学部和初中部，通过具体的事例和观摩道德教育课来进行分析研究。主要研究改进道德教育的实践指导以及道德教育课的授课方法等。[①]

纵观日本地方对当地课程相关的治理实践，日本地方对课程的研发仍然着眼于原有课程框架内，即在文部科学省颁发的相关指导下对教学科目进行研究。尽管如此，日本地方也有较为自主地研发课程教学的时期。比如文部省的课程管理部门于1997年发布的《日本教育课程基本方向（阶段总结概要）》，1998年中小学新修改的课程计划中可发现：日本课程框架在此后的一段时间内发生了大的变化，在原有的学科教育、道德教育、特殊活动三大板块基础上，新设置“综合学习时间”板块，在新设置的“综合学习时间”中，可以根据各地区、各学校的实际情况，对国际理解及外语会话、信息、环境、福利等教学内容进行横向的综合学习。在20世纪末期到21世纪最初的几年，日本各地方和各学校对这一“综合学习时间”进行了研究开发，充分利用地方的课程资源，开展特色教育活动。不过随着“宽松教育”潮流的褪去，综合学习时间减少，日本地方对课程教学的开发与治理又回到原来的轨迹。

① 徐辉，章光洁．日本地方对基础教育课程的管理及开发[J]．外国中小学教育，2002（3）：11-14．

从日本地方对基础教育课程的管理及研发实践可以发现，日本所实施的是：国家—地方—学校的三级课程治理体制。国家制定课程标准和课程安排，对教科书进行审定，对教育课程教学施以指导。地方教育行政机关在基础教育课程管理及研发上担负主要职责，根据国家基准和地方实情制定相应的地方基准，对审定过的教科书进行筛选，并指导学校编制、实施具体的课程教育，同时积极推广研发成果。学校也积极参与教育课程的研究与研发。日本教育课程的管理与研发充分调动了三方面的积极性，既有中央调控，又有地方和学校办学的自主性。将统一性和灵活性相结合，能增强地方和学校的课程使命感，促进课程的研究与开发，提高课程教育水平。

第五节　社会教育组织参与治理
——以家长教师协议会[①]为中心

在日本参与教育治理的民间组织众多，在初等、中等教育治理过程中，参与最为广泛的是家长教师协议会。本节主要探讨其参与日本初等、中等学校教育教学的治理情况，以期能为我国教育治理提供参考。

一、家长教师协议会的发展历程

二战前，日本也有些家长会、父兄会之类的组织。二战后，在美国占领期间，非军国主义、民主主义、尊重基本人权成为美国对日实行间接统治的三大方针。日本政府根据占领军的旨意，在国内民主力量的推动下，对社会的政治、经济、文化、教育等各方面进行了全面的资产阶级民主改革。这是明治维新以来，日本第二次大的社会变革。其中教育改革则是战后日本整个社会变革的主要构成部分，从而确立了与战后政治经济体制基本吻合的新的国民教育体制。

① “家长教师协议会”简称“PTA”。

1947年4月，日本颁布《学校教育法》，开始实施新制学校教育，然而，日本国内一片萧条，百废待兴，要在当时的经济状况下进行新制学校教育实在是困难重重。由于战争的摧毁，大量建筑倒塌，校舍和教室等严重不足，在恢复学校教育之初，甚至出现了学生在露天上课的情形。另外，战争期间普通教育停止，变成了为战争服务的极端国家主义教育，而战争又使得人才锐减，因此战后日本教育界师资严重缺乏，学校教育中复式班级授课的情况比较普遍，专业教育人才难求，所录用人员大多没有任职资格证书。

面对如此情形，美国占领军开始对日本教育界进行家长教师协议会运动知识的相关启蒙，美国教育使节团和远东教育委员会①分别发文要求和鼓励日本国民转变思想，组成日本的家长教师协议会，通过该组织推进民主观念的普及与深入，推动新制教育体制的实施。美国的号召得到日本国内相关机构的积极响应，日本文部省、民间情报教育局、地方社会教育管理机关等纷纷加入宣传与筹划，很快日本各地的家长教师协议会组建起来。1952年10月“日本家长教师全国协议会”成立，随后各都道府县也成立起地区的都道府县家长教师协议会和市町村家长教师协议会联合会以及更为基层的家长教师协议会，这些地方组织都成为日本家长教师全国协议会的下属组织。

借鉴美国经验，日本各地的家长教师协议会以谋求学生的健康成长为目的，密切与学校的联系，以充实和改善社区教育环境为己任。该组织得到广大民众的坚决拥护，面对国内教育资源的严重匮乏，为给学生们提供更好的教育，家长们节衣缩食，踊跃加入该组织，积极缴纳会费，为学校教育提供经济上的帮助与后援。对于当时身陷财政困难的学校教育而言，在改善办学条件方面发挥了积极作用，某种程度上缓解了国家财政危机，避免了因经费不足而引起的教育问题。

日本家长教师协议会配合学校教育，加强对学生校外活动指导，在促进学生健康与全面发展方面所做出的努力得到文部省和社会的认可，文部省对家长教师协议会的活动给予肯定和支持。1960年，文部省设立“社会教育团体补助金”，开始对社会教育团体开展活动进行经济上的支援，其中也包括

① 由美、英、苏、中、法、荷、加、澳、菲、新西兰、印度等国组成的联合国最高教育机关。

家长教师协议会在内。1978年，该补助金更名为“民间社会教育活动振兴费补助金”，并沿用至今。家长教师协议会作为社会教育团体，开辟了由行政支付补助金的道路，更加强调作为社会教育团体应承担的任务。文部省从1977年开始就曾有重点地对家长教师协议会活动进行资助。从1987年起，对教育环境净化活动实行补助。1990年补助了288项地区家长教师协议会活动，金额达5 239万日元。[①]

在日本，家长教师协议会的作用和影响渗透到了各个都道府县、市町村甚至到每所中小学校以及每个班级，地区联合会还建有家长教师协议会网站。日本家长教师协议会将家长和学校教师紧密联系在一起，同时在学校、家庭、社会和教育行政机关的协作和共同治理方面搭建了平台、提供了合作的通道。随着终身教育理念的兴起，20世纪80年代后期开始，日本开始构建终身学习社会，日本家长教师协议会也积极投身其中。

二、家长教师协议会组织体系

家长教师协议会为家长与教师结成的社会团体，它不属于任何组织、宗教、派系，是不以营利为目的社会教育团体。为了更好地开展活动，确保稳定的组织运营，20世纪80年代，日本家长教师全国协议会决定转变身份，实现“法人化”。1983年3月，组织人员成立了“法人化特别委员会”，同年5月又设立了“社团法人日本家长教师全国协议会设立准备委员会”，具体实施法人化相关事项的筹备工作。1985年4月，全国协议会向文部省正式提交实现法人化申请，于6月26日得到文部省批准，正式成为社团法人，其名称定为“社团法人日本家长教师全国协议会”。

日本全国的家长教师协议会数量众多，其组织结构从纵向可划分为三个级别：第一层次为社团法人日本家长教师全国协议会，处在全国的最高级；第二层次是家长教师协议会的各地方协议会，包括都道府县和郡、市（郡、市相当于中国的地级市）区家长教师协议会联合会和其他各类学校家长教师协议会联合会；第三个层次是单位内部的学校家长教师协议会，如学校内部

---

① 石景轩．日本PTA研究[D]．保定：河北大学，2004：38.

的家长教师联合会等。

（一）社团法人日本家长教师全国协议会

经过几十年的发展变化，日本家长教师全国协议会内部组织机构日渐完善。其组织运营如图4-1所示：

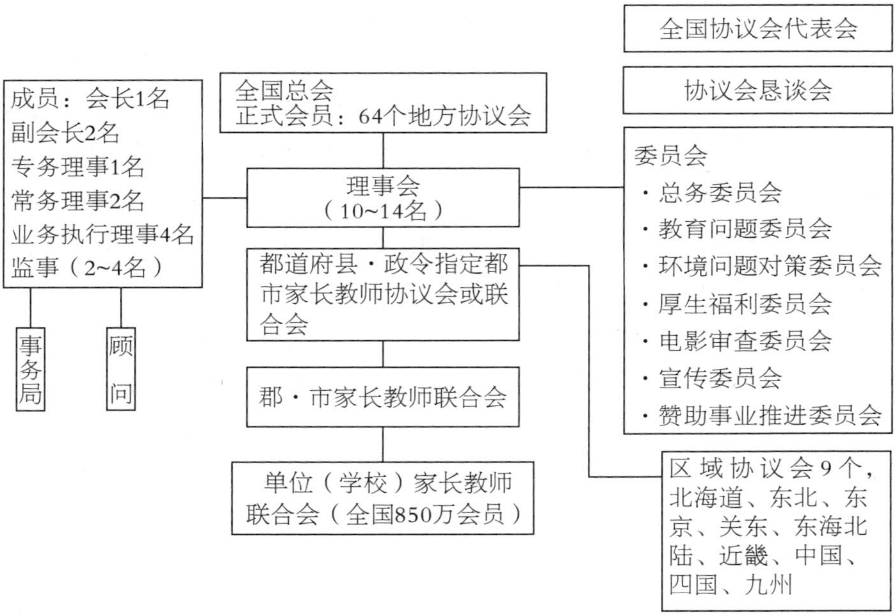

图4-1　日本家长教师全国协议会组织运营图[①]

如上图所示，日本家长教师全国协议会组织机构一般分为总会和地方协议会。总会设有全国协议会代表会、协议会恳谈会、理事会、监事、常务委员会以及顾问。理事会设立事务局，同时还设有专门委员会（包括总务委员会、教育问题委员会、环境问题对策委员会、厚生福利委员会、赞助事业推进委员会、电影审查委员会和宣传委员会等）。全国协议会的各机构担负起

① 日本家长教师全国协议会官网主页 http://www. nippon-pta. or. jp/about/rkra7f00000001kl. htm.

调查研究、咨询审议、决策、监察以及辅助等职能，各机构相互配合分工协作，维持日本家长教师协议会组织的平稳运营，为全国范围内的家长教师协议会的全国各地组织进行指导，促进教育的民主化和现代化发展。

日本全国各地、各层次的家长教师协议会或联合会都是社团法人日本家长教师全国协议会的会员，会员有三种类型，即正式会员、一般会员和赞助会员。目前，全国协议会共有64个正式会员，位于全国47个都道府县内，包括都道府县家长教师协议会、政令指定都市[①]的协议会以及其他城市的协议会。一般会员是指郡、市一级的协议会及学校等单位的家长教师联合会。赞助会员指赞同日本家长教师全国协议会的宗旨，以经济援助或支援协议会组织运营为目的的个人、法人或团体。另外，日本的各大区域还有区域协议会，全国共有9个，分别是北海道、东北、东京、关东、东海北陆、近畿、中国、四国、九州地区协议会。

日本家长教师全国协议会根据工作需要，定期或临时召开全国总会，总会是该组织的最高权力机关，也是决策机关，由64个正式会员组成。全国总会下设社团法人的执行机关理事会，成员控制在10~14名，包括会长1名，副会长2名，常务理事2名，专务理事1名，各业务执行理事4名、以及监事2~4名。理事会成员受会长召集，其中会长、副会长、专任理事和常务理事代表理事会执行总会决议。

全国协议会代表大会，由地方协议会选派代表参加，基本上是按每10万会员选1名代表的比例产生，另外全国中小学校长联合会各派代表1名参加。代表大会承担了咨询机关的职能，会上代表们所表达意见和建议，为全国协议会的决策提供参考。

其他各委员会负责不同领域的工作。总务委员会负责总务及财政，需要说明的是全国协议会的运营费用有一部分来自各地各单位家长教师协议会会员所缴纳的会费。教育问题委员会负责教育行政、研究大会及终身学习等；

---

① 所谓“政令制定都市”是指人口在50万人以上，由政府政令指定，享受与普通城市不同政策的城市，这类城市市内可设立“区”等，日本现有大阪、名古屋、京都、仙台等12个政令指定都市。

环境问题对策委员会负责健康、公害和偏僻地区教育相关对策；厚生福利委员会则负责灾害补偿及学校供餐等。各机关各司其职，协同发展。

（二）地方家长教师协议会或联合会

日本地方级的家长教师协议会组织分为都道府县级和郡、市级，都道府县级的称为“协议会”，郡、市级别的组织称为“联合会”。都道府县级的家长教师协议会还包括政府政令指定市的家长教师协议会，这一级的组织在日本目前共有64个。

比起单个学校家长教师协议会组织，这些地方组织的活动范围更广、解决教育问题的能力更强，能为各学校家长教师协议会提供相关信息与交流平台，帮助充实各单位家长教师协议会所开展的活动，在搜集学生家长意见、向上一级机构或地方教育部门反映家长的意见和诉求方面发挥着重要作用。

各地的家长教师协议会或联合会的组织构成可能会稍有不同，但基本上都设有地方组织的三大机构，即地方总会、理事会和常务理事会。

地方总会又称代协议会，每年召开一次，代表从学校家长教师协议会会员中产生，其代表人数则根据该地区的学校家长教师协议会数量及会员数决定，代表们在开会期间商议本地区重要事项的修订和废止；开展事业的预决算等。理事会由会长、副会长、会计理事、常任理事及理事组成，会长负责。常务理事会是地方总会的常设机构，负责处理地方总会的日常事务，以及贯彻落实总会代协议会所决定重要事项等。常务理事会设会长1名、副会长6名（包括小学和中学校长代表各1名）、常任理事4名、会计理事1名、学校家长教师联合会理事代表以及会长委任的理事若干名。地方协议会三大机构的职员任期1年，可以连任，但最长不能连任6年。

（三）学校家长教师协议会组织

学校家长教师协议会组织是日本家长教师协议会的基层组织，是依照家长教师协议会章程而建立的，也称为单位家长教师协议会，学校家长教师协议会由各班级家长教师协议会组成，成为家长与教师沟通交流最基层、最直接、最有效的场所和平台。

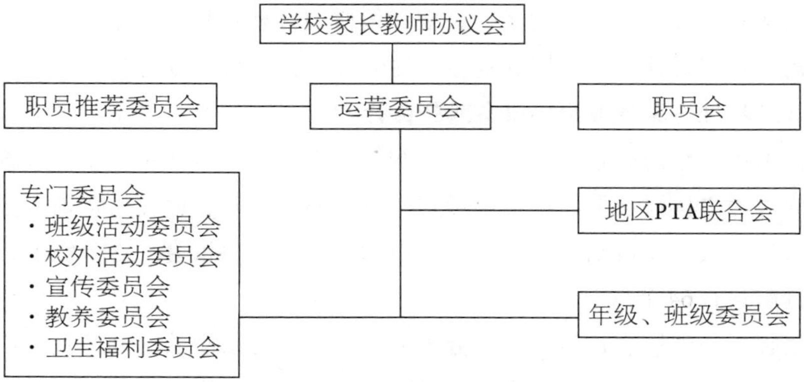

图 4-2　一般学校家长教师协议会结构图①

根据日本家长教师全国协议会官网资料介绍，各学校家长教师协议会组织都制定有自己的规则和公约，对家长教师协议会的宗旨、活动目标、会员以及组织机构等进行详细规定。规定因学校不同可能会略有差异，但一般会有如下规定：一是关于会员。规定凡是学校在册学生的家长和本校教职工都是会员，家长和教师在权利与义务上完全平等。二是关于办事机构组织。根据学校规模大小，家长教师协议会办事机构的工作人员数量会有不同。机构一般设1名会长，2~3名副会长，常任委员、委员和评议员若干；通常还有2~3名干事，2名会计监察，另设1名议长，学校各年级派1名代表，町内选出1名代表。职员由选举产生，任期1年，可连任。会长兼任常任委员会议长，代表协议会统筹管理协议会的一切事务。另外还规定，各学校要设立若干专门委员会，如班级活动委员会、校外活动委员会、教养委员会、卫生福利委员会、宣传委员会等（见图4-2），分别负责各班级相关事项，学生的校外学习生活指导、研究开发民智活动、保健卫生、学校供餐、协助学校改善教育设施以及协议会的宣传等。

① 根据日本家长教师全国协议会官网主页的介绍绘制而成。http://www. nippon-pta. or. jp/about/rkra7f00000001kl. htm.

三、日本家长教师协议会的活动目的与基本方针

无论是家长教师全国协议会，还是地方协议会，对自身组织的宗旨、目的、所实施的活动范围、基本方针等都有明确规定。

（一）全国协议会的目的与基本方针

作为公益社团法人的日本家长教师全国协议会，其活动的目的：秉持教育宗旨，不偏向任何党派和宗教，通过在中小学开展家长教师协议会活动，充实社会教育和家庭教育，同时加深学校、家庭与地域的协作，谋求儿童的健康成长和福祉，以促进社会发展。[①]为实现此目的在开展调查研究、提高家庭教育、提高学生认识水平、国际意识、促进家庭、学校和社会的合作方面开展活动。

围绕促进儿童的身心健康成长开展活动是家长教师协议会活动的基本方针。为此协议会积极顺应变化、配合国家教育战略，不断充实和完善组织自身，健全组织内部财务等制度、提高组织的活动能力。全国家长教师协议会作为全国性组织，是普通国民与国家之间联系的纽带。为更好实现其目的，协议会在各方面进行努力探索。为改善和优化儿童成长环境，协议会加强与相关机关和团体的联系与协作，以有效应对校园欺凌等方面问题。同时进一步加深对学校教育和家庭教育的理解，加强学生在校外生活指导的同时，积极与家庭和社区密切合作，以提高家庭及地区社会的教育能力。

（二）地方协议会的活动目的和基本方针

在日本家长教师全国协议会的目的和方针下，各地方协议会也制订了适合本会情况的方针与目标，例如日本新潟县2013年修订的家长教师协议会规约中规定的该会活动的目的：谋求本地中小学家长教师协议会的健康发展，在充实县内家庭教育和社会教育的同时，加强家庭教育、社会教育与学校教育的协作，促进学生的健康成长，以期推动社会发展。

规定为实现上述目的所实施的基本方针：一是本会属于非营利、非宗教、非政治的团体，不以本会及会员名义向其他任何职务推荐人选，对于本

---

① 日本PTA全国协议会官网主页， http://www. nippon-pta. or. jp/about/apleht0000000 kw6. htm.

会事业以外的其他以营利和宗教性活动为目的的团体及事业，本会一概不参与。二是本会与成人及青少年相关的其他社会团体和机构协作努力实现目标。三是尊重下属学校家长教师联合会的自主性，不因其加盟而约束其活动。①

四、家长教师协议会组织与教育治理

日本的家长教师协议会参与了教育的诸多方面，主要集中于中小学教育方面。其通过调查研究，提出真知灼见，致力于改善和优化教育环境，还参与学校的课堂、课外教学环节，以提高学校教育水平，促进人才培养。

（一）改善和优化教育环境

为使学生在良好的环境中接受教育、健康成长，日本的家长教师协会作出了不懈努力。

1. 开展调查研究活动

开展调查研究是日本家长教师全国协议会的主要活动之一。为改善教育环境，全国协议会开展了大量的调查研究，并针对学校教育的现状以及热点社会问题，设计各式各样的调查问卷展开调查，调查范围既有全国范围的，也有针对个别区域的抽样调查。在对调查结果进行客观分析的基础上，形成意见以书面报告的形式呈报给教育主管部门或其他相关机构。全国协议会的调研工作既有自主开展的，也有受政府委托的。在自主开展的调研方面，比如1988年针对中小学教育中出现的“不登校”（即拒绝上学）问题，全国协议会专门成立了调查委员会，进行调查，根据结果进行研讨，提交了应对建议。还如在1994年和1997年关于学生参加课外辅导培训班的情况开展了调查，1995年和1996年分别对中小学的午餐供应情况、1997年就环境意识问题在学生中开展调查，调查主题随着时代变化而变化，进入21世纪后，对信息、传媒、人工智能等方面，面向家长和学生进行调研，总结意见，采取相应举措应对。例如在2013年就儿童与媒体开展调查，形成了《关于儿童与媒

① 新潟县中小学 PTA 联合会规约 . 日本新潟县家长教师联合会官网[EB/OL]. http://www.ngtknpta.jp/24hpdata/24kenphpdata/p7.htm.

体意识调查报告》。

协议会所进行的调查有一部分是来自政府的委托。1986年，协议会进行了“关于修正学历社会弊端的调查”此项调查为文部省的委派项目，经过调查发现：有一半的被调查者认为日本是学历社会，有90%的家长期望自己的孩子拥有高学历。也有很多受访家长认为，家长教师协议会应在改变家长的认识、帮助学生树立正确的职业观方面努力，通过家长和教师的配合来纠正学历主义的弊端。另外，1987年的“关于学习塾的调查”也是受文部省委托进行的，根据调查结果，全国协议会在同年9月召开“认识课外辅导机构”的专门会议，并提交了报告。调查报告的公开让国家和社会了解青少年的意识，也让学生了解社会状况，同时也将家长的愿望反映其中，引起社会广泛关注与讨论，协议会作为家长参与教育治理的一种形式也得以体现出来。

2. 向相关行政机关及团体提交意见，促进教育法制建设和教育改革

日本家长教师全国协议会是不偏向任何宗教和政党的，保持中立的全国性民间组织。它虽然没有行政权力，其意见和主张也不能直接转变成公开颁布实施的政策，但是它可以行使民主监督的权力，将调查结果和对策等向相关行政权力机关甚至是立法机关反映，与之协商，推动教育立法或政策方面的改进，以确保学童的健康与福利。家长教师协议会自成立之日起，为谋求儿童福利不断与相关机关联系，表达诉求。

首先是关于学校供餐问题。众所周知，日本从战后开始为在校学生提供午餐，1951年由于美国对占领地停止赠送小麦，部分学校试图中断供餐，协议会立即向教育行政机关要求继续供餐，并引起社会舆论的普遍关注。为此，日本决定由国库支出餐费，学校供餐得以维持。1952年因政府奶粉补贴的预算中止，很多学校也因此停止供餐。协议会又立即作出反应，专门成立“全国推进学校供餐协议会”，不断向文部省以及众议院文教委员会等立法机关反映，并与之交换意见，推进相关法律建设。1954年6月，《学校供餐法》公布，学校供餐得到法律保护。1956年，日本全国义务教育学校全部实行学校供餐，一直延续至今。此外，在家长教师协议会的推动下，日本还制定并颁布了《学校保健法》《日本安全会法》等。这些法律在学童的灾害补助方面都有明确规定，保障了学童的保健与安全。

其次，向教育行政机关提出增加教育经费的要求。早在1972年1月，家长教师全国协议会就举行请愿要求知晓学校供餐预算情况，2月再次请愿反对公立学校学费上涨，后来又要求确保教育设施预算，等等。此外，协议会还对学校供应牛奶价格、学习用具价格等提出异议和调整要求。

再次，向临时教育审议会提交改革提案。20世纪80年代中期，为更好地推行教育改革，日本内阁于1984年成立了“临时教育审议会”，在广泛征集意见的基础上为内阁提供更好的咨询报告。同期，日本家长教师全国协议会就教育改革模式在家长和教师以及社会其他人士中广泛搜集意见，汇总后形成了《关于教育改革的提案》，在1985年2月提交给临时教育审议会。提案涉及教育的诸多方面，如改变教育内容的整齐划一，增加弹性化内容，改革考试制度，改变学历主义趋向，学校增设教育志愿者教育，强化国际化课程；充实家庭教育和社会教育，抵制庸俗电视节目和规范图书出版，应制定相关法律进行整治等。随后第二年《关于提高教师资质的提案》又由全国协议会提交到临时教育审议会。提议改变教师资格证的使用年限，可以向具备条件的社会人士发放限定期限的教师证；提议改革教师研修制度，在研修中增加志愿者活动和经历，并作为专门课程加以规定。后来协议会对如何改变学历社会，扭转学历主义趋向，提交了专门提案。指出要改革学分认定制度，认可一般开放学校的学分，要培养孩子的正确职业观，禁止政府部门在人事聘用时设置门槛，限定毕业学校等。

最后，直接参与相关政策决议。1995年5月，家长教师全国协议会的会长当选为日本中央教育审议会的委员，由此开启了该组织直接参与国家教育政策决议之路。另外还通过参加各种渠道的联络协议会向议会、行政以及普通民众表达家长教师协议会的主张，使国家在制定相关政策时能够予以考虑并采纳。家长教师协议会通过向全国最高教育咨询机关、行政机关等提出意见和提案，以及亲自参与的方式，对国家教育法律政策的制定和出台起到了一定推动作用。

3. 就重大问题提出交涉要求

教育是社会发展的缩影，教育的发展有赖于社会政治、经济等方面的发展，任何教育问题和事件的产生也非仅仅是教育界自身的问题，而是与社会的其他方面密切相关。因此要解决教育问题、保证教育顺利发展必定要牵扯到其他非教育机关。当出现严重干扰正常学校教育事件时，家长教师协议会为捍卫学童的教育利益，向相关部门或组织提出交涉。在家长教师协议会的发展历程中，下面两个事件反响较大。

20世纪50年代发生的教师罢课及早退事件，家长教师协议会提出交涉。1954年3月，在日本发生了日教组①部分会员教师罢课，开展反对“教育两法案”②斗争的事件，影响到了部分学校的正常教学秩序。为此，日本家长教师全国协议会不仅向日教组提出交涉，建议其自律，也向文部省提出抗议，希望文部省密切关注，日教组罢课风波很快平息。1957年又出现了日教组教师早退的情况，家长教师协议会立即给予提醒，要求其约束自身行为。

关于“勤评斗争”③，家长教师协议会提出交涉。日本文部大臣在1958年7月提出，要求都道府县对辖区所有教师进行工作业绩考评，即所谓的“勤务评定”。此举遭到日教组的强烈反对，组织开展了全国统一行动的“勤评斗争”，进行罢工、罢课运动。由于大规模的教职员罢工罢课，学校的正常教学无法开展，直接影响了学童的正常教育。尽管教职员的行为是为维护自身权益，但是有损学生利益，有损教师自身形象和声誉，对学校教育产生恶劣影响。为此家长教师协议会迅速作出反应，发表声明，反对教师们的行为，并向文部大臣递交了请愿书。再有，针对学校内欺凌现象频出的状态，日本家长教师协议会早在1983年3月，就发表宣言，表明了其主张和要求。要求政府行政机关迅速采取应对措施。要求学校方面，应建立以校长为中心的统一指导机制；事发后及时向家长公开事态信息；要求学校教师应与家长及家长教师协议会工作人员密切联系，保持信息畅通。为解决有损学童教育利益的问题，在同各方交涉的道路上，日本的各级家长教师协议会一直

---

① 日本教职员组织的简称，即日本教育工会，成立于1947年6月。

② 教育两法案是指《教育公务员特例法部分改正案》和《义务教育学校确保教师政治中立的临时措施法案》，此两法案规定对教师的政治行为和参加政治活动作出了限制，招致教师不满，出现了日教组会员罢课，以示反对。

③ 勤评斗争是指1958年日本教育工会在全国发起反对文部省对教师进行工作评价的统一行动。

在努力。

（二）参与学校教育教学治理

1. 支援学校开设相关教育课程

《学习指导要领》是指导中小学学校教学的纲领性文件，该文件会根据需要进行调整，该文件经过1998年和1999年修订，规定从2002年开始必须在初中和高中学生中设置“综合学习课程”。该课程没有具体教科书和国家制定教授内容，需要学校根据当地特色和自身办学条件和教学资源，在环境、信息、福祉、健康以及国际理解和跨文化交流方面开展创意教育。

家长教师协议会为支持学校开设“综合学习课程”，在为学校召集课程志愿者和招募授课教师方面出谋划策，提供了大量帮助。例如福岛县家长教师协议会会员协助本县二本松市立二本松南小学推进国际理解教育课程。当地家长教师协议会主动与学校商讨，组织家长学习课程相关要求和目标，积极与各年级的班主任一起研讨，制定教育活动方案，内容涉及日本文化、世界现状、他国文化、有关人类等诸多领域，在培养学生理解力和表现力等方面开展了形式多样的教育活动。

2. 积极应对学校的教育荒废等问题

日本家长教师协议会对中小学学校存在的“不上学”“班级崩溃”[①]等教育荒废问题，都会提出自己的建议，并适时地进行交涉。比如，为应对“班级崩溃”，家长教师协议会认真调研，商讨对策，采取了相应措施。在1999年针对“班级崩溃”问题，日本家长教师全国协议会做了大规模调查，调查结果显示，有大约一半的学校校长和地方家长教师协议会会长认为，家庭教育是造成“班级崩溃”的原因，家庭教育能力低下导致了学生的班级意识和自我控制能力的低下。因此，为恢复和重建班级功能，家长教师协议会积极与学校合作，采取了相应措施。首先，建立学校、家长以及家长教师协议会之间长效的紧密联系机制，全面而深入地了解班级学生状况，发现问题迹象及时解决，防患于未然。其次，帮助家长提高教育能力。“班级崩溃”

① “班级崩溃”是指学生不听从教师指导，在教室随性活动，使正常课堂教学无法开展，班级处于一盘散沙的状态，班主任按照普通的指导方法无法解决。

是家庭教育缺失所引起的后果，因此需要提高学生家长的教育能力。协议会加强会员的学习，提高其认识，并选出学童健康成长执行委员，负责为家长提供家庭教育方面的咨询和帮助，同时经常以班级为单位召开家长教师会议，群策群力提高家长及学校教师的应对能力。最后，会员充当特别兼职教师，在学校对学生进行指导。协议会通过建立“家长教师协议会志愿者库”召集会员加入，会员中不乏各行各业的优秀人士，他们作为非常勤教师进入班级，用其独具魅力的教学指导和感化学生。此外还协助学校开放办学，让社区民众关注学校，关心学生。要解决班级崩溃问题、解决学生中出现的问题，仅仅依靠学校和家长的力量是不够的，如果社区的居民也能参与其中，增加社区与学生的接触，及早发现问题，就能及时应对和解决，使学生回归到正常的学习生活，对重建班级具有积极作用。

3. 协议会会员作为志愿者参与学校的各种活动

日本的学校都有志愿者登记制，家长或其他社会人士若想到学校进行志愿者工作，需提前到相应学校进行登记，学校根据工作需要和安排，向已登记人员发出邀请。在学校活动中家长志愿者的参与范围很广。家长可作为教师的辅助人员帮助教育学生；可作为某方面的专家为学生单独上课；也可帮助学校做一些不直接与学生打交道的工作，如图书室的工作、设计或整理课堂常用资料等；也可帮助学校对学生进行校外职业实习指导、特殊技能训练、咨询等。

伴随着社会变化、终身学习理念迅速普及和发展，日本不断向学习化社会转变。面对新的教育改革，为促进学校教育和学童的健康成长，日本的家长教师协议会也积极促进自身的完善与发展，在推动教育环境与教育资源的优化方面，在谋求学校、家庭与社会在教育治理的协调统一方面，在促进各类教育问题的解决方面，在学生支援等方面发挥着积极作用。

第五章　日本高等教育治理

日本的高等教育包括大学、短期大学、高等专门学校等教育机构，根据出资和办学主体的不同，可分为国立、公立和私立。其中国立大学是指由国家财政出资设立的大学，它是日本高等教育发展的排头兵。日本的大学由设立者负责管理，国立大学直属于文部科学省，相当于教育部直属大学。公立大学一般由地方自治体设立，由地方财政负担其办学经费，相当于中国的省属或市属大学。私立大学则由学校法人承担其办学经费，相当于中国的民办大学。高等专门学校因其创办的历史和专门性，多为国立。短期大学和高等专修学校则绝大部分为私立。日本高等教育在100多年的发展历程中，为日本经济、社会的发展做出了巨大贡献。日本高等教育拥有其独特教育体系和运行机制，探讨其治理之道，可为中国的高等教育治理提供有益的借鉴。因短期大学、高等专门学校以及高等专修学校主要从事职业教育，将在本书第六章日本职业教育治理中进行专门探讨，故本章主要探讨的对象为日本的大学治理情况。

第一节　高等教育的发展

日本的高等教育发展史最早可追溯到明治维新之前的“兰学塾”。在如何看待日本高等教育发展史方面，同世界的其他国家一样，日本的高等教育可以以第二次世界大战为界限来分别看待，日本战前的高等教育和战后高等教育有着许多截然不同之处。

一、战前高等教育

近代日本高等教育的发展，私立大学早于国立、公立大学。最早的高等教育机构雏形出现在19世纪50年代。不过，一般认为，日本近代大学发展始于1877年4月12日由“东京开成学校”与“东京医学校”合并而成的“东京大学”。

（一）国立大学地位的确立

东京大学的正式成立是日本近代高等教育史上划时代的大事，是高等教育的正式开端。1886年，日本颁布了《帝国大学令》，这是日本近代高等教育史上的第一个大学法令，该法令颁布之后，东京大学被改名为“帝国大学”。《帝国大学令》的颁布不仅意味着国立大学制度的正式确立，还确立了近代日本对高等教育发展的基本办学理念，要大力发展国立大学。到19世纪末，日本已创办了两所以“帝国大学”冠名的国立大学，即“东京帝国大学”和1897年创办的“京都帝国大学”。进入20世纪后又相继设立东北帝国大学、九州帝国大学、北海道帝国大学、大阪帝国大学和名古屋帝国大学，通常意义的“帝国大学”就是指这7所大学。教育实践表明，最初设立的两所大学后来也逐渐发展成为能代表日本高等教育水准的标志性大学。

（二）近代专门学校的发展

专门学校最初出现于明治维新后，早在1879年颁布的《教育令》中就对大学与专门学校的定义作了明确的规定，规定二者的主要区别在于：大学“传授法学、理学、医学、文学等多科专门知识”，而专门学校则“传授单科专门知识”。在19世纪末期，当时日本也存在着数量不少的专门学校，由于缺乏相应的管理和约束机制，他们始终处于一种不规范的发展状态。进入20世纪之后，日本高等教育继续发生着巨大的变化。1903年，日本政府颁布并开始实施《专门学校令》，这对近代日本的高等教育产生了重要影响。这是一部针对“专门学校”的专项法典，规定了专门学校的性质、定义、培养目标等，明确了专门学校应是以培养学习者高级的专门职业素养和技能为目的，属于高等职业教育领域，专门学校成为了日本近代高等教育体系的重要组成部分。该法令的颁布实施推动了专门学校的良性、有序发展。

二战爆发前，日本又陆续公布了一系列旨在规范和促进各级各类高等教育发展的法律法规。在国家法令的指引下，日本高等教育在二战前就出现了种类多样的教育形式和教育机构，形成了国立、公立、私立并举，较为完善的高等教育体系和框架，现代高等教育的发展为日本社会经济的发展起到了极大的推动作用。日本经济实力的增强，奠定了其在亚洲的领先地位，也催生了日本侵略他国的野心，带来了战争的危害。战争期间，日本颁布了《国家总动员法》，该法的实施，最终使高等教育也沦为服务日本国家战事的工具。

二、战后高等教育的发展

第二次世界大战结束后，经过美国指导的民主教育改革使日本的高等教育走上快速发展的道路。形成了国立大学、公立大学、私立大学以及高等专门学校和专修学校等多种新制高等教育机构并存的多元格局。

20世纪70年代，日本高等教育进行了一次比较大的改革，重点在重新调整高等教育结构和完善入学选拔考试制度，改变考试模式，目的是为了实现日本高等学府的办学规模与办学质量的协调统一。改革后，在高等教育体系中，日本既有以筑波大学为代表的研究型大学，也有以培养专业技能为主的众多专门学校、专修学校、短期大学等，形成了多层次、多类型的教育模式，为日本国民提供了更多选择享受高等教育的机会。此后，日本开始进入高等教育大众化的发展阶段。至20世纪70年代中期，日本高等教育的注册人数就从67万人增加到了225万人，毛入学率从12.9%上升到24.6%。[①]为提高生源质量，日本改变了大学入学考试制度，开始采取全国统一的高等教育入学考试选拔制度，这将有效地改变日本高等教育数量多质量不高的局面，有效提升了学生质量。

20世纪80年代，日本的教育发展遇到了诸多问题，不断实施了改革。国际形势的改变和国际经济竞争的加剧促使日本不断调整国内方针政策，以适应国际环境，确保自身的地位。国际化的教育理念开始在日本受到重视，

① 吴越．日本国家教育理念的传承和创新[J]．大学：学术版，2010（8）：53-58.

并迅速发展起来。日本在世界范围内开展广泛的教育交流，向美国等发达国家派遣留学生，同时也接受其他国家的留学生来日本学习。1983年，日本中曾根康弘提出了“10万留学生招收计划”。之后日本的教育国际化之路越走越宽。

20世纪80年代末至90年代初，日本已经成为世界上屈指可数的高等教育大国。1990年，日本的高等教育机构达到1 162所（其中大学507所，短期大学593所，高等专门学校62所），在校学生人数为263.2万，高等教育入学率达到36.3%。[①]同一时期，日本高等教育也面临着严峻的挑战，诸如日本经济长期停滞不前陷入低迷状态、日本的人口出生率持续走低、少子化现象日益严重，高等教育入学适龄人口减少，高等学校所面临的生源不足以及信息科学技术发展所带来的压力，等等。

20世纪末期，为应对日益突出的压力与困境，日本的高等教育界掀起了新的一轮教育改革。1991年文部省修改了《大学设置基准》。《大学设置基准》修改的主要内容有三个方面：第一，设置基准的大纲化。所谓“大纲化”就是将设置基准的条文删繁就简，将有关大学办学的规定改细为粗。设置基准大纲化的最突出之处是关于大学课程设置规定的修改，取消了关于课程种类的具体规定，代之以大学课程设置的方针，将课程设置的权限完全下放给各大学。第二，启动大学自我评价制度。大学设置基准中要求各大学开展自我评价，导入自我评价制度是促进大学教育质量提高的重要手段，这意味着日本高等教育的发展进入了以提高质量为核心的时代。自我评价的实施为建立完全意义上的大学评价制度奠定了基础。第三，推动终身教育发展。修改后的设置基准增加了一系列关于适应终身教育发展的条文，对正规高等教育之外的各种非正规高等教育形式做了更加灵活、更富有弹性的规定。[②]这些规定促使日本高等教育体系和运行机制逐渐转向终身教育体系，逐步构建适合国民终身学习的框架。

进入21世纪后，日本高等教育事业的重心曾一度主要落在了国立高等

---

① 黄福涛．外国高等教育史[M]．上海：上海教育出版社，2008：378-385.

② 徐超．论战后日本高等教育的改革与发展[J]．柳州师专学报，2010（5）：113-116.

教育机构改革方面，重点实施了国立大学独立行政法人化制度改革。2004年日本国立大学法人化改革拉开帷幕，开始对原来国家出资兴办的国立大学进行了全方位、立体化的改革。重构了日本政府、社会与国立大学的关系，也对大学内部治理结构进行了重新调整。原来国立大学的身份变成了“国立大学独立行政法人”，学校名称也发生相应的变化，如“东京大学”则改组成为“国立大学法人·东京大学”；文部科学省不再直接控制学校，大学拥有了更多的自主经营和管理权。同期，原来的“国立高等专门学校”也实现法人化，国家成立了专门的管理机构即“独立行政法人国立高等专门学校机构”，全国51个国立高专的名称前都加上了“独立行政法人国立高等专门学校机构”字样，如“独立行政法人国立高等专门学校机构·东京工业高等专门学校”。还有专门从事职业教育的专修学校也进行了各种改革，实现了与普通高等教育的有效对接，成为日本高等教育的重要组成部分。

此外，日本的研究生教育也获得长足发展，2003年，日本出台了专业学位研究生培养制度，甚至各大学还成立了“专门职大学院”，以培养既有理论素养、又具备专长职业技能的高端职业人才。

日本的高等教育体系完备，学科门类齐全，为日本经济社会的发展提供了人才储备和智力支撑。截至2017年，日本共有高等教育学校1 167所（不包括专修学校），具体分类数据如表5-1所示。

表5-1　2017年日本高等教育学校数分类一览表[①]

学校类型	总数（所）	国立（所）	公立（所）	私立（所）	私立学校所占比例（%）
大学	780	86	90	604	77.4
短期大学	337	—	17	320	95
高等专门学校	57	51	3	3	5.2

① 日本文部科学省. 学校基本调查［EB/OL］. http://www. mext. go. jp/component/b_menu/other/__icsFiles/afieldfile/2017/08/03/1388639_2. pdf.

第二节　国立大学治理

从1877年到现在的140多年的发展历程中，日本的国立大学大体经历了旧制、新制和独立行政法人化改革三个阶段。在不同发展阶段，有其不同的治理之道。日本在21世纪初开始实施国立大学法人化改革，国立大学转变成自主的行政法人实体，拥有了相对独立的经营权。日本国立大学身份的演变，是国内政治制度、经济形势等的发展变化，国际环境和世界高等教育发展趋势的变化以及大学与政府之间的关系发生转变的结果。在这种关系转变中，政府发挥着主导作用，大学方面也表现出较大的主动性。日本国立大学治理主要包括来自国家政府行政主管部门的管理和干预以及高等学校内部的自主治理和其他社会力量的参与治理。

一、近代国立大学治理

为尽快缩小与西方、特别是与欧洲国家的差距，在西方国家教育制度的影响下，日本明治政府在1872年9月颁布国家的第一部《学制》，将大学纳入到学校制度内。日本近代的国立大学是中央政府出资兴办的，是隶属于国家的附属行政机构，也是为实现强兵富国、实施高等教育的机构，由国家实施控制管理。

近代日本对高等教育采取了中央集权制的治理模式，高等教育机构，包括国立、公立以及私立大学，几乎都完全受控于国家行政。《学制》规定全国实行大、中、小学区制，每个大学区要设一所大学，当时全日本共分为八个大学区。因此，1877年由“东京开成学校”和“东京医学院”合并，成立“东京大学”，是日本最早的国立大学，办学经费全部由国家承担，并由国家的最高教育行政机关——文部省（2001年后改为文部科学省）直接管辖。起初的几年，学校状态相对松散，合并后的两校依然各自为政。1881年开始，在文部省的管控下开始设立校长、学部长以及咨询会等，构成了学校内部的治理结构，也开启了日本近代大学的中央集权下的治理模式。

1. 国家决定学校以及大学内部学科的设立

1886年，明治政府颁布了《帝国大学令》，“东京大学”更名为“东京帝国大学”，文部省对其控制进一步加强。《帝国大学令》规定：“帝国大学，以应国家需要，教授学术技艺并研究其深奥意义为目的。”[①]此处的“国家需要”就表明了大学是为天皇制国家的需要服务的，也就为以后的国家主义、军国主义教育的实施奠定了法律基础。《帝国大学令》还规定，帝国大学由研究生院和五个分科学院（分别为法科、医科、工科、文科、理科，此五个学科分院在1918年以后改成“学部”）组成，研究生院以研究高深学问为主，分科学院则以专业教育为主。大学内学科专业设置的增减也由文部省决定。

2. 文部省拥有大学绝对的人事权，国家行政机关的人事制度适用于大学

大学的管理层分为帝国大学总长、各分科学院院长以及教头等，各级别的管理人员全部由文部大臣任命。在文部省的指导下设立大学的最高管理机构“评议会”，其常驻机构设置于大学或文部省内，“评议会”的成员不是由学校内部推举产生，而是由文部大臣亲自从各分科学院的教授中“精选”产生。时任文部大臣的森有礼经常出席帝国大学的评议会会议，有时也将学校的教师召集到文部省开会。文部省完全把持着帝国大学的管理权。

大学没有自己的人事制度，完全套用国家行政机关的制度。中央政府在1881年6月对大学进行了职制改革，将东京帝国大学教师的身份变成了政府官员。1885年12月内阁制开始施行后，国立大学教职员工的任免、提拔便都被纳入政府官员的任用体系。政府于1893年8月颁布了《帝国大学官制》，对帝国大学的校长、书记官以及各分科学院的教授、副教授、助手等教职员的官阶和编制等问题作了进一步详细规定。[②]国家赋予了国立大学教职员工正式的政府官员身份，自然也就要求大学教员服从国家安排、为其利益服务。虽然，当时只有东京帝国大学一所学校，但集权式的国家控制下的治理模式同样适用于后来所设立的京都帝国大学、东北帝国大学等其他国立大学。

① 帝国大学令[Z]．長浜功．史料・国家と教育——近現代日本教育政策史．東京：明石書店．1997：37.

② 帝国大学官制[Z]．文部省大学学術局．大学管理運営関連資料集．東京：文教協会，1966：10-12.

3. 大学学部教授会自治

对于国家近乎完全的控制，国立大学的教授提出了异议，他们向文部省提出提案要求实行教授自治。1893年3月，井上毅就任文部大臣，开始着手进行大学管理制度改革，于同年8月修改了《帝国大学令》，并制定了相关法规，明确了大学内部教授会的地位、作用和职责，也初步确立了教授会和评议会联合管理的大学内部体制，将一部分管理权力从文部省划拨给大学主体等。在“户水事件”[①]发生后，大学教授们进行积极抗争，文部省做出让步，将遴选校长等人事权和学位授予权等相继让给大学。到20世纪20年代，大学学部教授会自治初具规模，大学内实行教授会自治逐步形成惯例。不过进入20世纪30年代之后，教授会自治模式，曾一度中断，大学被极端国家主义和军国主义势力所控制。

4. 极端国家主义控制

1918年12月，日本政府颁布《大学令》，表明政府承认了公立大学（由地方政府出资创办）和私立大学（财团法人出资创办）的合法地位。国家并没有因为办学主体的不同而疏于对它们的管控，而是将所有大学都置于“国家主义”的理念之下。《大学令》规定：大学，以教授国家需要之学术理论及其应用，并研究其深奥意义为目的，且须注意人格陶冶及国家思想的涵养。[②]大学不仅被要求在教学、科研方面以“国家需要”为本位，更要通过所谓“人格陶冶”和“国家思想的涵养”，贯彻“忠君爱国”的国家主义教育理念。[③]

20世纪30年代之后，日本军国主义势力对大学实施了极端控制，严格控制着学校的运营及教学内容。1938年5月颁布实施《国家总动员法》，日

---

① 户水事件：1905 年 8 月，东京帝国大学的法科学院的户水宽人教授，因反对继续日俄战争演讲，被文部省免职，此事引起全体教授的强烈抗议，认为文部省侵犯了教授的言论及研究自由。最后，文部省妥协，文部大臣及东京帝国大学总长双双辞职，户水宽人于 1906 年 1 月恢复职位。

② 大学令[Z]// 文部省大学学術局，大学管理運営関連資料集．東京：文教协会，1996：22.

③ 郭丽，茹宁．日本国立大学“身份”的演变——大学与政府关系的视角[J]．外国教育研究，2014（09）：26-36.

本进入所谓的战时体制，大学乃至整个教育都在军国主义势力的控制之下，丧失了教育的基本功能与特征，成为日本对他国侵略战争宣传和服务的组织机构。

二战结束前的日本大学，几乎被中央集权的国家所管控，大学实际上无自主治理权。不过，在20世纪20年代初步形成的“学部教授会自治”，虽然持续时间不长，也没能更好地发挥作用，但是，“教授会自治”的治理理念却得以继承，其治理经验为后来的日本大学教授会自治的治理模式奠定了基础，对于二战后的日本大学治理而言意义非凡。

二、二战后到法人化前的国立大学治理

二战后，经过美国指导下的教育民主化改革，新学制下的国立大学成为探究、传授高深知识的“学术中心”和“文教研修设施”，其学术上的独立性得到法律上的认可和保障，政府、大学以及企业等社会各界都积极参与大学治理。

（一）国立大学治理的法律基础

二战后，在美国的指导下，日本进行了民主政治改革，制定并颁布了《和平宪法》，1946年11月3日《日本国宪法》公布，其中第19条、第21条以及第23条规定了国民享有思想、精神、言论及学问等方面的自由。从而使大学的学术自由得到了国家最高法律的保障。1947年3月，日本又颁布了《教育基本法》和《学校教育法》，对教育的职责和大学教育行政做了明确规定。《教育基本法》第10条第1款规定“教育，不应屈服于不当之支配，必须履行对全体国民直接负责之重任”，从法律上认可了教育相对独立的特性。由此，国立大学作为“学术中心”和“文教研修设施”亦被赋予较大的独立权。《学校教育法》明文规定“为审议重要事宜，必须设立教授会”，为大学的教授会自治提供了法律保障。

在1949年1月颁布的《教育公务员特例法》中规定国立、公立大学教师为国家公务员，根据其职务与责任的不同，在其任免、权限、惩戒、服务、进修等问题做出相应的特殊规定。还规定大学的校长由评议会决定产生，无评议会的大学则由教授会决定产生。对于教职员工的聘用办法都有明文规

定。该法令的颁布改变了过去大学教师的任免权由教育行政机关决定的历史，此后该法不断被修改并赋予了大学校长和教授会更多自主权。直到国立大学法人化改革之前，国立大学的教职员都属于该法所规定的教育公务员。

（二）盟军占领期国家对国立大学的民主化管理

二战后，在以美国为首的盟军司令部的指导下，日本进行了民主教育改革。大学成为相对独立的高等教育组织，从政府那里获得了部分管理和治理自主权。在国家颁布的一系列法律规定的保护下，国家行政不能再对大学进行全面控制和干涉，大学终于能够遵循自身规律进行治理和发展。当然，大学的治理并不是完全不要国家的参与，而是在国家法律规定范围内，在国家行政的宏观指引和调控下进行。

战后初期，在美国指导下的改革主要通过两个方面来实现对国立大学的民主化管理。一是改变大学设置审批程序，清除了大学设置审批中的官僚主义。《学校教育法》规定，在审批大学设立时“监督厅须向‘大学设置与学校法人审议会’咨询”，文部省应设立“大学设置与学校法人审议会”，负责大学设置中的审查工作。[①]“大学设置与学校法人审议会”由学界主导，其成员中有一半来自大学校长、教授，另外还有高等学校、专门学校、师范学校的教师及政界、企业界等社会各界人士。大学的创办置于公众的视野中，既彰显了国立大学在设置审批过程中的民主性，能够保障创办大学的公正性，同时也能使未来学校经营受到社会各界的监督。二是缩减了文部省对大学的行政管理权限。1949年5月颁布的《文部省设置法》规定：“文部省主要在大学设置和经费资助等重大方针政策层面行使行政审批和批准经费等权限。”如依照相关法律完善国立大学的设施，批准大学和高等专门学校的创办，批准有关教育、学术和文化法人机构的设立，以及对大学、研究机构等教研和文化机构的运营提出指导和建议等。文部省在行使其权限时，除依据法律法规的相关规定权限外，不再对大学内部教育相关事务的治理及运营上予以干涉和监督。

---

① 学校教育法[Z]. 長浜功. 史料·国家と教育——近现代日本教育政策史. 東京: 明石書店，1994：680-683.

随着盟军司令部的退出和日美安保体制的形成，民主教育改革也随之被中止，日本中央教育行政权限有所扩大，中央集权管理又有抬头。但是，民主主义教育体制下的国立大学得到了很大的发展，尽管它是文部省的从属地位没有得到改变，但是大学学部教授会自治的机制一直坚持了下来。

（三）国家与大学的联合治理

从20世纪50年代，盟军撤出日本后，一直到21世纪初期法人化改革前，国立大学治理都是政府的行政管理和学校主体自治的联合。

1. 国家对国立大学的治理

法人化改革前国家对国立大学的治理主要在大学的设立、大学的财政、人事、行政事务管理等方面，文部省对其人事、财务、组织行政实施统一的集中管理。

首先，日本中央政府决定国立大学的创办与否，并掌管其财政收支权。日本的国立大学是由中央政府决定创办，并由国家财政承担其办学经费。大学的运营经费主要来自中央政府财政拨款。国家拨款能够维持学校的基本运营，包括教职员工工资和学校经营的其他全部支出。国家每年拨付各学校的经费，是根据每所大学的具体情况，根据一定的相关系数指标进行划拨。另外，国立大学所收缴的学生学费、附属医院的收入以及学校的营利性产业的收入（如餐厅、旅馆等），与企业联合研发产生的收入等都要上缴国家，成了国家财政收入的一部分。中央财政对国立大学的拨款实际上是一种转移支付。

其次，中央政府教育行政机关控制国立大学的人事权。日本文部省不仅是国立大学的创办者，更是大学的直接管理者。大学校长虽然是经过学校教职员工选举产生，但是必须经过文部大臣任命。文部省制定国立大学的人事制度，决定学校教职员工的招聘数量和每年入学新生的招生规模，教职员工的编制、薪酬等级、工资收入以及教授应该承担的教学任务等。日本法律规定国立、公立大学教师属于国家公务员，教师的进修、晋升等也都由文部省决定。

再次，中央教育行政机关管理国立大学的行政事务。文部省选派政府行政官员到国立大学的事务局充当要职，指导学校行政事务治理。每所国立大学都设有处理本校行政事务专门组织机构——事务局。事务局对教务部、学生部、人事部、总务部、财务部等各部门的工作进行统筹和协调。大多数部门下面都设有科、室等单位，全校实行事务局—部—科—室的线性垂直领导。[①]事务局长、各部门部长以及科长通常都是文部省派遣的教育行政部门官员，由他们指导、协调并管理学校的教务和教学工作。

总之，在法人化改革前，国立大学是文部省的附属高等教育机构，对自身的财政、人事以及行政事务的管理上并无多少话语权，只是按照国家法律和文部省制定的大学章程，在文部省的行政管理系统下执行和处理着具体的教学、教务行政事务。

2. 法人化前国立大学的内部治理

在法人化前，国立大学除了接受文部省集权式行政管理外，对学校内部实施了学部教授会的学术自治，主要从以下层面进行了治理。

首先，基层学部教授会自治。国立大学的教育功能通过学部（相当于中国大学的学院）来实现，教学和研究任务都是由各学部来完成。大学内部设立有文学部、法学部、工学部、农学部等诸多学部。在学部层面上，学部的教授会拥有较大的学术自治权，特别在学部内的人事、科学研究及学术管理方面拥有较大的权限。各学部的教学科研经费的预算分配、新任教师的选拔、考核、学部教师职称晋升以及学生的毕业和学位授予等都由教授会决定。需要说明的是，学部教授会的权限仅限于所属学部内，并不能跨学科、跨学部行使权力，也不能参与学校层面的财政和行政事务管理。

其次，学校层面的评议会决策。日本的大学内部必须设立评议会，国立大学也不例外，它是大学内部的最高决策机构。该会的成员称为评议员，由各学部、研究所的教授会推选出的教授委员组成，校长或文部省官员无权任命。国立大学校长人选是由教授会的全体委员投票产生，再由评议会决定推荐校长人选，然后上报文部省，最后由文部大臣任命。校长的权力有限，主要根据大学章程的规定，对各学部教授会提交的议案或草案进行审议并对是

① 贾德永，王晓燕．日本国立大学法人化改革后的大学治理结构[J]. 高等教育研究，2011（5）：98.

否采纳作出决定。

以学部教授会为基层领导核心，通过基层学术治理，突出了教授会的基层核心地位，尊重学术、强调学术自由，能够确保大学自主地、顺利地开展教书育人和科学研究工作。日本这一时期的国立大学内部治理模式也得到了世界范围的认可。2003年《经济合作与发展组织报告》曾指出，在经济合作与发展组织成员国中，日本国立大学既有中央集权管理的一面，同时在学部（或学院）层面也存在较强的学术独立和自治。

三、法人化改革后的国立大学治理

由日本政府主导的自上而下的“日本国立大学法人化”改革，实际上将国立大学从日本原有的国家行政组织中分离出来，赋予其独立的法人资格，使之成为具有自我担责能力的真正学校法人和办学主体，也就是将日本国立大学从文部科学省的严格行政控制下解脱出来，实现自主经营，增强办学活力，提高其办学和治理水平。日本于2004年4月正式开始启动国立大学独立行政法人化改革，国立大学与政府的关系发生巨变，维持了140多年的日本政府对国立大学的集权式行政管理宣告终结，国立大学不再是文部科学省的一部分，也不再受其直接管理，从以前的附属机构变成了独立自主运营的法人实体。

（一）国立大学法人化的发展

国立大学法人化改革不是学校自发的，而是由政府主导并推行的一项重大改革，关于国立大学法人资格的问题最早可追溯到20世纪70年代。

日本政府的有识之士很早就已经意识到单一政府行政管制制约了国立大学的发展，导致国立大学创新活力不足，缺乏竞争力。1971年，日本“中央教育审议会”提交给政府的建议报告（《四六答申》）中提出了关于国立大学设置形态的问题，并指出要改变国立大学现有的设置形态，政府要给予大学一定的运营经费，赋予大学自由经营运作的权利，使大学变成能够承担运营责任的公法人。

关于国立大学改革，1987年4月，临时教育审议会提交的《临时教育审议会第三次答询报告》中有国立大学法人的问题，提到“赋予国立大学公法人资格，并对其作为特殊法人存在的可能性进行了具体的探讨，但是有必要对法人化后国家的参与方式，大学管理、运营的制度，教职员的身份、待遇，从现行设置形态过渡到法人等诸多涉及理论与实践的问题进行更广泛、更认真的调查研究”①。该报告中还提出：为了发展个性化、多样化的高等教育，有必要在大学组织运营方面确立自主、自律体制。“关于国立大学，作为广义上的国家行政机构的地位，甚至僵化地影响到细枝末节，这种动辄要求划一性的状态，制约着各大学的主动性。应改变这种状况，着力确立自主管理运营的责任体制，发挥校长、学部长等的领导作用。”在财政方面，应通过实施弹性预算、会计制度，促进各大学设立各种自己的基金和附属财团，“扩大国立大学的财政自主性，使大学具备能在自我经营方面发挥积极性的条件”。建议在大学设置校外人士参加的咨询机构，并改变国立大学的设置形态。②

国立大学法人化改革构想的真正提出是在20世纪末期。20世纪90年代后期，日本经济衰退明显，国家财政难以为继。为了走出经济低迷、提高效率、减轻财政负担，1996年桥本内阁提出国家行政改革构想，其核心是要改革中央政府的行政机构，即改组中央政府的各“省、厅”。1998年国家颁布了《中央省厅等改革基本法》，依此法，行政改革的基本方针就是精简机构、精简行政人员、提高效率。其具体措施就是减少政府公务员编制，减少机构，将一部分机构民营化，将一部分直属机构变成独立的行政法人。国立大学属于文部科学省的附属机构、国立大学教师都属于国家公务员编制，而且数目庞大，如果不对国立大学进行改革，国家的行政改革难以真正实现。因此，国立大学法人化改革被正式提上议事日程。

2003年，文部科学省向国会提出了《国立大学法人法》《独立行政法人国立高等专门学校机构法》《独立行政法人大学评价和学位授予机构法》《独立行政法人国立大学财务和经营中心法》《独立行政法人多媒体教育开发中

---

① 天野郁夫．国立大学論——格差構造と法人化[J]．大学財務經営研究．2006（3）：193-223.

② 日臨時教育審議会．教育改革に関する第三次答申[Z]．長浜功．史料・国家と教育——近现代日本教育政策史．東京：明石書店，1994：509-512.

心法》《关于施行国立大学法人法等相关法律的配套法律》等六项法案。这些法案得到了国会的批准，并于同年10月开始生效。

国立大学法人化改革由于不是国立大学内部需求所要求的改革，实际是日本政府为摆脱经济停滞不前所实施的行政、财政改革的重要一环，是政府为实现行政精简和财政减负的重要措施之一。为此，国立大学本身在初期对于政府推行的法人化改革是抵触的，也是积极反对的。后来，随着国家行政改革相关措施的逐步推行，国立大学也认清了形势，明白了自上而下的改革趋势难以扭转，于是开始由坚决对抗转为积极参与改革，开始关注改革的具体措施，也为改革后的自身发展做出相应准备。

（二）国立大学法人化的内涵

日本于2003年7月16日颁布了《国立大学法人法》，依据此法规定2004年4月1日，国立大学法人化改革开始实施。改革的具体内容主要包括以下几个方面：

第一，国立大学身份发生改变，不再是文部科学省的附属机构，而是拥有了法人资格，成为独立行政法人。在财政预算和机构设置等方面获得了更多自主权，同时在经费筹措上需要国立大学自行承担一部分的责任。

第二，援引民间企业的经营方式，设立理事会（类似于企业的董事会）及经营协议会，负责审议学校有关经营事务，促使教育资源得到最大限度的利用。《国立大学法人法》第11条规定：理事会由一名校长和数名理事组成，其中必须包含目前并非该国立大学法人的董事或职员（即校外理事）。《国立大学法人法》第13条、14条、15条规定：理事会人数（一般为2~8名），根据学校的规模和办学水平情况确定，由校长直接任命，并报文部科学省审核，理事的任期最长不超过6年，且不超过任命该理事的校长任期，可连任。同时《国立大学法人法》第20条规定：国立大学法人设置经营协议会，负责审议大学有关经营事务。经营协议会的成员由四类人组成，分别是校长，校长指定的理事、职员以及有真知灼见的校外有识之士，[①]其中，校外知名人士必须占经营协议会委员总数的1/2。经营协议会的设立，让校外人士也参与到国立大学的经营和治理之中。

第三，大学教师不再是国家公务员。大学教师身份由公务员转向了非公务员，同时对教师的限制放宽，教师可以在其他学校兼职以及进行产学合作等。

第四，成立教育研究评议会，对学校有关教育和研究方面的重要问题进行审议。教育研究评议会主要由以下人员组成，即校长、校长指定的理事、学部长、研究学科长、附设研究所长及其他由教育研究评议会认定的重要教育研究组织的负责人，其他由教育研究评议会认定并由校长任命的职员。这里提到的由教育研究评议会认定的职员，实际上是由各学部、研究科教授会遴选出来的。

第五，引入“第三方评价”制度。国立大学的评估由事前审查转向了事后核查的方式。第三方评价、核查的结果将直接影响学校日后资源的获取情况。改革的第一阶段为期6年，各国立大学法人需制定并公布各自的改革目标（中期目标）和改革方案（中期计划）。6年之后，国立大学法人评价委员会等第三方评审机构对各国立大学法人“中期目标”的完成情况进行了评估，评估结果直接关系到各大学的后续改革和前程。[②]

国立大学法人化改革的宗旨是“政府下放经营权给国立大学法人，并以竞争机制激励其自主经营”。目标是促进国立大学个性化、多样化、活性化发展，进而建设具有高水平、具有国际竞争力的大学，能够在高等教育市场化、国际化的环境中立于不败之地。此次改革有意识地将国立大学推向市场，将中央政府对学校的行政领导权实行分权，将一部分行政权划拨给学校。同时引入市场竞争机制，鼓励社会力量参与办学，形成国家、学校与社会共同参与治理的治学模式，以促进国立大学办学质量、效益以

① 校外有识之士含现任或原任政府官员、企业家、大学校长、知名教授、校友等，这些人员都是校长在参考教育研究评议会的意见基础上由校长任命的，与学校关系密切。

② 郭丽，茹宁．日本国立大学“身份”的演变——大学与政府关系的视角[J]．外国教育研究，2014（9）：32.

及国际地位的提高。此次国立大学法人化改革明确了国立大学法人身份和其经营职责，减少了对其政府财政的划拨，促使其在办学经费的筹措及谋划大学经营方面发挥其主观能动性，提高大学的治理能力；同时，于政府而言，此次改革不仅是缓解政府财政压力，有助于行政、财政改革顺利实施的措施之一，还是应对高等教育投入需求不断增长的行之有效的策略之一。

（三）法人化改革后国立大学的治理体制及运行机制

法人化改革后的日本国立大学拥有了较大的自主管理和经营权。国立大学法人成立后重新构建了一套治理体制和运行机制（见图5-1）。国立大学治理分为外部治理和内部治理两个方面，其中内部治理是国立大学发展的核心。

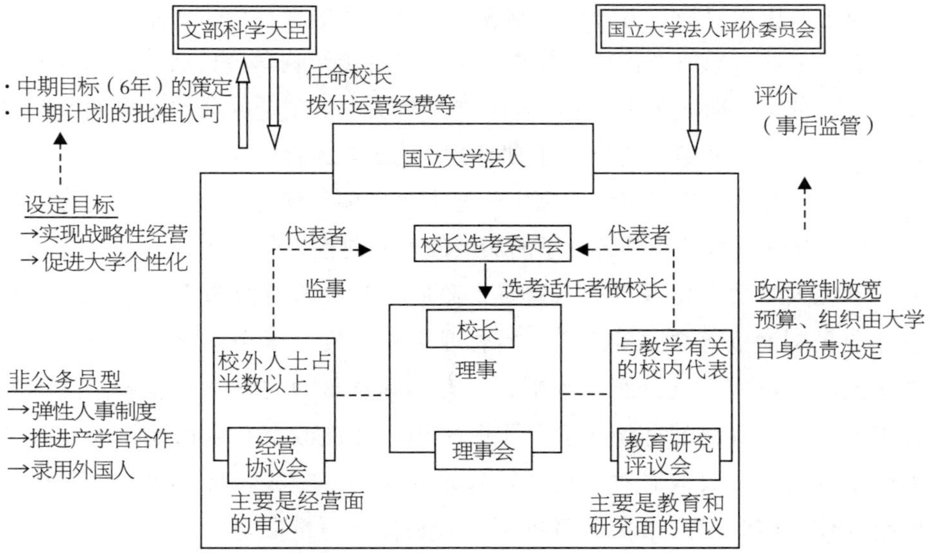

图 5-1 法人化后的国立大学治理体系图[①]

① 贾德永，王晓燕．日本国立大学法人化改革后的大学治理结构[J]．高等教育研究，2011（5）：100.

1. 政府治理

政府治理主要是通过文部科学省这一日本政府的最高教育行政机构来实施的。文部科学省以及“国立大学评价委员会”的治理构成了大学的外部治理。改革后文部科学省不再是国立大学的办学主体，政府对大学的管控大幅减弱，对大学进行宏观指导与调控。

一是文部科学大臣批准任命国立大学校长，不过不是按照国家行政的意识遴选出的校长，而是由学校内部民主选举，经学校教授会和评议会认定推选的。

二是认可和批准大学提交的“中期目标”。文部科学省制定6年为一期的中期目标的指导框架，国立大学根据文部科学省的规定制定“为期6年的中期发展目标”以及各年度计划，上报文部科学省，由文部科学大臣批准及认可。

三是拨付学校运营经费，即“运营支付金”。文部科学省改变了做法，不再按照学校的学生数、教师数以及上一年度的财政预算来拨付学校所需的所有办学经费，改革后的拨款依据主要是大学对“中期目标”的实现程度。从改革后的政府拨款情况来看，每年给国立大学的“运营支付金”以1%的比例递减。①

四是设立“国立大学法人评价委员会”，对国立大学进行事后评价。6年后，根据各大学的中期计划，由第三方评价机构“大学评价与学位授予机构”对国立大学的教育研究相关事项进行专业评价，并被文部科学省采纳，对国立大学的运营状况进行综合全面的评估。

2. 第三方评价制度

对国立大学的运营情况进行评估主要是通过第三方评估机构“独立行政法人大学评价・学位授予机构”进行的。其评估结果呈报给文部科学省的“国立大学法人评价委员会”，文部科学省根据评估结果对国立大学进行预算拨款。

---

① 伍宸．日本国立大学非政府办学经费拓展研究［D］．北京：北京师范大学，2013：105．

（四）国立大学法人化后的内部治理

法人化后国立大学的治理模式发生了改变。法人化改革后，国立大学不再是日本政府教育行政机关隶属机构，拥有了独立法人资格，校长法人代表。学校法人建立了新的学校治理模式。

1. 设立理事会等校一级管理机构

各国立大学设立的理事会、经营协议会和教育研究评议会构成校一级管理机构。理事会是学校的最高决策机构，是国立大学权力的核心。其成员包括校长和副校长等（其中有一名副校长是文部科学省派遣的官员），理事长通常是校长，很多国立大学称其为“总长”。理事会负责讨论和决定发展方向、战略目标等关乎学校前程的重大事项，包括中期目标及年度计划的制订，大学的财政预、决算，大学内部重要机构的设置及撤销，等等。除重大事项外，理事会对大学日常运营中的其他重要事项进行审议。经营协议会的组成成员包括校内的校长和理事等管理层人员以及来自校外的有识之士（包括原文部科学省的官员、企业或知名校友代表等，校外人员需占一半以上），主要负责大学经营的相关事务。教育研究评议会则由校内教师代表组成，专门负责审议与大学教育教学和科学研究有关的各种事务。

2. 以校长为核心的行政运行机制

法人化后的校长成为学校法人代表，校长不仅是理事长，也是经营协议会和教育研究评议会的负责人。因此校长作为大学经营和教育教学运行两方面的最高责任者，必须德才兼备，既要听取校内外的意见，又要致力于发挥其领导和经营才能。关于国立大学校长的产生，学校成立了专门的“校长选考委员会”，该组织成员由经营协议会和教育研究评议会各选出相应的代表组成。大学通过一定的方式经各“学部教授会”或者是全体教师投票，选出三名校长候选人，然后提交“校长选考委员会”，经过考核和筛选，确定最终候选人，然后上报给文部科学省批准认定，并由文部科学大臣任命。如果“校长选考委员”考核不合格，可以行使罢免权。不过，迄今为止，还没有发生过类似事件。

学校的行政运行是以校长为核心领导的教师和行政事务人员一体化机

制。大学按照不同的服务职能划分为校长和副校长辅助系统，学部部长、事务局长和研究所所长等辅助系统，教师辅助系统，学生辅助系统与附属医院辅助系统等。部分行政事务部门引入教师担任负责人，并明确规定其一周不得少于3~4天的行政工作。[①]学校经营的中层管理责任者由学校经营协议会任命。

3. 大学自治

改革后的国立大学自治权增强，主要体现在以下几方面：一是在教育教学方面。学校有权自主增减学科，可以根据实际情况增设或废除有关研究机构等。二是在教职员的人事聘任方面。国立大学教职员实行非公务员制度，大学教师不再是国家公务员，教师采用制从终身制变成合同聘用制，教职员的工资、奖金以及晋升等都由各国立大学自主决定。大学还能自主聘请外国教师任教。另外，学校还实行双肩挑制度，学校相关职能部门也开始任用教师担任。三是学校财政治理方面。在大学财政方面，学校每年来自政府的“运营支付费”逐年减少，而非政府财政拨款的自筹经费逐渐增多，包括学校附属医院的收入、产学研的合作研究经费、学校其他营利性经营收入、来自社会的捐赠等，学校的筹资渠道越来越广。另外，学校内部采用更合理的财政制度，促进经费的有效使用，对于研究经费则采用竞争制，教师通过竞争方可获得相关研究经费的使用。通过各种措施开拓财源，增加非政府办学经费的同时，提高经费的使用效率，尽可能地使其最大限度地创造价值。在教研经费上也不再按学科、按“讲座”进行划拨，而是根据一定的测算，将每所国立大学的经费以整体方式划拨，由各大学自己决定如何划拨经费。尽管法人化之前的经费分配标准仍然是各大学划拨经费的基本依据，但具有重要意义的是经费分配权实实在在地掌握在了以校长为首的学校决策层的手中。[②]四是学部、研究所教授会参与治理。法人化之前的大学自治在某种程度上是学部教授会自治，法人化之后学部教授会的权力减弱了。学校校长权

① 贾德永，王晓燕．日本国立大学法人化改革后的大学治理结构[J]．高等教育研究，2011（5）：101.

② 胡建华．日本国立大学内部治理改革[J]．探索与争鸣，2017（9）.

限增加后，以前的学部教授会进行学部自治模式不复存在，各学部主要实施以学部长为中心的学院管理与运作，各学部部长都是经由所在学部的全体教授选举后产生，而不是由校长直接任命。学部、研究所等教授会的意见成为学校参考的一部分，学校治理主要听从校长和校外人士的意见。

国立大学的内部治理机制不仅反映出大学的自主精神，也反映出治理中民主精神和多元化的治理特征。国家对大学实行宏观指导：大学副校长中配有一名政府官员，既是国家对国立大学治理进行监管的体现，也反映出大学本身希望与国家保持密切联系，渴望国家参与学校治理的愿望；校长的产生方式也是民主与集中的体现；经营协议会成员中一半以上来自校外，众多外部人员参与学校的建设与发展，能够更有效地激发国立大学活力，提高创新力和市场竞争力。法人化改革后的国立大学治理模式，既符合大学作为独立的教育、学术组织的自身发展逻辑，也能帮助日本政府实现减轻财政压力以及希望通过改革激发大学活力和创新能力的目标，最终减少国家投入而提高国立大学办学成效。

第三节　私立大学治理①

日本私立大学中，既有闻名世界的早稻田大学和庆应大学等，也有普通四年制本科大学、短期大学、高等专科学校和专修学校。日本私立大学数量长期占据日本大学数量的3/4以上，据日本文部科学省2017年的学校调查显示，日本的私立大学数为604所，占全体大学总数的77.4%。②很多私立大学显示出了其雄厚的办学实力和教学研究实力。目前，我国的民办高等教育虽然已有较大的发展，但是仍然处在规范、提高与完善的探索发展期，还存在许多不足。因此，研究和借鉴日本私立大学治理模式，对我国民办高等教育

---

① 关于短期大学、高等专科学校以及专修学校在第七章职业教育治理中有专门介绍，本节关注的重点是一般私立大学。

② 文部科学省. 学校调查概要[EB/OL]. http://www. mext. go. jp/component/b_menu/other/__ics-Files/afieldfile/2017/08/03/1388639_2. pdf.

的发展具有现实意义。

一、日本的私立大学

日本私立大学的发展最早可追溯到江户时代德川幕府时期的“昌平坡学问所”，它是为幕府培养官僚和实务人才的教育机构，可以看作是现代日本私立高等教育机构的“雏形”。明治维新初期，由于政府财政相对困难，无力大举兴办国立大学，于是，鼓励民间兴办私学。1858年，福泽谕吉创办了兰学塾（1968年改名为庆应义塾，即现在的庆应义塾大学，俗称庆应大学），成为现代私立大学的开端。之后私立高等教育机构不断出现，到1872年时已有9所，同期国立的高校只有3所。[①]此后，东京外国语学校、同志社学校、明治法律学校等相继创办。

1918年，日本大正政府颁布了《大学令》，规定“除帝国大学及其他国立大学以外，大学还包括依照本令规定设立的公立与私立大学”，正式确立了私立大学的法律地位。私立大学和国立、公立大学拥有了同样的合法性，为私立大学的发展扫清了障碍。据统计，在1940年时日本有私立大学26所，占大学总数的55.3%。[②]当时私立大学虽然获得了合法地位，但是其自主权非常弱，学校的经营管理受到文部省严格的控制与监督。

二战后，随着日本民主政治改革与教育改革的推进，在《学校教育法》《大学设置法》等系列教育法律的许可范围内日本的私立大学也取得长足发展。在日本的大学中，绝大部分是私立大学，可以说，长期以来日本的私立大学承担高等教育大众化的主要任务。从下表中的日本国立、公立、私立大学的数量亦可管窥一斑。

---

① 柯佑祥. 日本私立高等教育的比较研究［C］//民办高等教育研究，厦门：厦门大学出版社，1991.

② 胡建华. 战后日本大学史［M］. 南京：南京大学出版社，2001：60.

表 5-2　近年日本国立、公立、私立大学数量统计表 [①]

年份	大学总数（所）	国立（所）	公立（所）	私立（所）	私立大学的比例（%）
2007	756	87	89	580	76.7
2012	783	86	92	605	77.3
2013	782	86	90	606	77.5
2014	781	86	92	603	77.2
2015	779	86	89	604	77.5
2016	777	86	91	600	77.2
2017	780	86	90	604	77.4

二、日本私立大学教育治理的法律基础

在日本私立大学的形成、发展及其治理过程中，教育法律法规、有效的政策起到了极其重要的指导性作用。日本私立大学的真正发展是在第二次世界大战之后，大部分的私立学校都是1949年以后创办的。

二战后，日本政府承认了私立高等教育的“公共性质”，并意识到私立学校的重要作用和巨大潜力，采取了积极扶持私立学校的态度。1947年颁布了《教育基本法》《学校教育法》，在法律上确立了日本私立学校与国立、公立并举的发展格局。1949年颁布《私立学校法》，肯定了私立学校的自主性和公共性。1952年颁布了《私立学校振兴法》，为私立大学的振兴和发展提供了更加完备的法律保障。1956年颁布了《大学设置法》，规定了大学设置的最低标准，从而使私立大学的设置变得非常容易。在这种情况下，日本的私立大学迅速发展。

20世纪60年代以后，随着私立大学入学人数的迅速增长，为了提高私立教育的质量，降低国立、公立学校同私立学校在教师待遇、学费方面的差

① 日本文部科学省. 学校基本调查・调查概要[EB/OL]. http://www. mext. go. jp/component/b_menu/other/__icsFiles/afieldfile/2017/08/03/1388639_2. pdf.

距，日本政府提出了对私立大学实行财政补助的提案，并成立了“私立学校振兴财团”。1975年和1976年又先后制定了《日本私立学校振兴援助法》和《日本私立学校振兴援助法施行令》，政府的财政补贴曾一度达到私立学校经费收入的1/3。①表明了日本政府对私立大学的认可和大力支持的态度，为日本私立大学在法律的保护下自我发展，逐步走向成熟提供了法律和财政上的支持。②

三、学校法人自治

日本私立大学治理体制总的特征是政府和学校分开，即“政校分开、学校法人自治”。文部科学省在宏观管理层面上是私立大学的管理者，主要是通过立法、资助、审批、认证评估等方式对大学实行间接管理与调控，而不干预学校的内部事务。日本政府对私立大学的发展进行宏观指导，从全局大方向出发进行引导，不介入私立大学的具体事务。私立大学的运营包含有“法人业务”和“大学校务”两大部分。

（一）学校法人业务

自主经营是日本私立大学治理的主要特征。学校的设立、发展方向、发展策略与具体事务运行由学校法人和以校长领导下的学校自身来完成。学校法人一般为财团法人，是根据《私立学校法》的规定以开设私立学校为目的的法人。根据规定，私立学校法人下设理事会、评议委员会和监事。学校法人负责学校的生存、经营和发展。法人负责制订学校的发展方向、经营方针，筹措办学经费、配备设施，与其他法人的交流联系、任命校长以及保障学校的教育研究活动顺利开展等。这些工作由理事会、评议委员会、监事组织进行协作完成。

理事会总揽学校法人所有事务。理事会必须设立5名以上的理事（包括理事长），理事长是学校的最高领导者，有的兼任学校校长（如早稻田大学，设有总长，身兼理事长和校长之职），也有另请他人为校长的学校。为

①② 刘爱玲．日本私立大学管理模式及对我国民办高校的启示[J]．湖北经济学院学报，2011（4）：60-61．

推动法人业务的顺利进行，理事长通常选出常务理事若干名，来维持理事会的常规工作。

评议委员会的成员人数必须是理事会人数的两倍以上。比如，学校理事会如果由10名成员组成的话，评议委员会则应由20名以上的成员组成。评议委员会相当于理事会的咨询和审议机构，负责广泛听取学校师生的意见，对学校教育、教学以及预算借款、营利事业等进行审议和表决，为学校发展建言献策。评议委员会设议长一名，从成员中产生。成员通常包含以下几类人：一是学校法人职员代表，从学校法人职员中，依据法人规章规定程序及人数选举产生，当其不再担任校内职务时，其评议员职务也随之取消。二是校友代表，要求是已经毕业的校友，年龄在25周岁以上，并依据法人规章规定选任。三是其他社会优秀人士。这里的社会优秀人士不包括前面所说的学校职员及校友，也需依据法人规章的规定选任。

学校另设两名以上监事。监事的职责是对学校法人的财产状况进行监察，同时也监察理事的工作情况。三者在学校经营过程中处于既分工合作又相互制衡的关系。

（二）教授委员会主导的大学校务治理

学校法人把握学校发展的定位、战略方向、校规校则以及教育经费和其他办学设施等，而微观层面的管理和学校教育教学的运行则由以校长领导下的“教授委员会”主导，由各相关职能部门及教职员工参与完成具体事务。

教授委员会在学校教育教学中的主导地位。日本《学校教育法》第59条明文规定，“大学的重要事项必须经教授委员会审议”。因而，日本私立大学中，教学和科学研究管理很大程度上由教师参与决策，教授具有很高的权威。他们通过教授会或选举产生的委员会参与决策学校教育活动中的重大事项，并在其中起着举足轻重的作用。按照《学校教育法》的规定，教授会的组成，“除了教授外，副教授或其他职员也可以参加”。这主要取决于该学校的历史沿革、教授在教师中的比例等因素。日本私立大学的大多数教员都有机会直接参与决策学校的各项重大活动。如日本最大的私立大学——日本大学，其教授会由教授和副教授组成，比例占教员的80%以上。因此，教授会的决策具有高度民主性。与此同时，教师们还可通过所属学院的院长或学部长间接行使某些决策权。由于私立大学的学院院长或学部长均由教师民主选举出本学院中学术水平高、学术影响大、德高望重的教授担任，因此，院（学部）长具有很高的威望，深受教员的尊敬和爱戴，很大程度上能代表教员行使表决权。同样，学校校长也是在学校的各学院院长中经评议会民主选举产生。评议会由院长和教授代表、教务长、校长等组成，对全校的重大事项进行决策。这种运行方式保障了教授们在学术活动中的决策权，使学校的教育活动能紧跟时代脉搏，及时进行调整，更快更好地适应社会发展的需要。①

（三）学科设置与教学运行

私立高校根据自己的办学条件，适应日本社会发展变化和经济结构的调整，在人文、社会科学领域占有绝对优势，与主要集中于理工科的国立、公立高校分工合作，相互补充。在激烈的竞争中，办学灵活和个性鲜明成为日本私立高校生存和发展的关键。各级各类的私立大学不仅定位合理、具有明确的办学理念和培养目标，而且形成了独具特色的学科专业。例如早稻田大学培养“在野精神”，以商学、医学著称；庆应大学则以文学、政治经济学闻名；上智大学的外语教育、一桥大学的商业经营、明治大学的法律专业等在日本享有盛誉。其他各私立大学也个性突出，如有的突出社会学科，有的关注国际文化，有的则以“培养职业或实际生活所需要的能力为主要目的”、以培养学生职业能力见长（如短期大学），等等。

在教学运行方面。私立大学的教学人员和教务事务管理人员分属不同系统，学校对管理和教学人员的聘任、管理、待遇要求等方面也有所不同。一般而言，为提高学校的声誉，对教学人员要求很高。拥有博士学位或接受过博士研究生教育的人员才可申请大学教员的职位。教师的收入则根据年功序列以及对学校贡献大小来定。私立大学规定教师不能在同一学校的不同学部间兼职教学。学校对管理人员的学历学位要求则低于教师，不过，随着国

---

① 韩晓琴，康伟．日本私立大学的管理特色及其对我国高校质量管理的启示[J]. 理论导刊，2011（1）：90-93.

际化的推进，对管理人员的素质要求也逐渐升级。如在知名私立大学中，绝大多数管理人员均有出国学习或工作多年的经历，以促进学校的国际交流，同时也适应越来越多的外国留学生和进修生的需要。管理人员由学校统一招聘、考核和管理，工资待遇由学校统一发放，并可以在全校范围内的管理部门工作。教学与教务管理分属两个截然不同的领域，从事两种工作的人员无论是进入渠道、工资福利、职责要求和管理考核都自成一体，因此，不存在教学人员和管理人员相互兼职的现象。

在招生方面，除少数私立大学按照国立、公立大学进行两次考试外，绝大多数都是学校自行组织一次综合学力考试，且时间不统一。

（四）学校内行政治理

私立大学的管理层级少，办事效率高。日本私立高校多实行校、院（学部）两级，以学部为基础的执行体制。学部是一个相对独立的教育实体，机构比较系统，基本上与学校各职能部门对接，整个学校的运行有序而高效。学部具有财政权、人事权和业务指挥权。例如，某学部的某学科需要一名教授，这个学院直接把拟招聘教授的资历条件、具体要求等相关信息通过各种形式在全国范围内发布。有意向的应聘者可自行直接与学部联系、磋商，并参加学部组织的考核，经所在学部的教授委员会集体讨论。决定是否录用，而无须上报学校一级同意。正是因为学部得到充分授权，管理层级减少，所以办事效率提高。当然，责、权、利是相统一的。授权的同时，私立大学也通过有效措施加强对权利的监督，因为任何权利都离不开监督和制约。教授委员会所行使的学术权利，在其从事的领导、管理、教学、研究及服务等工作，每年都要接受来自学生、教师、同事及学部主管的各级各类评估与鉴定。

四、私立大学财政治理

办学经费是私立大学发展中最根本性的问题。私立大学能否得到较好的发展，财政起着决定性作用。日本《学校教育法》第5条规定，“学校创办者，除法令特别规定外，应负担学校的经费”。因此，日本的国立大学经费由国家负担，地方自治体创办的公立大学由地方财政支出，而私立大学的办学经费则由学校法人承担。学校被批准设立时，学校法人就具备一定的财政基础和办学经费保障。私立大学法人通常具有很强的资金筹措能力，以保证学校能拥有充足的办学资金，著名的私立大学都能保持其雄厚的经济实力和物质基础。

（一）办学经费筹措

日本私立大学的办学经费来源主要有以下几个方面。

1. 学费收入

在私立大学的总收入中，学费收入在经费来源中占第一位，约占70%。一般来说，私立大学的学费要高于相同级别的国立和公立大学。即便是同为私立大学，其学费也会因学校的类型、办学规模和条件不同而有所不同，总的来说，越有名气的私立大学收费越高。如早稻田大学和庆应大学的学费就远高于一般私立大学的学费。另外根据学科类别，其学费标准也不尽相同。以2013年本科新生第一学年学费为例，文科系的生均123.9万日元，理科系的生均156.7万日元，药类专业生均230.2万日元，农、牧、兽医类专业生均166.5万日元，医科、牙科系的学费最高，生均达到511.4万日元。[①]

2. 政府资助

日本政府以重视教育闻名，私立大学原则上是学校法人负担其办学经费，但实际上日本政府亦给予了大力支持。早在《私立学校法》中就明确指出应当给予学校法人、私立学校经济援助。1975年出台了《私立学校振兴助成法》，后来教育行政机关又成立了“日本私立学校振兴基金会”（现名为“日本私立学校振兴——共济事业团”），为私立大学提供补助资金。

日本政府对私立大学的财政支援主要有三种方式。一是经常费补助。日本对私立学校经常性开支费用的补助形式有一般性补助和特别补助。一般补助是以教职员工、学生数为基数乘以补助单价，计算出补助金额，实行倾斜分配。特别补助是对私立学校用于完善教育教学研究条件和创特色教育的专用补助。二是低息或贴息贷款。日本私立学校振兴财团及地方团体对私立学

① 文部科学省. 平成25年私立高等学校授業料等の調査結果.［EB/OL］. http://www. mext. go. jp/ menu/koutou/shinkou/07021403/006. htm.

校的校舍维修、新建；土地、教学设备的购置等项目发放长期低息贷款。三是减免税收。日本政府在国税、地方税上对私立学校采取优惠政策，免征法人税、事业税；对私立学校用于教育的财产免征固定资产税；减轻私立学校收益事业所得的部分税率；对向学校法人捐赠物品或捐款的个人或法人实行免税。①政府对私立大学的经济资助，占15%~20%以上。学费和政府的研究补助金这两项收入是相对稳定的。

3. 经营性收入

经营性收入主要指一些私立大学利用自身的科技、智力、设备等优势，开办企业、开展对外服务及销售所获得的收入。通过申请研究课题或签订研究合同获得经费；与其他社会企业合作，获得经费支持；有的私立大学还通过经营旅店、饭店，出租设备、场地等获取收入等。

4. 其他渠道的收入

私立大学的办学经费的筹资方式灵活多样，除学费收入、政府支持外，还有通过其他渠道筹集而来，这一部分收入虽然所占比重不是太大，但也不容忽视。其他渠道包含有以下形式：一是智力成果转让获取报酬。私立学校依靠雄厚的技术力量、人才优势，不断研发高新科技产品，向外界提供服务，转让科研成果，获取报酬，这部分收入也是私立大学财政收入重要的来源之一。二是获得社会各界的捐赠收入。日本私立大学的财政经费有一部分来源于校友和社会各界的捐赠，越是著名的大学，获捐赠收入越多。为了获取更多的外界捐资，私立大学总是想方设法加强与外界的联络（包括企业界、名人），不遗余力地四处活动，募集资金。另外，学校也广泛联系往届毕业生，各地建立校友会，有的校友在拥有一定的经济实力和社会地位后，都乐意为母校捐赠资金或办学设施与物资，以资助学校更好的发展。如早稻田大学校内的体育场、图书馆、游泳池、学生会馆、大限纪念馆、著名的戏剧博物馆等主要建筑都是校友自愿捐资修建的。捐赠一般分为特别捐赠和一般捐赠。特别捐赠是指定资金用途的。如指定所捐资金用于学校修建场馆设施、添购教学设备、设定学生奖学金等。一般捐赠则不作特别限制，学校可

① 耿萍．日本私立大学经营体制研究[D]．北京：对外经济贸易大学，2007：26.

以自由使用。

（二）财政运营方略

私立大学通过有效的财务运营方略提高资金的使用效率，以提升大学的教学科研水平，提高办学质量，从而获得更高的社会威望，以确保稳定的优质生源，促进学校的长远发展。

1. 学校财政支配拥有自主权

日本私立大学的财政管理，一般不受政府制约，大学拥有完全自主的财政决策和经费使用权，通过学校最高权力机构来掌管经费支出。不过，经费使用的决策需审核并受到相关的监察。大学的预算被包含在创办者，即学校法人的预算中。学校法人必须听取评议委员会的意见。理事长在听取评议委员会的报告和意见的基础上，得到理事会的同意后方可作出决定。此外，接受地方自治体办学经费补助的学校法人，除了必须向主管部门（文部科学省或者自治体）提交收支预算表以外，还必须依照“学校法人会计基准”做成的财务报表（主要财务报表包括资金收支计算表、消费收支计算表以及借贷对照表），接受公认会计师或监察法人的监察。

2. 财政运营策略

一是设立基本金制度。在消费支出中，将纯收入的一部分纳入到基本金，用于将来教育设施的购买和维护。这一制度具有前瞻性，能够保证学校的持续发展。二是实行营利性的财务战略。日本的私立大学，学校本身虽然不能以营利为目的，但可以有营利事业，前提是不妨碍学校教育教学。营利事业的种类被限定在与学校类型有关的餐饮、零售、住宿、医院、农场、研究所、制造业等，收益必须用于学校的经营，并且财务应作为特别财务与学校其他财务区分处理。这些经营所得构成学校办学经费的一部分，对于提高学校教育质量具有积极意义。三是在经费使用上，采取经费分解的制度。一般是按照学校办学经费支出的用途进行分解，把经费的管理落实到相应的领导人或管理者身上，日常教育经费多由校长直接批准。基础建设和发展经费则多通过董事会、基金会等部门筹措和规划使用，这种执行方式能保证财政支出的公开与透明，使经费运行情况受到关心大学发展的社会人士的监督，确保大学教育的健康有序运行。

五、危机应对

长期以来，日本的私立大学为具有不同能力、不同兴趣的学生提供高质量的、差异化的教育服务方面做出了巨大贡献，同时也满足了社会政治、经济、科技发展对人才的多样化需求。它们自身所形成并彰显出的灵活性和独特个性，赢得了日本政府和社会的认可和支持。但是，随着日本国情的变化以及国际环境的改变，日本的许多私立大学面临着危及到学校发展甚至是生死存亡的问题。

（一）生存危机

由于日本人口出生率下降，“少子化”现象严重。截至2017年4月1日，日本14岁以下儿童（含外国人）人数为1 571万人，比上一年减少了17万人，这表明日本连续36年儿童人数低走，“少子化”趋势进一步加剧。据日本国立社会保障与人口问题研究所的预测，到2031年，日本18岁人口将少于100万，仅为1991年207万的一半。18岁以下人口的减少势必给日本高等教育的招生、运行以及发展带来很大冲击。日本的很多私立大学、尤其是一些地方上的私立大学面临着严重的生源危机。根据日本2015年度《学校基本调查》数据显示，全国604所私立大学中已经有一半学校跌破定编，更有约80所学校的实际招生数仅占定编的30%。例如，位于日本北海道苫小牧市的苫小牧驹泽大学，2015年的实际招生数仅为39人，远远低于招生定编额度的150人，类似情况层出不穷。

这些私立大学多是过去十余年由短期大学、专门学校等升格而来，无论是学术研究还是专门技艺的传授以及人才培养成效等方面都并不乐观，再加上缺少法律制度的约束，教学质量参差不齐，除了少数像早稻田大学、庆应大学等名牌私立大学外，绝大多数私立大学的发展令人担忧，很多私立大学，尤其是地方的私立大学或将面临消失的危机。

（二）私立大学的应对

为了应对生存危机，各私立大学采取了各种应对策略。

1. 广招海外留学生

这一点也是一般私立大学的普遍做法。为了弥补国内生源不足，解决办学经费缩减的问题，日本各私立大学积极开拓海外教育市场，招收留学生，重点招收中国及亚洲国家的学生，填补学校招生定额编制的空缺。这一策略也正好迎合了日本提出的“到2020年使在日本外国留学生人数达到30万人”的留学生招生政策。很多私立大学将外国留学生视为学校能否继续存在和发展的关键，积极努力地为外国留学生提供优质服务。

2. 顺应潮流改变学科设置

私立学校的办学形式灵活，它们不断调研，根据市场和社会需要调整开设的学科，以满足社会和市场的多元化需求，提高学生的实际职业竞争力。

3. 重新规划教育的整体格局

2015年10月，日本国家层面启动大学改革，时任的文部科学大臣启动了大学改革，其观点是，打破国立、公立和私立大学之间的界限，重新规划大学的整体格局。一些具备条件的私立大学逐渐转并入公立大学。借助“私转公”，学校可从政府获取资金援助，加之地方自治团体的扶持，带来最直接的效果便是学费大幅下调。另一方面，由于日本大学起源于官学，日本人素有的官办大学情结，私立大学“公立化”，不同程度会带来一定的生源。①

在对待大学补助方面，日本将打破过去普遍扶持的做法，在扶持对象上会做出选择。2016年4月起，日本首先启动了“私立大学振兴”研讨会，文部科学省的真正用意在于对日本大学布局的重新规划，重点抑制私立大学补助金，果断舍弃私立大学中的一批“差等生”。②优胜劣汰，这意味着将来会有一部分私立大学会关闭。

纵观日本的私立大学的治理，国家和社会都给予了高度的重视，其法制建设完善，各项治理政策和措施落实到位，是全方位、综合性的治理，因此确保了日本教育的发展，为社会培养出众多高素质人才。

---

① 陈小牧．日校迈入动荡期私校眼看要关张[N]．文汇报，2017-05-12（6）．

② 李冬梅．日本高等教育如何应对“2018 年危机”[N]．中国教育报，2017-05-26（5）．

第四节　教育质量治理

高等教育质量直接影响着一个国家社会经济的发展，尤其是在知识经济社会，国家发展对人才要求越来越高，对高等教育质量提出了更高的要求。日本一直重视对高等教育质量的监控与治理。在20世纪末形成了较为完整的监控与治理体系，随着日本国内经济社会形势的变化以及国际环境的改变，随着竞争的加剧以及社会的迫切需求，日本也不断进行调整和改革。

一、20世纪教育质量治理

日本高等教育在20世纪初期就已粗具规模，不仅建成了东京帝国大学等七大帝国大学，在地方上还有公立大学以及以早稻田和庆应义塾为代表的众多私立大学，国家对其实施者统一管理。

（一）20世纪上半期的教育质量治理

20世纪上半期，日本对高等教育的质量治理实行的是中央集权式的管理，不管是国立大学、公立大学还是私立大学都由中央政府的教育行政机关（旧文部省）管控，并没有出台专门的法律法规管理高等教育的质量，也没有相应的标准和要求。到20世纪30年代以后，日本的政权基本上被国家主义和军国主义势力所控制，国家开始走向法西斯主义的发展道路，高等教育也变成当权势力的宣传工具，成为教化和奴役广大国民的重要手段，能否满足军国主义势力的需要成为衡量教育质量的唯一标准。一直到第二次世界大战结束，日本的高等教育都被掌控在极端国家主义势力范围之中，根本无法真正实现高等教育教书育人、科学研究的基本功能，也没有相应的质量管理体系。

（二）二战后教育质量治理体系

二战后，在美国指导下，日本进行了民主改革，也包括对教育的改革，确立了新的学制以及新的高等教育体制。受美国影响，日本战后高等教育体制和美国非常相似。在教育的质量治理上分为事前审查和事后评价两个方面，即大学创办前须经过设置认可，在办学过程中要接受教育质量评估。创办前的审核批准权归国家教育行政机关，办学过程中由社会专门评价机构来组织和实施教育质量评价。

1. 学校设置认可制度

日本的高等教育机构的创办须向国家申请，经过国家教育行政机关审核、批准及认可。1948年2月，日本通过了《大学设置标准》，该标准详细规定了大学设立的目的、资产、教学设施和设备、组织机构、教育形式、教师任职条件、招生名额、招生对象、入学资格以及学生修业所需学分、选修科目课程、毕业应具备的条件以及其他教学运行和学校资产经营条件等。隶属于文部省的“大学审议会”是专门审核机关，该机关根据《大学设置标准》的规定进行逐一审核，对完全符合规定标准的大学，给予通过后向文部省提交申请，学校须再由文部省发出批准通知后才得以认可。国家教育行政机关不仅拥有高等教育机构设置的审批权，而且还有对高等教育的教育质量评价指标和基准的制定权。文部省通过对场地、设施、财力、师资等办学基础条件的审核，来判断创办高等院校的实力，并决定是否批准该学校的创办。这种审查与认可是高等教育质量保证体系中最基础也是最重要的策略之一。

2. 办学质量评价制度

二战后，日本规定，大学等高等院校要接受事后评价，其教育质量由专门的评估机构进行评价。“大学基准协会”是专门对高等学校办学质量实施评价的民间社会评估机构。该机构于1947年创办，是日本目前最大的高等教育评价机构，组织机构下设国立大学协会、公立大学协会、私立大学协会等分支机构，分别对国立大学、公立大学及私立大学进行评估。协会的评价实行的是会员制。也就是说，大学基准协会只对会员实施评价。凡是想接受评价，获取评价结果的大学，必须先成为其会员。申请入会的大学须先参照《大学基准》中的各项要求进行自我测评，自评合格后再向协会提交入会申请，由协会审核批准后，方可成为正式会员；然后需要定期接受评估。这种“自我评价—被接纳为大学基准协会会员—定期被评价”模式在战后的最初一段时间内，有效地保障了日本高等教育的质量。

但是，20世纪60年代之后，随着日本经济的迅猛发展，日本社会需要大量人才，包括大学在内的高等教育机构大量创办，日本的大学入学率急速上升，很多院校的基础薄弱、实力不强，影响力也不大。面对大量的新办高等院校，大学基准协会的会员评价工作难以开展。另一方面，日本社会兴起学历主义之风，人们越来越看重文凭。因此，很多人认为进大学就是为了文凭，至于教育质量也无过多顾及。有很多学校根本不进行自我评估，也没有要去申请入会，到20世纪80年代，基本上再没有大学申请大学基准协会的会员身份。高等教育的评价机制基本处于停滞状态，大学等教育质量也难以保证。这一时期，日本的大学数量不少，但保持在世界一流水平的大学却是屈指可数的。很多大学成为学生的“休闲之地”，教育质量令人担忧。

（三）20世纪90年代之后教育质量保障机制

1. 修订《大学设置基准》

1991年，《大学设置基准》经过日本大学审议会的研究和审议后被修改，日本颁布了新的《大学设置基准》，新基准对于各类高等教育机关的设置标准除了一些必要的条件外，再无具体办学细节的规定，对学校的内部事务也没有明确规定。不过，修改后的《大学设置基准》中出现了新的规定：“为了实现大学的目的和社会使命，对于教育研究活动等状况必须努力实施自我检查和自我评价。”[①]日本首次以法律的形式要求大学“努力把自我检查、自我评价”作为自身应尽的义务。各大学必须根据一定的目标和标准对本校现状进行自我检查和评价，并提出整改措施和制定发展目标。这一法律在1999年再次被修改，修订的内容中规定大学“必须”进行自我评价，并且要想公开发布大学的自评结果。为顺利实施对各大学的各学科专业教育质量的监测，日本在1999年设立了“专业技术教育认定机构”，专门对学科专业教育进行评估和认定。次年，日本又设置了第三方认证机构“大学改革支援·学位授予机构”，专门对大学运营进行评价，以确保高等教育质量。

2. 优化教育内容和教学方式

20世纪90年代后，日本各高校不断实施教学改革，教学相关事项的决定权落到各大学手中，各大学自主决定开设学科和相关课程，同时促进各种教育方法的改革，以提高教学质量。具体措施主要有：在不增加学生额外

---

① 高等教育研究会．以大学的多样化发展为目标（Ⅲ）［M］．东京：行政株式会社，1992：20.

负担的情况下（学生履修学分数不变）修订所学科目，增设新兴社会需求学科、充实信息技术教育、改革外国语教育、大学之间互认学分等。

二、21世纪教育质量治理

进入21世纪后，为提高高等教育质量、激发日本大学活力、创新力和竞争力，日本进一步完善了对高等教育质量的治理，对影响质量的问题予以及时治理。新世纪伊始，日本自上而下对高等教育实施了一系列重大改革，大学的质量治理体系也发生了很大转变。为保障日本高等教育质量，日本从源头开始实行了比较完善的监控与管理，包括高等教育的学校创办条件、办学理念、教育目标、课程设置、教学改革、教育过程的监管以及对办学效果的评价等。

（一）教育质量保障的法律政策基础

面对社会对高等教育办学低效和教育质量堪忧的诟病，日本教育界认为高等教育质量不高，主要是因为日本大学的入学资格选拔严格，而大学期间的学习相对轻松，毕业条件过于宽松，即所谓的“严进宽出”的大学培养体系所致。2002年，日本出台的《构建大学质量保障新体系》（以下简称《新体系》），目的是改变以往日本高等教育中国立大学办学效率低下、竞争力弱以及私立大学教育质量低下等局面，以确保高等教育质量。《新体系》强调要保证日本大学教育质量必须要改变以往的“严进宽出”的培养体系，向“宽进严出”的方向发展。《新体系》放宽了大学设置的标准，强化了学校创办后的教育质量检查与评估。其重要举措就是建立和完善一套相应的大学质量外部评价制度，即非认证评估、认证评估和认定评估，旨在通过三方把关、有机结合的多元化评估制度，实现大学质量保障体系的重大转换。①

《新体系》出台后，2002年11月，日本又修改并通过的《学校教育法》，修改后的《学校教育法》规定“所有大学必须接受外部评价”，还规定“实施外部评价的评估机构必须经政府认证，否则不能实施评估”，这就为《新

① 张玉琴，周林薇．日本大学质量保障体系转换的重要举措[J]．日本学刊．2008（3）：125-134.

体系》的实施提供了法律依据和保障。

外部评估机构的认证资质和许可由文部科学省审核和颁发。外部机构向文部科学省提出申请，文部科学省依据相应的国家规定标准，审查和核实申请机构制定的“对大学的评估标准”“评价方法”“评估程序及运行机制”“评估结果的公开程度”以及“评估费用”等事项，对符合标准的官方或民间认证机构予以资质上的认可和批准。获得资质的外部评估机构在其管理和运营上都有一整套制度，能够比较规范、科学地对大学实施外部评价。

为确保教育质量而颁布的《新体系》和新《学校教育法》，为日本大学接受外部评估提供了法律依据和保障，其硬性规定也使以往的高等教育评价体系发生改变，确立了新的多元化的大学教育质量治理体系，多维度地促进了高等教育质量的提高。

（二）多元化的质量评价机制

日本为保证高等教育质量，在相关法律和政策的要求和指导下对各级各类高等教育机构实施质量监控与治理。在实施评价的过程中，其评价机制并非整齐划一，面对不同类型的学校，其评价机制不同。比如对私立大学的评价相对简单，私立院校只需要接受《学校教育法》规定的认证评价即可。但是，针对公立和国立大学的评价就显得多元化了，特别是国立大学所接受的外部评价更为全面。既要接受不同主体对其进行的评价，包括国家的非认证性评估，也必须接受外部具备资质的认证机构的第三方评价，同时还必须接受专业技术人才教育认定评估（类似于我国的专业、学科评估）。

1. 第三方评估

第三方评估，被称为“认证评价”，是日本所有高等院校都必须接受的评价。根据法律规定，日本的高等教育院校不分办学主体，都必须接受来自政府、学校以外的第三方评价机构的评价。第三方评价机构并非任意机构，机构本身向文部科学省提出资质申请，由文部科学省进行审查、认定，方可获得实施评价的资格。具备资质的评价机构，即认证评价机构根据《学校教育法》，按照文部科学省的要求制定出具体的评价指标、基准以及评价方式方法，然后对高等教育学校实施评价，评价结束后将结果反馈给学校，同时上报文部科学省，并向社会公布。

日本《学校教育法》规定，第三方评价机构必须是独立法人，可以是具有独立行政法人资格的组织，也可以是独立的民间团体，不过，评价机构须获得实施评估的相应资质。目前，“大学改革支援·学位授予机构（独立行政法人）”“日本高等教育评价机构（财团法人）”“大学标准协会（财团法人）”“短期大学标准协会（财团法人）”等评估机构拥有资质，可以对大学实施评价。其中最具权威性的是“大学改革支援·学位授予机构”，它由文部科学省早期设立的“学位授予机构”更名发展而来，是最早获得日本文部科学省认证，获得资质的第三方评价机构。对短期大学实施评价的认证评价机构有“短期大学标准协会（财团法人）”等。另外，根据学科专业不同还存在着众多的专业认证评价机构，如“日辩法务研究财团（财团法人）”“日本临床心理士认定协会（财团法人）”等。

学校接受具备资质的评价机构的评估，获得评估结果并公布于众，向外界展示其依法履行的责任和义务、所取得的成绩、对社会的作用，同时向出资方及社会各界人士报告其办学经费使用情况等，从而取得社会各界的认可和信任，以提高大学的声誉。每所学校在创办之初都确立了其办学理念和办学目的，并为实现目的来设立学校内部的职能机关和教育机构，组织学校教育、研究等各项活动，保障学校的运营和向上发展。因此认证机构的第三方评估也是根据高等院校的办学理念和办学目的，围绕理念和目的制定的评价指标体系，开展逐项评估。

高等院校接受评估的程序大致是由高等院校向自己意向的具备资质的第三方评价机构提出申请，然后由评估机构统一安排评估。不过，国立大学的评估不同于一般公立和私立大学，国立大学无权直接申请，必须根据《国立大学法人法》规定，先向“国立大学法人评价委员会”提出申请，由该机构向第三方评价机构统一申请，接受统一评估。第三方评估周期一般为中期发展计划期间六年，对研究生院的评价为每五年一次。

大学接受评估的内容。评价机构依据各高等院校的办学理念和办学目的，从综合评估、专业教育评估以及科学研究相关评估三个方面对以下事项进行严格检查和论证，评价其学校运行是否与其办学理念和宗旨相一致。具体内容有：①衡量高等院校制定的中期发展目标及其实施计划是否与办学理念、目的、使命以及与学校自身条件相符；②教育研究组织机构与办学理念、目的及培养目标的关系；③选定的教育内容和教学方法对实现本校的办学目的、培养目标是否有效；④招生制度；⑤教师组织；⑥研究活动和环境；⑦设施设备；⑧图书馆和图书；⑨社会贡献；⑩学生生活；⑪管理经营；⑫财务；⑬行政机构；⑭信息公开（主要指财务公开制度）等。[①]

第三方评价机构经过严格审查和分析后的评价结果将反馈给学校并对外公布，让外界知晓学校的办学情况，使学校同时获得社会各界的认可和监督，以评促建，更好地加强学校治理能力，提高办学质量。

2. 国立大学行政法人评价委员会对国立大学的评估

成为独立行政法人后的国立大学拥有了更多的办学自主权，同时所承受的压力也增大。来自政府拨款的经费不断减少，并且政府希望国立大学能够更有效地使用经费，提高办学效率和质量。为更好地促进国立大学的办学水平，对其实施有效监管，日本文部科学省于2003年专门成立了“国立大学法人评价委员会”对国立大学进行评价。该机构属于文部科学省行政组织，无须经过相关资质认证，因此不属于拥有资质的第三方评价机构，它只负责对86所国立大学和4所国立大学共用研究机构进行评估。

日本《国立大学法人法》规定，国立大学法人评价委员会在调查、分析国立大学及国立共同利用机构的中期目标完成情况，得出评价结果后，还须向“大学评价与学位授予机构”提出申请，接受第三方评估，并尊重评估机构的评估结果。[②]这说明国立大学在接受第三方评价前必须先接受“国立大学法人评价委员会”的评估。

“国立大学法人评价委员会”评估的主要目的是为了提高国立大学教育经费使用成效，为政府的财政拨款提供客观依据。此评价以国立大学制定的、文部科学省认可的中期发展目标为依据，对目标计划书中制订的各指标进行检查、核实，考查其是否实现预期目标。评价委员会主要对大学的机构

---

① 张玉琴，周林薇．日本大学质量保障体系转换的重要举措[J]．日本学刊．2008（3）：129-130.

② 日本大学評価・学位授与機関「大学評価・学位授与機関評価事業の今後のあり方について」[R]．中間報告．2003：4.

设置、学校经营状况、经费分配及其使用等方面进行审查和评估，不实施教育教学运行相关评估（教学、科学研究等相关内容的评估则由第三方评价机构实施）。对于评估中出现未按计划完成中期目标，且差距较大的学校，评价委员会则要求学校查明原因，并追究责任。“国立大学法人评价委员会”每年都会对国立大学进行检查，每六年为一个周期。周期评估结果直接反馈给学校并上报给文部科学省，构成其下一轮中期发展目标的制定、审核的重要依据，该评价结果也是政府对国立大学下一轮财政拨款的重要依据，会直接影响学校所得办学经费的多少。

3. 日本专业技术人才教育评估

在对高等教育的评估中，除前文中的评估外，还有一项专业技术人才教育的评估，即日本专业技术人才教育认定评估，也是日本高等教育质量工程治理的重要组成部分。“专业技术人才”认定是指世界通用的科技专业技术人才，能被世界范围内认可。当今，将高等教育评估与专业技术人才教育认定评估有机融合，已成为诸多国家的高等学校质量保障体系的重要措施之一。日本在21世纪初期也导入此种评估方式，在对应用学科等领域，将外部评估与应用学科专业技术人才教育的认定评估相结合，使之成为评估和保障专业技术教育质量的重要监管和治理举措之一，也成为日本高等学校质量治理体系的重要组成部分。

1999年，日本制定并公布了专业技术人才教育认定制度。其目的是为提高工程技术领域的教育水平，培养国际通用的专业工程和科技人才，以实现21世纪的科学技术创新立国的战略目标。2004年日本文部科学省将专业技术人才教育认证制度纳入高等院校外部评估体系当中，协同第三方评价机构的评估，更深入、更全面地开展对培养高级专业技术人才的院校以及相关专业的评估，以促进专业科学技术人才水平的提高。

日本专业技术人才教育认定评估不同于其他评估机构，其对象主要是日本高等院校的理、工、信息、农学等学科专业教育，并不针对人文、社会等学科教育；其目的是依照“国际通用型技术工程师标准”，衡量日本大学的理、工、农等学科专业教育是否达到国际统一标准，以改进国际通用型人才培养的教育方式、促进技术人才的可持续发展。[①]因此，接受专业技术人才认定评估的学科范围被限定在以培养工程技术人员为目标的学科专业上。评估具体内容和项目主要集中在理、工、农等专业所拥有的教育环境、教学设备、师资队伍、开设的教育课程、教育方法以及学生所掌握的专业知识和技术等方面。根据社会对国际通用型技术工程师等高层次人才的需要，衡量学校工程技术教育的培养目标、教育水平、方法及成绩评定方法等是否符合人才培养目标的要求，考查其具体实施情况、目标完成程度等，最终对校方培养出的学生进行评估和认定，对达到标准的学生颁发相应专业技术资格证书，持有此证书者便有资格从事某专业性职业。最后评估机构将评估报告反馈给学校。[②]关于技术人才教育认定的基本条款，一般社团法人日本教育者技术认定机构在2011年5月制定了相关规定，之后又在2018年6月进行修订，2019年以后需要参加认定的人员按新规定执行。

由于该制度确立的时间较晚，而且其实施评估的对象主要是以培养高层次、国际通用技术型人才为目标的院校和学科，尽管国家和社会认可这项评估，但是，是否参加该项评估，由各学校以及各学科自主决定。

日本通过对高等院校实施多元化评估，由不同主体对大学等高等院校的办学条件、师资、人才培养、科学研究、社会服务以及学校运营等各方面进行评估，并且将结果向社会公开，一方面可以获得社会的认可，提升学校的公信力，另一方面主动接受社会监督，改善不足，提高学校自身治理能力，确保高等教育质量。

---

① 参见日本技術者教育認定機構[EB/OL]. https://jabee. org/about_jabee/concept.

② 日本技術者教育認定機構．一般社団法人日本技術者教育認定機構 技術者教育認定に関わる基本的枠組[EB/OL]. https://jabee. org/doc/Fundamental_Framework2019. pdf .

第六章　日本职业教育治理

日本一直重视对各行业从业人员的教育与培训，职业教育在近代日本又称为“实业教育”，职业技术教育在日本教育领域占有非常重要的地位，为日本社会培养了大量优秀的专业技术人才和各行业熟练的技术劳动力。日本的职业教育贯穿于人生的每个阶段，建立了学校、企业、社会相结合的、较为完善的职业教育网络，在实行产学研合作、政府经费补贴、企业建立系统的员工培训体系等方面具有成功经验。

第一节　职业教育的发展

日本职业教育始于近代，在近代出现过像涩泽荣一等著名的实业教育家。真正的职业教育却是在第二次世界大战之后发展和完善起来的。本节着重探讨二战后的日本职业教育。

一、学校职业教育概况

日本的职业教育制度在战后不断恢复和发展起来。日本在1951年制定了《产业教育振兴法》，规定产业教育是发展产业经济及提高国民生活的基础，通过产业教育在确立劳动的正确信念、传授产业技术的同时，培养具有能力、进而对经济自立做出贡献的有为国民。鼓励地方公共团体和企业发展职业技术教育，并规定国家在该方面采取经费补助政策。

战后，日本建立了“六、三、三、四”制的新学制，开始规定在小学阶段开设“家政课”，初中开设“职业”和“家政”两门课。这些只是让学生掌握必要的基础知识和生活基本技能，还不能称为真正意义的职业教育。

1948年日本对高中进行了重新设置，创办了普通高中和职业高中，职业高中包含有农业高中、工业高中、水产高中、医疗高中、家政高中，等等。随着日本经济的快速发展，各产业需要更多、更高层次的产业专门技术人才。为此，1962年日本创建高等专门学校。

高等专门学校招收初中毕业生，学制为五年，实行高中和短期大学连接起来的五年一贯制教育。这些学校的创立标志着日本的职业教育开始成立自己独立的体系。高等专门学校成立之初只有工业类学科，到20世纪70年代初期已增设商船类和电子通信类学科。

1964年日本文部省修改《学校教育法》，规定："短期大学"是一种长期的制度，其目的在于"深入教授研究专门的技艺，培养职业或实际生活所必需的能力"；学制2年或3年，学生完成学业后可以毕业，也可编入大学三年级继续学习。法律上正式承认短期大学是高等教育体系的一环，短期大学制度得以确立。其后，短期大学发展更为迅速，1984年发展到536所，学生381 873人。①

1976年理科教育及产业教育审议会发布《关于高中职业教育改革报告》，该报告特别强调，要重视职业高中的基础教育，要求学生掌握基础知识和基本技能；加强职业高中课程的灵活性；调整职业高中的学科结构，放弃前一阶段推行的职业高中多样化政策，采取与之相反的合并同类学科、以综合性基础性学科为主的方针；强化与劳动有关的体验学习。根据这一精神，1978年高中教学大纲的修改将工业教育学科由原来的164种合并为64种，农业学科由54种合并为30种，商业学科由36种合并为18种。职业高中基础化改革终止了20世纪60年代中期以来的职业高中多样化政策，改变了学科划分过多、过细、过于强调学生专业性而忽视基础知识、基本技能培养的状况，有利于学生能力的培养，提高学生的职业适应性，顺应科学技术发展和产业结构的转型，也体现了现代社会中职业教育发展的必然趋势。②

基于职业教育改革，1976年日本又正式成立了"专修学校"，以培养

---

① ［日］文部省．产业教育百年史［M］．东京：行政株式会社，1986：246.
② 李文英．战后日本职业教育的发展与特点［J］．职业技术教育，2005（9）：81.

国民职业或实际生活所必需的能力和提高国民的一般修养和水平为目标。根据《日本教育法》，专修学校不属于学校教育体制下的正规学校，是体制外进行职业技术教育和训练的专门教育机构。专修学校开设三类课程：专科课程、高中课程和普通课程。设有专科课程的学校称为专科学校（专门学校），招收高中毕业生，在高中的基础上开设各种职业课程，修业年限一般为两年，学生毕业后可以获得等同于短期大学毕业生的资格，属于广义的高等教育范畴。设有高中课程的专修学校称为“专修高中”（高等专修学校，招收初中毕业生，在初中教育的基础上开设各类职业课程，同时还开设国语、社会、数学、体育等普通课程）。对于修业三年的毕业生授予高中毕业资格。开设普通课程的专修学校，称为一般专修学校，对入学资格没有要求，学习者可自由入学接受职业技能培训。各种专修学校为日本社会培养了大批具有实际操作能力的技师和劳动者。

二、学校职业教育改革

20世纪80年代以后，日本社会已经发展得比较成熟，进入知识经济时代，电子计算机、电子科技、电子信息、通信技术开始迅速发展。第三产业，尤其是信息服务业的兴起并蓬勃发展起来，社会对劳动力的需求亦发生变化。另外，日本社会各项设施与制度的日趋完善，国民生活水平较高，有了较多的闲暇时光。国民的寿命较之前增长，日本社会老龄化和少子化的现象日益凸显。为应对社会变化，日本社会进入全面改革时期，职业教育也随之进入到全面改革与发展时代。

（一）中等职业教育改革

中等职业教育改革主要集中在课程设置、职业高中的改称以及设立综合高中方面。1994年，日本新设与普通学科和专业学科相平行的综合学科，开设综合高中，以便学生从普通学科到专业学科的广泛范围内根据自己的情况自主选择学习科目。1995年，日本文部省召开的“职业教育灵活化政策调查研究会”发表题为《通往专家之路》的最终报告，指出职业高中教育的重点应放在“专业性”基础知识和基本技能培养上，为学生今后的职业发展能力奠定基础。同时，以前的“职业高中”被改称为“专业高中”，凸显了“专业性”。1998年，日本产业教育分会进一步重申职业教育必须重视专业基础知识和基本技能培养。职业教育中新设了“信息”和“福祉”两个学科类别，增加了专业高中的类别。中等职业教育机构主要有农业、工业、商业、水产、家庭、看护、信息、福祉等专业高中。

（二）高等职业教育改革

高等职业教育主要以高等专门学校以及短期大学为中心进行。高等职业教育改革主要表现在：一是高等专门学校扩大学科领域。改变以往只设工业和商船两科的状况，允许设置其他学科，扩展到所有学科。二是高等专门学校创设“专攻科制度”，即在高等专科学校教育基础上开设更为高深的教育和研究课程，修业年限为两年，修完课程且满足一定条件者可以获得学士学位。“专攻科”的创设，为高等专门学校毕业生继续接受高层次教育（相当于大学本科）提供了机会。三是对于符合一定条件的高等专门学校毕业生授予“副学士”学位。四是短期大学废除授予“副学士”称号的做法，建立学位制度。自2005年10月开始，短期大学的毕业生只要修完学业即可被授予“短期大学士”学位。

（三）“专修学校”教育改革

从1994年开始，属于专修学校类型之一的专门学校（含专门课程）的毕业生只要符合修业年限为两年以上，总授课时数为1 700小时以上也可以获得“专门士”称号，满足一定条件者可以编入大学三年级继续学习。2005年进一步规定，修业4年以上、总授课时数为3 400学时以上者可以获得“高级专门士”称号，同时也就具备了研究生阶段的学习资格。[①]对作为职业教育重要主体的专修学校进行的灵活化改革，促进了职业教育更高层次的提升与发展。

（四）专业研究生教育的确立与发展

21世纪初，日本开始建立和发展专业研究生学位教育制度。2002年8月，中央教育审议会提交了《关于“法科大学院”的设置基准》和《关于研究生院对高度专门职业人的培养》两份咨询报告。随后，日本文部科学省在修改

---

① 李文英．战后日本职业教育的发展与特点[J]．职业技术教育，2005（9）：81．

《学校教育法》《学校规则》以及新制定的《“专门职大学院”设置基准》时，将这两份报告的精神贯穿其中。2002年修改的《学校教育法》第65条关于研究生教育目标的规定中明确指出“培养承担高度专门职业所需的深厚学识及卓越能力”，并追加了条款，规定“培养从事高度专门职业所需之深厚学识及卓越能力者为专业研究生院‘专门职大学院’）”，正式从法律上确认了专业研究生院的地位。

2003年，日本创建了专门培养高级专门职业人才的专业研究生院制度。专业研究生院一般修业年限为两年，学生毕业的必要条件仅为一定期间的在校学习和修满各专业领域的所需学分，不需要提交论文和课题研究成果，但必须进行案例研究、讨论、实地调查等多个实践性教育，并建立相应的专业学位制度。截至2017年5月，专业研究生院的培养范围已经涉及司法、教育、会计、经营管理、公共政策、公共卫生等多学科领域的173个专业，入学人数达8 105人（见表6-1）。

表6-1　2017年5月，日本各领域的专业研究生学位大学数、专业数以及入学人数[①]

专业领域	大学数（所）	专业数（个）	入学人数（人）
经营	30	30	2 613
会计	12	12	60
公共政策	7	7	370
公共卫生	5	5	125
临床心理	6	6	130
法科	43	43	2 566
教职	53	53	1 376
其他	15	17	865
合计	171	173	8 105

① ［日］文部科学省官网公开数据［EB/OL］. http://www. mext. go. jp/a_menu/koutou/senmon-shoku/__icsFiles/afieldfile/2017/07/14/1388009_1. pdf. 该表根据该数据整理编成。

三、社会职业教育

在发展学校职业教育的同时，日本一直重视社会力量创办的职业教育，即对一般社会人的职业技能培训以及企事业员工的再教育和职业发展，包括企业内教育和公共职业训练。在日本职业技术教育中，企业内职工教育也占有重要地位。所谓企业内职业技术教育，是指企业对其职工进行的从录用到退休为止的长期教育训练。其内容除了专门的技术教育、技能训练外，还包括经营教育、提高办事能力的教育以及作为企业职工的品质教育等。日本的公共职业培训，包括基本技能培训、提高训练、能力开发训练、对残疾人的职业训练以及对职业培训指导员的训练等。战后几十年，日本的社会职业训练和教育获得了长足发展。

（一）社会训练制度化

1958年5月，日本制定《职业训练法》，规定战后职业训练制度由公共职业训练制度、企业内职业训练制度、职业训练指导员制度、技能鉴定制度四部分整合为一体，确立统一的战后“日本职业训练体制”。以往的企业内部教育也迎来了新的发展时期，许多企业开始建立自己独立的培训、教育机制，甚至有的企业开办学校，对初中毕业生进行为期两年或三年的企业内部系统教育。例如具有代表性的企业学校有丸善石油学院、松下电器工学院、积水高等工学院，等等。这些都是大企业独立开办经营，并专门聘请专职教师和本企业的技术专家，实施工业高中程度教育的学校。这类学校采取企业内教育与高中教育合作训练的教学形式，学校性质介于职业训练和工业高中之间，一般开设普通工业高中没有开设的学科，如石油化学、电气机械、塑胶产业等学科，就学校划分而言，隶属于“各种学校”范畴。

（二）社会职业教育的变化

日本政府于1969年对1958年的《职业训练法》进行全面修改，提出了“终身训练”的基本理念，倡导由传统的重实际技能训练转向重实际技能和科学头脑相结合的训练。1978年，日本政府再次修改《职业训练法》，主要目的是谋求公共职业训练的弹性化和灵活化，并重视企业主导的职业培训，明确公共职业培训和企业内部职业培训的分工。这一时期，公共职业训练的重点明显转移到成人培训上，职业训练中的培养训练主要由企业内教育来承担，而公共职业训练中的培养训练主要面对中小企业。

由于电子和信息技术革命的兴起，企业培训更加注重对员工能力的开发。1985年日本将《职业训练法》修改并更名为《职业能力开发促进法》，该法强调在倡导终身职业训练的同时积极培养员工的自主意识，更加重视企业内职业训练在终身训练体系中的作用，企业内教育也从传统的重技能熟练型培训转向智能开发、提高企业员工素质的新模式教育。20世纪90年代以后，由于经济竞争和日本企业传统的年功序列制面临危机，就职者在企业外获得社会认可的职业资格证书开始得到重视。

（三）社会公共职业教育

日本社会的公共职业教育亦可称为公共职业培训，它开展的法律基础是日本《职业能力开发促进法》，主要训练对象是在职者、离职者、残障者、高龄者、非正式劳动者等各种求职人员，训练目标是使之掌握职业知识和技能，成为实用技能型人才。厚生劳动省是日本公共职业训练的最高行政管理部门。具体训练业务由雇佣能力开发机构、都道府县政府机关和民间教育团体等多种职业训练机构来完成，这些职业训练机构在日本法律中称之为“职业能力开发校”。

法律规定，日本各都道府县必须设立“职业能力开发校”，各市町村亦可设立。“职业能力开发校”是依据日本政府1993年颁布《职业能力开发促进法》第16条第1款所规定创办的公共职业能力开发机构之一，在那里会有各种长期和短期普通职业训练课程。它不同于《学校教育法》中规定的学校、专修学校、各种学校。

关于公共职业训练校的名称各地叫法不一。从各地方培训学校的名称来看，大致有“专门校”（如“技术专门校”“产业技术专门校”“高等产业技术专门校”等），“中心”（如职业能力开发中心、职业提升中心、竹工艺培训中心等），“技术学校”“职业技术学校”“职业训练校”等。目前，公共职业训练校基本上是在都道府县层面开设，由市町村开办的类似培训校凤毛麟角，据统计，在2009年时，仅有横滨市中央职业技术训练校一所（位于神奈川县横滨市）。

20世纪90年代以后，由于日本经济低迷，企业内职业训练越来越不适应社会对劳动力的需要，人们越来越重视各地政府开办的公共职业开发训练，并积极参与其中。

第二节　现代职业教育体系

在日本，除了幼儿园和小学以外，各级各类学校都设置职业技术教育的课程科目，对学生进行职业技术方面的培养。日本已经形成多层次、多类型的比较完整的职业技术教育网，有学校、企业和社会办的几大类职业技术教育，有职前教育、在职教育、转业教育等，水平高低不同、时间长短不一，灵活多样、互为补充、互相促进。

一、学校体制内的职业教育

日本的现代职业教育体系形成于20世纪60年代，在80年代大致发展成熟。学校教育体系下的职业技术教育主要包括小学、初中的教育和家政科目教育、高中的综合学习科目教育、职业高中以及高等专门学校和短期大学等机构内实施的职业教育。主要可分为中等职业教育和高等职业教育。

（一）中等职业教育

初中阶段职业技术教育只是为学生在校期间开设的一个科目，目标是“培养学生具有某种社会职业人的基础知识和基本技能，良好的劳动态度，以及根据自己的个性来选择将来道路的能力”。体制内的中等职业教育主要在职业高中实施。

高中阶段职业技术教育的目标是培养学生具有一种必须完成社会使命的觉悟，使之能够根据自己的个性决定将来的道路，提高一般教养水平，掌握某种专门技能。20世纪90年代之前，日本的高中主要有普通高中和职业高中，随着经济形势的变化和终身教育的需求，普通高中与职业高中开始走向融合。1994年起，日本正式实施综合学科制度，即设立综合高中，它与之前的普通高中和职业高中并存。普通高中以普通课程为主，以大学升学为目标，职业高中以职业课程为主，1995年被改名为“专业高中”和综合高中。综合高中既开设普通学科又开设有专门学科，学生在准备升学的同时，也可选修职业课程，为就业做打算。

职业高中和综合高中的招收对象都是初中毕业生，学制也均为三年，只是在毕业生的去向方面有所不同，职业高中（专门高中）的学生毕业后选择进入与自己所学专业相关的职业领域。综合高中的学生，一部分进入企业就业，另一部分则选择升学深造。

（二）高等职业教育

日本学校体制内的高等职业教育学校类型包括“高等专门学校”“短期大学”“专门职大学院”。

1. 高等专门学校

五年一贯制的“高等专门学校”在现代日本职业教育中占有很重要的地位。它和短期大学一样属于高等职业教育范畴。高等专门学校主要招收初中毕业生，招收的学生人数每年都几乎占全国高中生人数的20%左右。由于在学校制度上的独特定位，坚持实践型技术者的培养目标以及重视以实践性教学为中心的课程结构等特点，高等专门学校作为与普通短期大学具有同等实力的高等教育机构，其毕业生得到了来自政府部门、产业界和社会各方面的普遍认可。高等专门学校作为职业技术教育体系的一部分，除了接受初中毕业生外，还可以接受普通高中和工业高中的毕业生进入四、五年级学习，由于社会和企业的认可度高，高专毕业生的就业率也相当高，可见其受欢迎程度。

2. 短期大学

日本《学校教育法》第108条第1款规定，短期大学是以“传授和研究高深的专门技艺知识，培养职业上或实际生活中所必要的能力”为培养目标的学校。短期大学学制二年，教育强调实用性，重视培养学生在工作岗位中该具备的实践操作技能，也就是应对和处理各种事务的实际动手能力。由于短期大学中开设的专业能够满足，甚至是迎合了女性的需求，因此长期以来短期大学的生源90%左右来自女性，被认为是“面向女性的大学”，有很多学校的校名也是以“某某女子短期大学”来命名。

短期大学里所设专业主要集中在人文、医疗保健、教育、艺术以及家政等方面。人文科学方面（包括社会福利、产业福利、观光、运输等）、医疗保健方面（包括看护、针灸、卫生技术、放射线技术、医疗秘书、治疗放射线等）、家政方面（包括家政、生活、美食、营养、被服、服装、服饰等）、教育方面（包括幼儿教育、保育、养护教育、儿童教育、初等教育、体育及保健体育等）、艺术方面（包括工艺美术、生活造型、美术设计等）。当然也有理工、农林机械等方面的专业（如电子工学、通信工学、汽车工艺、工业化学、建筑、机械、农学、农业、农业土木、农业机械、农业经济、畜产及园艺等）。不过，就学习者人数而言，学习理工、农林机械的人数相对要少得多。

3. 专门职大学院

随着社会需求的变化，需要培养高层次的专门人才。经过多方咨询和论证，2003年日本出台了专业研究生培养制度，设立专业研究生院（日本称专门职大学院）。专业研究生院设立在国立、公立、私立以及企业大学的研究生院内，目前日本有122所大学设有专业研究生院，涉及177个专业。

专业研究生教育中还产生了“联合专业研究生院”，主要有两种形式：一是大学与大学联合，共同培养专业学位研究生。如2008年成立的“京都联合教职研究生院”，它以京都教育大学为主，其他7所大学共同参与。由成员大学派遣1名教师作为联合教职研究生院的专任教师。和其他专业研究生院一样，教职研究生院专任教师最低11人，其中实践型教师必须占四成以上。二是大学与产业界合作。如东京理科大学、一桥大学与社团法人日本能率协会合作，产业技术大学院大学、神户信息大学院大学与富士通公司、日本电气公司的合作等。当然，与第一种形式相比，大学与产业界的联合显然要松散得多。①

职业高中、高等专门学校、短期大学、专门职大学院属于日本《学校教

① 李昕．专业化、高质量、重实践——日本专业学位研究生教育发展十年[J]．学位与研究生教育，2013（3）：70-73.

育法》第1条规定的学校，属于日本学校体制中的学校；而各类专修学校以及各种学校则属于学校体制之外的教育机构，在法律上并未被认定为学校。职业能力开发大学尽管不在学校体制之内，但却在劳动行政体制之内，是日本《职业能力开发促进法》规定的训练机构。20世纪90年代以后，日本现代职业教育体系发展呈现出体制内学校萎缩而体制外教育机构繁荣的态势。

二、体制外的职业教育

学校体制外的职业教育主要集中在“专修学校”和社会公共职业教育机构进行。此外还存在很多“各种学校”，是实施类似学校教育的各种职业技术培训学校的总称，主要招收高中毕业生，但也招收其他学校在校生和社会人士。

（一）专修学校

现阶段的日本职业技术教育主要集中在各类专修学校中，专修学校是《学校教育法》第1条所规定之外的教育机构，是以培养人的职业或生活所必需的能力以及提高人的教养为目标的专门职业教育机构。

专修学校是1976年开始，设立的新型职业教育机构，大都是私立性质的，是由“各种学校”升格改组而来的，发展迅速。专修学校可分为以下类型：一是设高中课程的“高等专修学校”（属高中水平，可授予毕业生高中毕业资格），二是招收高中毕业生而设专门课程的“专门学校”（属于高等教育，在专修学校中占主要地位，可授予短期大学毕业生同等的资格），三是设一般课程的“一般专修学校”（自由入学，是终身教育的典型场所）。还有一种是通信制专修学校，和中国的函授学校类似。不过，就学校教育整体而言，中等以上阶段的学校是日本职业技术教育的主要承担者。

专修学校数量较多，其命名也有多种，主要有“专修学校”“高等专修学校”“专门学校”[①]“大学校”等几类。根据日本文部科学省2017年

① 设有专业职业课程（日本称专门课程）的专修学校。

8月公布的学校调查的结果[①]显示：2017年日本共有专修学校3 173所（其中国立9所，公立188所，私立2 976所），比上年减少10所；在校学生655 790人（男生290 325人，女生365 465人），比上年减少859人。

专修学校中的高等专修学校、专门学校、学分制学校和函授专修学校，这四种类型学校数分别是418所（占13.2%）、2 823所（占89%）、901所（占28.4%）、27所（占0.85%）。这四类课程或学科设置中有交叉、重叠的情况，但从所占比例来看专门学校最多。选择专门课程的学生人数也最多，达588 719人。其中专攻医疗相关课程的学生人数位居第一。

专修学校的教职员数截至2017年8月共有156 130人，其中专职教员41 370人（高等课程2 661人、专门课程37 666人、一般课程1 043人），兼职人员114 760人，比上年度增加376人。

从上面的数字可以看出“专门学校”的地位，它已成为日本职业教育的主要阵地。专门学校作为职业教育机构，是衔接着中等和高等阶段的教育。专门学校的学制为一年至四年，一年制主要是针对各种职业资格证的培训课程。开设的专门课程包括农业、工业、商业、水产、医疗、家庭、看护、信息情报、福祉等，专门学校在为日本的各产业、特别是医疗和福祉方面的人才培养上发挥了重要作用。

由于日本经济及社会形势、社会需求的变化，现在的“专修学校”在性质和办学模式上也与以往有很大不同。专修学校虽然不是日本《学校教育法》所规定的教育机构，但是现在与体制内的学校有了很多共性，也有了很好的衔接。专门学校二年制、三年制课程的学员所修的学分能被认可，毕业后符合一定条件者亦可获得与高等专门学校学生同样的“专门士”资格，四年制课程毕业后，符合一定条件的授予“高级专门士”称号，可升入专门职大学院进一步深造，修读专业硕士研究生课程，获取专业硕士学位。

---

① 文部科学省. 学校调查概要[EB/OL].http://www. mext. go. jp/component/b_menu/other/__icsFiles/afieldfile/2017/08/03/1388639_2. pdf. 本章节中学校、学生的相关数据除特别注明外均出自此《学校调查概要》。

（二）社会职业教育体系

日本的社会职业教育分为“企业内职业培训”和“社会公共职业教育”。在20世纪后半期，由于日本经济快速发展，企业实行终生雇佣和年功序列制度，被雇佣者一旦进入企业，将会终生为该企业服务，因此企业有责任和义务对员工进行终身职业教育与技能培训。20世纪90年代之前，劳动者职业教育基本上是以企业内部培训的形式呈现。但是泡沫经济破灭之后，日本经济陷入低迷，社会形势发生变化，以往的雇用形式发生变化，终生雇用被打破，雇用非正式劳动者、兼职人员等，流动性的雇用形式成为主流。许多企业特别是中小企业难以继续承担企业内部的职业教育与培训，原来的企业内培训逐步外移，成为由政府主导的社会公共职业教育的任务之一，社会公共职业教育得到长足发展，呈现出多元格局。社会公共职业教育由日本厚生劳动省筹划和管理，在其指导下，设立了各级各类职业能力开发机构，有直辖的“职业能力开发中心”“职业能力开发短期大学”“职业能力开发大学”“职业能力开发综合大学”；有地方各都道府县设立的“职业能力开发校”，由这些机构来实施公共职业教育。另外还有一部分培训业务委托给了专修学校具体实施。

目前日本的职业教育大有体制内教育萎缩，体制外教育蓬勃发展之势，也就是学校体制内的职业高中、短期大学等学校的招生、毕业生就业等都出现了不同程度的危机，而各类专修学校和社会公共职业教育机构的职业培训等业务越来越多。

普通学生在学业学习过程中可以有如下选择：学生在义务教育阶段后可以选择接受普通高中教育和职业教育两条进路。一是接受普通高中教育，选择普通大学继续深造或选择高等专科学校、短期大学、专修学校、各种学校进行相关职业技能学习。二是接受职业教育，职业高中的学习者一般没法选择普通大学学习，其他选择与普通高中学生相同。日本中学生的可选进路可用图6-1表示。

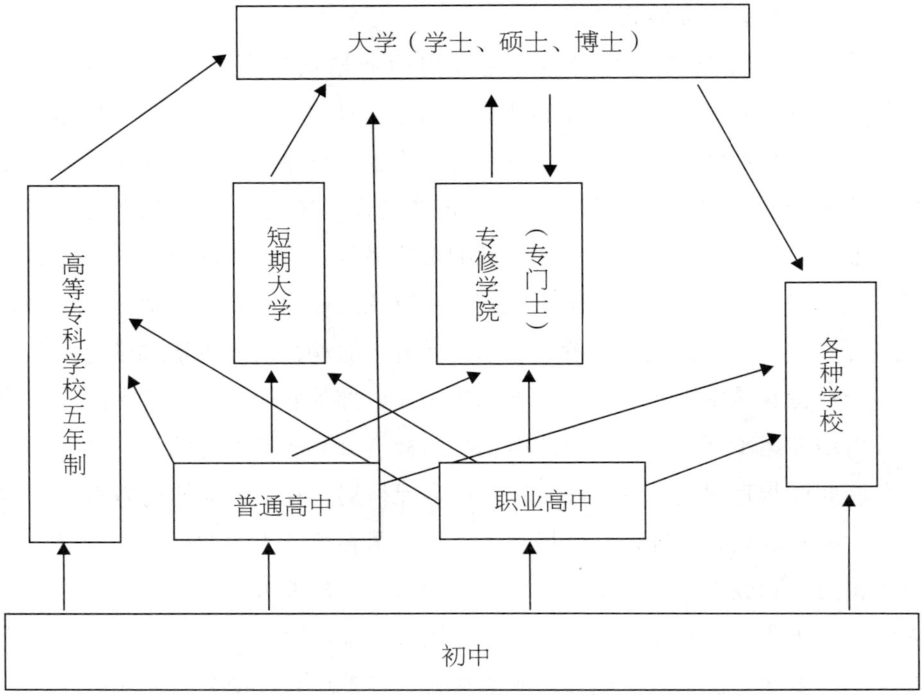

图 6-1　日本初中毕业生的可选进路图

第三节　职业教育治理

日本对职业教育的治理是通过国家、学校和社会的有机结合来实现的。自20世纪70年代开始，在日本职业教育领域，由国家制定相关法律和政策，及相关标准，地方政府、学校法人、企业、财团法人、行业协会以及个人都可以参与创办职业学校和培训机构。

一、国家治理

对于职业教育，日本不仅在不断制定和完善各种法律法规，还在经济、智库等多方面支持，促进其健康有序发展。

（一）不断修订和完善职业教育相关法律和政策

在国家层面，主要是针对职业教育出台并不断修订和完善相关法律和政策。日本早在1893年制定了《实业教育国库补助法》。二战后，日本政府对各类学校的设置作出了规定，涉及职业教育的主要有《短期大学设置标准》《高等专门学校设置标准》和《专修学校设置标准》。其中《高等专门学校设置标准》是1961年发布的，1976年修订的文部省法令规定这类学校招收初中毕业生，规定的学科种类仅为工业学科和商船学科。工业学科的专业有机械工学科、电气工学科、工业化学科、土木工学科、建筑学科、金属工业学科、电波通信学科及其他有关的工业学科。其中，有关工业学科的学习年限为5年，有关商船学科的学习年限为5年6个月。《专修学校设置标准》是1976年发布的文部省令，它规定了专修学校的修学年限、每年修学时数、在校人数和课程类型等。

在关于职业教育师资方面也有较明确的法律规定。早在1949年，日本文部省就根据各方意见拟定了《教育职员许可法》和《教育职员许可法实施规则》，规定只有取得教师资格证书的人才可从事教育行业。教师资格证书的获取又具有一定的开放性，只要符合标准的人都可获得专业许可证。不过教师资格证的审查相当严格，从而保证了合格的师资。在1976年颁布的《专修学校设置条件基准》中对职业教师也有相应规定。

在社会公共职业教育方面，早在1958年5月，日本制定《职业训练法》，规定战后职业训练制度由公共职业训练制度、企业内职业训练制度、职业训练指导员制度、技能鉴定制度四部分整合为一体，确立统一的战后“日本职业训练体制”。日本政府于1969年对1958年的《职业训练法》进行全面修改，提出“终身训练”的基本理念。1978年，日本政府再次修改《职业训练法》，主要目的在于谋求公共职业训练的弹性化和灵活化，并重视企业主导的职业培训，明确公共职业培训和企业内部职业培训的分工。1985年出台的《职业能力开发促进法》指出：“开发并提高劳动者职业上必要的能力，是缓解就业形势和提高劳动者地位的重要手段，同时又是社会经济发展的基础……”《职业能力开发促进法》规定，上至国家和各都道府县，下到民间教育团体必须建立公共职业训练的实施机构，来对社会各类人员进行职业能力训练。并在1987、1992、1997、1999、2001、2006年分别修订了《职业能力开发促进法》。

目前，在社会公共职业教育治理方面主要实施的是2011年公布执行的职业能力开发的“九五计划”，即“第九次职业能力开发基本计划”，职业能力开发基本计划最早提出于1971年，迄今已提出了九次。日本政府希望能通过“九五计划”的实施，实现以下目标：一是推进成长可预见领域，即朝阳产业的发展，如制造领域内的人才育成，确保雇用、看护、福利、医疗、育儿、信息通信、观光、环境等领域的人才需求，提升公共职业训练的整体水平，促进职业教育的发展和繁荣。二是强化对非正式雇用劳动者的能力开发，维持日本经济社会的持续发展，提高包含非正规劳动者在内的所有劳动者的个人职业能力。在严峻的就业、失业形势下，基于支援求职者的宗旨，强化对无雇用保险的求职者的训练，促使其掌握新的谋职能力及技术。三是完善职教训练及相关职业能力评价系统。以新兴领域为中心，对能胜任培养职业能力人才的训练机构进行整备。同时，努力开发、提高年轻人及非正式劳动者等的职业能力、劳动技能及社会评价，帮助其顺利就业或转换工作，在企业内部建立完善的能力评价体系，给予劳动者职业生涯形成及提高技能的奖励等。四是职教任务由国家、地方公共团体、民间教育训练机关等多主体分担。国家制定关于全体职业能力开发的目标，地方及民间教育训练机构则需要强化训练教育课程及职业能力评价系统职能管理，并针对职业能力开发进行综合机能调整，改善非正规劳动者的受教育条件，提高整体素质，提高就业率。五是强化新兴领域内人才培养及完善雇用保障系统。加大国家及地方公共团体的财政支出，实施更有效的职业能力开发对策，完善公共职业训练体系的质量保障，争取培养出更多有较高职业道德修养、宽广厚实的业务知识、精湛的就业基本技能的人才。①

2008年12月，日本文部科学大臣向中央教育审议会提出“今后学校的

① 第九次職業能力基本計画（案）[EB/OL]. http://www. mhlw. go. jp/stf/houdo u/2r 98520000016b8v-img/2r9 8520000016Uac. 2011. pdf，4-5.

职业生涯教育、职业教育应有状态”咨询。中央教育审议会设置职业生涯教育职业教育直属部，经过30次审议，在广泛听取社会各界意见的基础上，于2011年1月31日提交题为“关于今后学校中职业生涯教育·职业教育的应有状态”咨询报告。咨询报告提出了从幼儿期教育到高等教育的职业教育体系，提出要切实培养基础性、泛用性能力，同时重视与社会、职业的联系，充实实践性、体验性活动。重视“职业生涯教育”，培养学生的基础性知识、技能，使之具备运用这些知识技能的能力，同时怀抱对工作的积极愿望与态度，使学生具有在自己的专业领域发展，又具有将自己专业能力运用于相邻或相关领域发展的能力。

咨询报告要求专门高中展开与地区企业紧密合作的学科建设及课程编制，聘用具有实践经验的教师，为学生的职业发展打好基础。要求高等专门学校与地区产业界合作，展开先导性职业教育，设置“专攻科”，以此提高自身的教育水准，推进与大学研究生教育的衔接。要求专门学校进一步回应社会对多样化职业教育的期待，通过与企业等机构合作开发设计课程，提高教师专业水平，共同开展教育评估。要求大学、短期大学明确自身重点功能、人才培养规格及能力，充实职业教育，进一步推进实习、课题学习等实践型教育。总之，要求现有职业教育机构向“高度化”和“实践型”转型。

为强化高等职业教育，培养高水平、实践型专门人才。2015年3月，日本文部科学省下属的专家会议提出了“关于实施实践型职业教育新高等教育机构的应有状态——审议总结”的报告书；2016年5月，中央教育审议会发布“关于能够迅速回应社会经济变化所需人才、培养高水平专门职业人才的新型高等教育机构制度化改革”审议报告；2017年3月，新型高等职业教育机构的制度化改革方案在日本国会上获得一致通过，从2019年4月1日起，被命名为“专业大学”和“专业短期大学”的新机构将正式开学。①

在职业教育经费方面的法规。日本的职业教育机构分为国立、公立、私立三种，国家规定这三种学校各有不同的经费来源。1964年，日本议会通过了《国立学校专项会计法》，把全部国立学校经费从国家一般会计中分离

① 李冬梅．日本高等教育如何应对“2018年危机”［N］．中国教育报，2017-05-26（5）．

出来，设独立的专项会计，进而明确了国家负担国立高等院校经费的具体事项。公立学校是由地方开办的学校，办学经费由地方政府负担，其中公立职业学校的办学经费也理应由地方政府负担。相对而言，私立学校的经费来源较广泛，包括学费收入、政府补助、社会捐款和学校事业收入等。对于私立学校的财政，日本在2004年和2014年又对《私立学校法》进行了修改，其中对财政、财务又有新的规定，赋予了教育行政主管部门对学校法人业务、财产状况等进行检查的权利，以便更有效地对私立学校进行监管。

（二）经济上的援助

二战后为了缩小私立学校与国立和公立学校在教育条件上的差距，日本政府制定了新的《私立学校法》、《关于给予私学振兴财团法》（《日本私立学校振兴共济事业团法》）、《私立学校振兴助成法》。其中，1975年颁布的《私立学校振兴助成法》专门规定，政府对各类私立职业教育学校有一定的经济援助。

日本的职业教育机构绝大部分都是私立学校，根据日本《私立学校法》而设立，为提高私立学校的教学研究等办学条件，日本政府在减轻学生经济负担以及促进学校体制健全、健康发展上作出了不懈努力，主要措施有：为私立学校提供日常补助金等经费补助，在贷款方面给予优待政策以及对学校或机构的税收方面也实行特别条例等。

二、职业教育学校内部治理

在国家法律法规以及各项方针政策的指导下，日本各类职业学校也实施了相应治理。其既有共同之处，也有各自独到之处。

（一）促进学生转变思想认识，树立正确的劳动观和职业观

日本职业教育十分重视培养学生的职业意识和职业观，各阶段、各教育机构对此的认识和做法是一致的。由于社会就业环境和雇佣形式发生巨大变化，日本社会上年轻的无业者、自由劳动者不断增多，针对此情况，2003年日本文部科学省提出了《青年人自立、挑战计划》，将推进职业生涯教育作为该计划实施的重要支柱，并且该计划指出将“职场体验”作为职业生涯教育的中心。短期大学中也进行着具体的努力和探索，将曾经的“就职部”改

名为“职业生涯教育中心”，为学生提供更为完善的职业生涯援助。总之，解决这一时期年轻人的雇佣问题已成国家的重要课题。在2004年公布的《关于推进职业生教育的综合调查研究协作会议报告书》中对职业生涯教育进行了定义，是指“支援每个学生的生涯发展，培养为形成符合每个学生生涯所必要的意识、态度以及能力”的教育。在各职业教育学校的职业生涯教育中，学校不仅要培养学生掌握与专业相关的知识和技能，更要培养学生具备在符合自身个性基础之上选择未来职业的能力。

例如，短期大学的毕业生向来是以就业为目的的，但是当今日本的短期大学毕业生的劳动观、职业观发生了很大的变化。在对日本全国高等教育机关（大学、短期大学）进行的调查中，关于“职业生涯教育目标”的选项中，“培养学生的劳动观、职业观”这一选项的比率最高。学生们表现出就业意识淡薄，对将来的就职感到迷茫、不安等问题。因此，各职业高中、高等专门学校及短期大学等把培养学生正确的劳动观、职业观当作是职业生涯教育的首要任务，也为之实施了相应的策略。

各职业教育学校和机构里都配备专业指导老师。对职业生涯教育指导教师的遴选也非常重视指导人员的学历背景，如拥有辅导学、心理学、咨询学等相关学科的受教育背景。另外，短期大学聘请企业中技能精湛、经验丰富的专业技术员来指导学生的实践教学。指导教师的数量会根据学生的数量进行配备，指导人员还需具备对就业市场的分析能力，较强的协调能力和应变能力，能够对学生进行耐心、全面、个别的指导。由于短期大学的规模一般都较小，对于学生的个别指导比较有利，指导能切实到位。

（二）国立高等专门学校治理法人化

高等专门学校基本上都是国立的（现有的57所高等专门学校，其中国立51所），长期以来，作为国家行政组织体系的一员，其经费来源主要来自国库支出，由文部科学省划拨，其办学主体和集中管理都是文部科学省。以前，国立高专的校长由文部大臣任命，学校教员的数量、职员的编制、招生的人数、所学的专业科目等也全部由文部科学省决定。学校对学生编成小班管理、全部实行寄宿制。对教师也是统一管理。但是经过五十余年的发展，特别是21世纪初实现独立行政法人化后，日本的高等专门学校制度和治理已经发生了很大变化。

2004年，日本政府对国立大学的独立行政法人化改革的同时，对高等专门学校也进行了独立法人化改革。国家确立了独立行政法人的名称，即独立行政法人·国立高等专门学校机构（以下简称为“国立高专机构”），机构总部设在东京。全国51个国立高专的名称前都会加上“独立行政法人国立高等专门学校机构”字样，如“独立行政法人国立高等专门学校机构·东京工业高等专门学校”。名称改变后，学校管理和运营模式也发生了相应变化。学校经费仍由国家文部科学省划拨，国立高专机构作为管理法人，成为国立高专的办学主体，负责设置和运营全国的国立高专学校，实行学术与事务的一体化管理。

国立高专机构的法人仍由文部科学省任免，但关系由原本的下属机构转化为权利与义务的关系。法人化后的高专机构自主权变大，放弃了国家干预市场、控制市场的做法，按照市场来调整运营方针。依据《独立行政法人国立高等专门学校机构法》的规定，在国立高等专门学校设理事长和监事各一名，理事六人。理事要由理事长来聘请，辅佐理事长掌管机构的各项活动。另外，设有“理事会监事”一职，其录用和解聘由文部科学大臣决定，选取“对教育研究和运营管理具有真知灼见的人”，负责监察国立高专的业务，在有需要的情况下向文部大臣汇报或者向理事会提出建议。[①]这样一来，日本的高专就成为国立高专机构指导下的学校理事长负责制，通过理事会来运营学校事务。包括招生、学科设置与建设、教学运营、教学内容、学生管理以及促进学生升学和就业等，还要通过自我检查、评价以及文部科学省认可的第三方评价机构的评价。

国立高专法人化之后，出现了以下变化：一是学科门类增多。除了传统的机械、船舶等工学学科外；新增设了电气、电子、信息、化学、生物、建筑等学科。二是完善其办学模式，实现了高专与更高层次大学的有效衔接。自20世纪末期开始，部分高等专门学校设立了“专攻科”，学生在五年学习

① 姜蓉．日本国立高等专门学校“独立行政法人化”改革[J]．潍坊工程职业学院学报，2017（4）：26-29.

结束后再进行两年相当于本科层次“专攻科”学习，符合条件者申请获得学士学位（高专毕业生可获准学士学位）。“专攻科”既注重“中坚技术者”的培养，更着重传授“具有精深程度”的专业知识和培养学生“具有实践性和创造性”能力。“专攻科”毕业生既可直接就业，也可升入专门职大学院或其他大学的大学院深造，进一步攻读硕士研究生学位。如长冈工业高等专门学校专攻科，2016年毕业生就有多人升入了东京工业大学大学院、东北大学大学院、新潟大学大学院、电气通信大学大学院等院校。①

（三）短期大学内部治理

日本的短期大学基本上都是私立的（2017年全国共有短期大学337所，其中国立0所，公立17所，私立320所，私立学校所占比例为95%②），学校的设立根据《私立学校法》的设立基准，经审核通过而成立。学校实行决策层与执行层分离，理事、监事与评议员之间相互制约的治理机制。

理事会是短期大学的决策组织。根据日本《私立学校法》的相关规定，短期大学也遵从日本学校法人制度，学校设理事会，由5人以上组成，议长为理事长，成为学校法人代表。理事会是学校法人业务相关事项的最终决定机关，决定学校的发展方向和大政方针。

学校内部实行的是教授会自治。短期大学的校长（日语中称为学长）由民主选举产生，由理事长任命，负责学校内部教育的相关事宜。学校成立教授会，校长任议长。教授会下又设各种委员会，委员长由校长任命，各学科的负责人也由校长任命。教学内容的设置主要由各学科来完成。

短期大学里没有类似中国大学的院系，直接由各学科构成，教学内容、教学管理都由各学科来完成。短期大学的主要学科有：人文、社会、教养、工业、农业、保健、家政、教育、艺术以及其他学科。1982年，日本对短期大学的成立标准进行修改，短期大学和一般大学之间确立了学分相互承认的制度，短期大学的毕业生，符合条件者可以到一般大学学习三

---

① 長岡工業高等専門学校学生便覧2015[EB/OL].[2016-12-15]. http://www. nagaoka-ct. ac. jp/zaikou/713. htm.

② 文部科学省. 学校调查概要[EB/OL]. http://www. mext. go. jp/component/b_menu/other/__ics-Files/afieldfile/2017/08/03/1388639_2. pdf.

年级以上的课程。

强化职业生涯教育。主要体现在：一是对学生的求职、就职活动进行相关援助，具体包括制作简历、模拟面试、企业介绍会、礼仪教育、职业介绍、就职商谈等。二是在支援的基础上，积极开办各种职业从业资格证的相关讲座，以帮助学生取得相关资格证书。三是导入就业体验制度，对参加志愿者活动的学生进行奖励，以提高学生的就业意愿。很多学校已将各种各样的实习、职场体验与学分联系起来。四是开设生涯教育专门课程。为增强学生对职业的认识和促进就业，开设职业教育专门课程的学校越来越多。五是为毕业学生提供后援。有些毕业就职后因对职业的不适应而离职的学生，也有无法决定就业去向的毕业生，学校进一步为这类群体提供咨询、建议与服务，在学生毕业后仍然向其提供就职援助的学校逐渐在增加。

（四）严格监管专业硕士研究生教育（专门职大学院）

日本专门职大学院通常设在一般大学的研究生院内，学校、企业以及评议机构对其实施严格监管。从教育目标、师资条件到教学方法以及学生的毕业条件都有严格的要求和监管。

专门职大学院的教育要求，在专任教师方面，专业学位研究生教育强调必须单独设置专任教师岗位，通常一个专业要求有11名以上专任教师。但与既往的研究生教育不同的是，它要求专任教师中有一定比例的有特定职业经验的工作者。如正在计划中的“教职大学院”要求有实践经验的教师需占专任教师的40%以上。①

在教学实践方面，专业硕士研究生教育强调与职业密切度高的实践性教学，要求重视典型个案研究、实地调查、多方讨论、多媒体教学、远程学习等灵活多样的教学方式和学习方法。学生达到毕业的基准因学科不同而有所差异，专业学位毕业的修业学分要求最低30学分，法科大学院要求最低93学分，教职大学院要求45学分以上。

（五）深化专修学校治理

专修学校虽在日本《学校教育法》第1条规定的学校之外，但又根据该

① 高益民．日本专业学位研究生教育的初步发展[J]. 比较教育研究，2007（5）：35.

法，是在满足一定基准之上而设立的教育机构。该机构修业年限为1年以上。日本现有专修学校3 173所，其中国立仅有9所，公立188所，其余的2 976所都是私立的，私立学校占94%。国立和公立专修学校的办学经费由国家和地方政府财政支出，其学校经营治理也由国家和地方行政主导。现在国立和公立学校仍呈现出逐步减少之势。私立专修学校依照《私立学校法》各项规定和基准而设置，学校设有理事会、监理和评议会等。专修学校以"专门学校"为主，根据日本文部科学省2017年8月的学校情况调查显示，设专门课程的学校有2 823所，占专修学校总数的89%。目前，专修学校已成为了日本职业教育最主要的基地。

专修学校治理根据市场需要进行。随着日本经济形势和市场用人需求的变化，各专修学校及时调整其办学形式、学科结构以及教学内容和教学方式等。

1. 不断充实办学形式、完善教学形式和内容

目前，日本专修学校除了全日制教育外，还推出通信制（函授制）教育、学分制教育等。学习者通过函授、面授、网络等多种教学形式，可以自由地选择学习时间和地点，摆脱了以往全日制时间上的束缚。学分制教学则是学习者通过选修一些短期职业教育课程获得相应学分，当累计的学分达到规定标准时，即能获得认定，从而可获得专修学校所颁发的相应培训结业证书。学分制教育的实施解决了以往学习者在专修学校接受短期、零散课程培训无法获得证明和社会认可的问题，这一举措不仅提高了求职者、就职者的学习热情，同时在某种程度上也满足了无法接受企业内教育的中小企业的员工提高自身职业素质的需求。

2. 根据市场来调整学科的设置和招生人数

专修学校的学科专业设置根据产业结构、雇佣结构变化而变化。专修学校现有工业类、农业类、医疗类、卫生类（包括烹饪、糕点制作以及美容美发技术等）、教育社会福祉类、商业实务类（包括会计、秘书、旅游等）、服饰家政类以及文化教养类。现在医疗类学科招生学员人数最多，占总数的

31.8%，农业类学科的学员人数最少，仅占0.8%。[①]

3. 加强专修学校与其他职业教育机构，特别是与社会公共职业教育的合作

近年来，经济不景气，产业、就业结构变化速度快，能够承担企业内部教育的企业，特别是中小企业越来越少，以往终身雇佣制下的企业内培训逐渐向外转移。为了帮助劳动者更好地就业，日本政府开始以失业人员、自由职业者等为对象，大力推行以政府为主导的公共职业培训活动。由于社会公共资源有限，于是政府将一部分培训委托给各专修学校来完成，使二者能有效地开展合作。很多专修学校受政府委托，开始越来越多地承担此类培训活动，面向企业的在职员工和离职人员，根据其需求开设了相应的短期培训课程。在政府的引导下，实现了该类教育的制度化、规范化。学习者通过学习积累学分，并能获得相应的学位和学习证明。进一步提高了日本社会人参与学习的积极性，提高了劳动者的技能和素质。

4. 专门学校的升级

近年来日本的专门学校发生了一些变化，许多专门学校进行整合、合并升级成为短期大学，成为真正意义的高等职业教育。有很多专门学校或有些大学的附属专门学校进行了改组变成短期大学。如丰田学园医疗福祉专门学校在2007年改组成岐阜保健短期大学，仙台青叶学院短期大学也在2013年由同一法人代表旗下的“仙台医疗技术专门学校”“仙台医疗福祉专门学校”等整合改组而成。专门学校的整合与升级促进专门人才的养成。由于人口老龄化，医疗领域专门人才相对短缺，专门学校中“福祉”相关专业的设立，为此类人才培养提供了良好的教育资源。卫生、福祉学科的设置，学生人数比例的上升，适应了医疗、福祉产业的发展趋势、雇佣趋势。

（六）加大社会公共职业教育治理

1. 加大对社会公共职业教育的投入

长期以来，由于日本企业实行终身雇佣制，企业员工的培训一直由企业

---

① 文部科学省. 学校调查概要[EB/OL]. http://www. mext. go. jp/component/b_menu/other/__ics-Files/afieldfile/2017/08/03/1388639_2. pdf.

自己承担。但是近年来由于日本经济停滞不前，企业，特别是中小企业受到很大冲击，加上人事制度的变化、非正式劳动者的增加等因素，致使中小企业的内部员工的教育和培训难以为继。因此这一部分职业教育也转移到社会公共职业教育当中。因此，政府对社会公共职业教育的投入越来越大。

日本的社会公共教育的最高行政责任机关是厚生劳动省，负责对全国的公共职业教育进行调查、研究，制定方针政策、规划蓝图并进行有效的监督管理。另外，日本政府又成立专门的劳动政策审议会，对厚生劳动省提出的政策、实施计划等进行审议，只有经过劳动政策审议会通过的政策、方案等才能下发全国实施。基于此，《第九次职业能力开发基本计划》在全国范围内广泛实施了社会公共职业教育。国家和地方政府投入较大，不仅提供培训场地和设施、还直接承办了各种培训。公共职业能力培训分为以下两种：一是离职者培训，即以离职者为对象，通过实施知识和技能培训让他们获得再就业的能力，培训时间一般为3个月到12个月。二是在职者培训，以在岗的从业人员为对象，通过培训使他们在知识和技能上得到提高，以便更好地满足工作需要，发挥更大作用。

2. 加强对企业的支援

为促进企业等民间机构、组织等积极参与职业教育，日本政府为企业制定了一系列信贷优惠政策、评价企业参与职业教育的程度，根据企业投资教育的资金额度，优先给予政府贴息的贷款支持等。

三、学校、企业联合共同治校

日本的职业教育体系相对较完整，办学主体有国立、公立和私立之分，办学模式也呈现出学校职业教育、企业职业教育以及社会公共职业训练等多元化模式。不管哪种办学形式，日本的职业教育都重视教育与企业界的携手合作。职业教育治理也形成政府、学校、企业共同携手参与治理的模式。

企业不仅参与具体教学事务，更参与教育治理。企业参与不仅可以让职校更直接地了解企业及社会需求的变化，进而有效地调整学科设置和教学内容，改进教学。企业为学校学习者提高专业技能实训和实践机会，可以直接有效地提高学习者的实际动手能力，也可以减少学校资源浪费，缩短毕业生进入企业后的适应期，使毕业生能快速创造社会价值。

政府积极推进校企联合，根据社会发展需要对相关法律和政策作出了适时调整。在1951年出台的《产业振兴法》里就明确规定社会公共团体和产业界应共同推进职业教育；1958年颁布的《职业训练法》也规定了企业应承担的责任，要求企业对其员工进行职业训练；1985年对《职业训练法》进行修改，并改名为《职业能力开发促进法》，该法第9条规定企业对员工培训所承担的责任和组织训练等，并且提出了富有弹性的职业能力开发理念。

为推进产学研的进一步融合，日本政府积极促进专修学校与各行业建立合作机制，合作开发相关课程等。如2012年，日本政府专门组织实施了“成长型产业核心专门人才培养战略项目”“日本大地震复兴专门人才培养项目”等，通过产学研合作的方式，以专修学校为主，校企联合开发课程，为成长型产业和大地震复兴培养需求的人才，在满足产业和地方需求的同时促进劳动者提高技能，实现就业，同时也推进了职业教育的发展。

产学研相结合体现在企业的两个方面。一方面，企业界对职业教育不仅提供资金支持，还为学习者提供实习场地，同时经常聘请职业教育教师作为技术顾问，对企业的生产和革新进行理论指导。有时还聘请教师到企业中为员工进行专业教育，甚至有的行业内或企业还创办专门职业学校从事行业或企业生产相关的教育。另一方面，职业学校则根据企业发展的要求，有针对性地为企业培养对口人才，配备教师进行巡回指导，并接受企业界的科研委托项目，在科学研究和技术方面为企业提供智力支持。

四、职教师资队伍培养

日本对职教师资队伍的建设和治理比较严格，在资质方面对中职教育和高职教育的教师要求也不相同。中职方面要求教师应具有高中教谕一级证书或二级证书；一级证书要求教师必须具有硕士学位或在大学研究生院学习一年以上的学习经历；二级稍低，要求教师拥有学士学位，这两个级别都要求教师在大学学习期间修满了64个以上教育学科的学分。高职教师都是硕士以上学历，并且具有一定实践经验。

日本职业能力开发大学是专门培养职业技术教育师资的机构。它是日本劳动省直属的职业训练学校，在培养职教师资方面起了主要作用。该校在职前教育方面设置了三种类型的学习课程，即四年制长期课程，二年制研究课程和半年至一年的专门课程。

四年制课程以高中毕业生为对象，相当于普通大学水平，学生毕业时授予学士学位，而且能获得相关专业的指导员资格证书，还可以升入大学研究生院。二年制研究生课程相当于专业硕士学位课程，主要是培养具有出色研究开发能力的职业训练指导员。半年至一年的专门课程，主要是面向具有专业技能和经验的在职技术人员开设的，其目的是提高其理论水平，使他们通过学习教学法等，获得教学工作能力。

日本对在职教员的进修提高也很重视。职业技术教育教师的在职进修主要包括新任教师的进修和确保全体教师在一定期间内参与的进修。新任教师的进修包括校内进修和校外进修两个方面。校内进修一般都由具有丰富教学经验的教师作专门指导，具体的方式是观摩指导教师或其他教师的教学活动及自己开课。目的是培养教师实际教学能力和对学生的组织管理能力。校外进修主要在校外的地区教育中心接受有关教育技术的一般指导。同时，文部科学省也定期举办新任教师职业教育实际技能讲习班，对新任教师进行实际技能训练。

五、职业教育的质量管理

日本对职业教育的质量监控可以说是从源头做起，从学校的创办到教育实施过程、教育现状、教育成果的测评都有全面的监管。职业教育机构内部的努力和外部评价机构的测评确保了日本职业教育质量。

1. 前期“设置认可”

《日本教育法》对于各类学校设立的条件和标准有明确的规定，达不到“设置认可”标准的学校不允许成立。教育法对学校的创办认可主要是从外部条件上规定的，比如校舍、教学设施、设备以及师资等，这些是保证教育实施的必要条件。不过，仅仅是硬件条件的达标还无法真正保障职业教育的质量，对于教育质量的确保还需其他方面的监控。

2. 构建内部质量保障体系

日本职业教育从一开始就非常重视学校内部质量保障体系的构建，为了完善教育质量保证评价体系，日本通过宏观制度建设引导学校建立内部评价体系。1986年，中央临时教育审议会提出大学（包括短期大学、高等专门学校）要进行自我检查与自我评价的要求。1991年，日本将这一要求纳入法律条款中。允许短期大学等学校可以根据自己的教育理念、办学目的进行内部质量保证体系建设。

内部质量保证体系目标是保障各学科教学的高效运行。主要包括以下四个要素：教育目标、教学计划的实施、教育成果的目标达成度评价、评价结果的改善。内部品质保证系统通过循环地、持续地实施监控，以便有效地保证这四个要素处于良性循环的运行状态。

关于内部质量保证体系，2013年，日本大学评价与学位授予机构研究发布的《教育内部质量体系构建的准则》，给出大致的指导框架。为进一步保证质量，提高监管的可控性和可操作性，2016年3月31日，中央教育审议会大学分科会大学教育部会发布了《毕业认定学位授予方针、教育课程编制实施方针和入学者申请入学方针的制定及其运用的方针》（以下简称《方针》），该《方针》指出招生、课程以及毕业时质量保证的三个核心问题，并对三个问题的要求、相互关系、制定相关参数时的注意事项等都给出指导性建议。各学校在《方针》的指导下，根据自身的特点制定出相应的培养方案和质量监测体系。对招生人数、学生资质、学习课程、学习成果、毕业条件等都有明确、详细的规定，对每个观测点也都有清晰的指标要求。

3. 外部评价

1998年，大学审议会的《关于21世纪的大学愿景与今后的改革方案——在竞争环境中彰显个性的大学》咨询报告，提出引入第三方评价制度。1999年，设立日本技术人员教育认定机构，开始实施对工学教育课程的认定制度。2000年，改组学位授予机构，成立大学评价与学位授予机构。2002年，中央教育审议会的报告《关于构建与大学质量体系相关的新体系》明确提出，引入认证评价制度。2003年，大学评价与学位授予机构作为独立行政法人从政府部门独立出来，作为第三方评价机构对短期大学、高等专门学校等进行认证评价。除此之外，还有日本技术人员教育认定机构、“短期大学基准协会”“大学基准协会”等第三方评价机构对上述教育机构进行认证评价。这些独立于政府的认证评价机构的评价标准、方法和体制等，经过政府的合法性认可之后就能获得专业性评价资质。2004年，日本引入认证评价制度，进行第一个周期教育质量外部评价。至此，初步建立了由第三方进行的、专业的、具有高度信赖性和透明性的外部质量保证体系。[①]外部评价机构的评价会涉及学校各方面运营情况，对教育事务上注重评估其教学情况，测评计划、实施、评估、处理的四个环节是不是良性循环运营等。日本第三方评价的综合性检查评价以7年为一个周期，高等职业教育机构每年都要收集上述数据监控教育情况，为减少教师的负担，外部质量管理要求学校具有自我收集和分析各种评价活动数据的功能，如学校评价信息系统、信息数据库等。

在内部质量保证体系的运行和外部第三方评价机构的评价的共同推进下，日本职业教育机构也最大限度地发挥其主观能动性。日本职业教育机构在积极谋求自身发展的同时，也确保了日本的高职教育质量能维持在一定水平之上。

第四节　职业教育治理面临的主要问题

虽然近些年来日本职业教育取得了比较显著的发展，但是由于各种原因，日本社会依然存在着对职业教育毕业生的认可度不高，职业教育学科门类无法满足学习者需求等不足之处。

一、社会对职业教育的认可度不高

虽然近些年来日本职业教育取得了比较显著的发展，但因受传统的学历主义思想等因素的影响，日本社会一直存在着重普通教育，轻职业教育的倾

① 韩玉．日本高职教育内部质量保证体系建设及其启示[J]．中国职业教育，2017（27）：22-27．

向。很多学生和家长在选择报考学校时，也会忽视学生自身的特点和兴趣，而倾向于选择普通教育。另外，由于设置标准较低、师资力量有限等原因，很多专修学校的教学质量还不能令人满意。这些都影响了社会对职业教育的认可度，从而在一定程度上影响了职业教育的发展。因此，专修学校要想获得进一步的发展，必须在突出自己不同于职业高中和大学的独特优势的同时，不断提高教学质量，这样才能获得更多的社会认可，拓展发展空间。此外，日本社会也应该进一步培养人们的职业思想意识、提高劳动者待遇，使职业教育得到高层次的认可和尊重。

二、无法满足学习者的多样化需求

随着经济、社会形势的变化，社会对职业教育的需求也趋于多样化，专修学校的入学者类别也呈现多样化的趋势。要想在这种情况之下很好地满足社会需求，获得更大发展，专修学校有必要在制度、组织体制、课程设置等方面进行调整，以更好地应对社会的新的学习需求。

由于日本高中的入学率达97.7%（包括职业高中），包括短期大学在内的大学入学率已接近60%。因此，很多高中学校和大学的招生对象开始呈现多样化，各学校的功能也开始出现分化，开始逐渐参与原来主要由专修学校所承担的教育领域，原来实施普通教育的学校也开设了职业课程，使得专修学校面临着更为广泛的市场竞争。另外，由于许多大学和高等职业教育机构所关心的重点依然是“学术”和“专门学艺”等，但是很多实践性职业教育教学还未得到充分开展，短期大学教育无法满足社会对高端职业技术人员的要求。职业教育机构所开设的课程受到很大的局限性，无法满足学习者多样化的需求。

三、就业结构的新变化应对不足

如上所述，日本的就业结构近年来发生了很大的变化，一个明显的特点就是终身雇用减少，特别是中小型企业，现阶段的雇佣主要是非正规雇用形式。另外，以往的企业内部教育逐步减少，许多中小型企业因自身承受能力有限，将员工培训工作直接外包给某些专修学校等。这种变化可以说给专修学校带来了新的要求和发展契机。现有的职业教育体制和模式难以适应就业结构的新变化。挑战即机遇，对于职业教育而言，如何面对新的需求和拓展发展空间，首先，需要改革现有的办学体制，同时也需要适时的调整教学内容，进行相关课程改革，增设相应课程和配以适当的教育教学方式，以满足劳动者进行终身职业学习的需求。其次还应当完善相关课程培训项目的开发，满足企业内部培训外移的需求，在企业员工培训和公共职业培训领域发挥更大作用。

目前，日本的职业教育还是无法满足社会所需的多样化需求，需要进一步完善相应的职业教育体系，增加职业教育投入，加强职业教育教师队伍建设，针对社会不断变化的用人需求，开发和开设相应课程，强化竞争机制，才能有效促进职业教育的可持续发展。

第七章　日本对教育中特殊问题的治理——以校园欺凌现象为例

众所周知，日本教育为社会经济发展提供了强有力的人力资源和智力支持，但随着国内外出现的各种压力与挑战，日本教育亦出现了许多不足和问题。如“文化教育荒芜”现象，即文化上的荒废，年轻人没有信仰、理想和追求，态度冷漠，精神颓废等现象比较普遍。还有国民间贫富差距导致的事实上的教育不公平现象、以校园欺凌为代表的校园暴力、逃学、行为不良、自杀、问题教师等现象层出不穷。这些现象在初等和中等教育中反映突出。对待教育中出现的特殊问题，日本政府、学校及社会各界给予了高度的重视，并采取了相应的治理措施，探讨日本对其教育中特殊问题的治理，可为提高中国教育治理相关问题的能力提供有益借鉴。

本章将以日本中小学教育中普遍存在，并且情况比较严重的校园欺凌治理为例进行探讨。

第一节　校园欺凌现象的现状与特点

本章所论及的“欺凌”，日文表记为“虐め”或“苛め”，含有对弱者进行肉体上、心灵上的攻击、摧残和虐待的意思。文中主要讨论日本的小学、初中和高中学校教育阶段学生们之间发生的欺凌现象。

一、校园欺凌现象

校园欺凌现象在全世界范围内都存在，不过日本的情况出现较早，问题也相对突出，情节比较严重，尤其是初等和中等教育机构出现的问题。校园欺凌，也称为“校园暴力”“校园欺负”和“学校欺凌”等，有狭义和广义之分。狭义的校园欺凌主要是指发生在学生之间的，通过直接或者间接的方式对某一个或者某些学生（群体）进行肉体、精神等方面的伤害，广义的校园欺凌还包括针对教师等教职人员实施的欺凌和对学校设施、设备等恶意破坏、损毁等。[①]

每年中小学学校里出现的有形的、无形的以强欺弱、以多欺少、利用各种形式的媒体给其他学生造成肉体或精神等方面的伤害事件不胜枚举。就连当今日本皇室公主都曾经因遭受此类事件，而不愿上学。在日本文部科学省公开发行的《平成28年度（2016）文部科学白书》显示，2015年日本共有37 960所中小学（包括国立、公立、私立的小学、初中、高中以及特别支援学校）发生了校园欺凌事件，事件总数达到225 132件[②]，比上年度增多37 060件，数目不容小觑。

纵观日本校园欺凌事件的发展，是由于各种因素的作用。迄今为止，此问题大致经历了“四波”比较大的反复。日本学者将其划分为以下四波：一是20世纪80年代中期，这段时期校园欺凌事件高发，甚至出现了校园欺凌问题导致学生伤害乃至自杀事件发生，引起日本国内媒体和广大民众的广泛关注。二是20世纪90年代中期，特别是1994年至1996年期间。三是21世纪初期，这一时期日本的校园欺凌事件发生又达到一个高峰期。四是2011年以后又达到新的高峰，现在几乎每年数量都有所增加。[③]2013-2015年日本中小学的校园欺凌事件统计见下表7-1。

表7-1　2013—2015年日本校园欺凌发生数据统计表[④]

各类学校	2013年（件）	2014年（件）	2015年（件）
小学	118 748	122 721	151 692
初中	55 248	52 969	59 502

① 向广宇，闻志强：日本校园欺凌现状、防治经验与启示——《校园欺凌防止对策推进法》为主视角[J]. 大连理工大学学报：社会科学版，2017（1）.

②④ 文部科学省颁布的《平成28年度文部科学白书》的第149页。

③ 長尾英彦. いじめ問題に関する覚书[J]. 中京法学，2014，48（3）：75-79.

续表

各类学校	2013 年（件）	2014 年（件）	2015 年（件）
高中	11 039	11 404	12 664
特别支援学校	768	963	1 274
总数	185 803	188 057	225 132

二、校园欺凌现象的特点

校园欺凌现象在很长时间内一直是困扰日本中小学教育的突出问题，引起社会各界的极大关注。校园欺凌现象种类繁多，层出不穷，观其形态亦可大致归纳一二。

（一）呈现类型

校园欺凌现象从形态上看，主要表现为显性的和隐形的伤害。显性伤害表现为直接对被害者的肉体实施暴力行为。隐形伤害也称“间接暴力”“软暴力”等，通常是对被害者实施言语上的、心理上的、精神情感上的伤害，也包含“冷暴力”。另外，当前网络欺凌现象成为校园欺凌的主要形式。随着互联网的兴起和迅猛发展，利用网络进行欺辱的现象逐渐成为校园欺凌的主要手段。网络欺凌颠覆了以往传统欺凌的方式和规则，也改写传统欺凌的特点。那些带有攻击性的文字、符号、图片或影像一旦流入网络，其传播速度之快令人咋舌，并且可以不分时间和地点，不间断地被扩散，给受害者造成的伤害更为直接，也更为严重，被称为“看不见的拳头”，甚至能置人于死地。日本媒体也经常报道由于受到网络上的攻击而导致不上学，甚至自杀的学生。

（二）伤害特征

不管哪种欺凌现象都表现出了以下特征：

一是直接的身体伤害。传统意义上的校园欺凌多是直接、面对面的伤害，施暴者和被害者之间的力量悬殊是其主要特征。强势一方对某个或几个同学实施身体上的攻击，弱势的一方往往受到压迫和侮辱。比如在校学生中的某个或某群学生所遭受到的殴打、抢劫、盗窃、恐吓、敲诈勒索等暴力行为。

二是言语上的伤害。通过辱骂、谣言、谎言等对其他同学进行中伤、诽谤和侮辱。通常是对异己者通过写字条、当面或背后进行语言上的侮辱。

三是心理伤害。一般表现为利用他人的弱点或者缺陷，如身材矮小、过胖、过瘦、相貌丑陋、长得漂亮、学习成绩好、成绩很差等进行直接或者间接的取笑、捉弄、嘲讽，或对其物品或者支配物进行损毁、破坏、藏匿、玷污等，制造心理阴影。

四是精神伤害。一般是利用他人的某些身份、地位，如新入学生、刚转学、农村家庭出身、偏僻贫穷地区等进行精神刺激，制造不良氛围和环境，迫使其转学、退学、堕落、自杀、自残等。[①]

这些特征在受害者身上可能是某一点单独存在，但更多的时候有可能是几点同时并存。

第二节　校园欺凌问题的治理

从20世纪70年代开始就浮现出水面的校园欺凌现象，在80年代呈现出第一次高峰状态，这一问题引起了日本学校、政府和社会各方面的高度重视，并为此开展多方协作，进行了综合治理。

一、强化调查与数据收集统计分析，坚持信息公开

日本的校园欺凌问题由来已久，已成为严重的社会问题。为更好解决并预防该问题的产生，推出切实有效的治理政策和措施，需要全面了解问题的真实情况和事态的发展变化。为此，日本推行发现问题及时上报和做好相关

① 向广宇，闻志强．日本校园欺凌现状、防治经验与启示——《校园欺凌防止对策推进法》为主视角［J］．大连理工大学学报：社会科学版，2017（1）：2.

数据的统计、分析及归档工作的做法。

自1985年起，日本文部科学省每年都发布上一年度关于校园欺凌问题的官方统计数据以及调查分析报告，这些数据是根据地方各级教育委员会等地方公共团体、学校等自行统计、上报而整理、分类得出。为确保文部科学省官方发布数据的准确性、全面性和权威性，为了防止地方教育委员会和各类学校在上报数据时弄虚作假，文部科学省还会通过自行组织相关的问卷调查，对实地进行考察、评估和验证，以保证数据的真实可信。同时，对隐瞒、或上报虚假的地方团体及学校给予行政追责处罚。此外，由于日本大众舆论以及新闻媒体的关注，在某种程度上对教育界起到了舆论监督的作用，也能从一定程度上促使各地方教育委员会和学校确保其上报数据的客观性与真实性。

日本政府收集到的校园欺凌事件资料除了总数外，还对事件类型、情节的轻重等进行了分门别类的统计，并且对突出的问题和重点亟待攻克的问题进行数据整理和分析。如对暴力欺凌行为、缺课、不上学、高中阶段的中途退学、自杀等组织专门调查和研究，形成专门调研报告。

日本政府对于校园欺凌的相关数据和信息坚持对外公开。对于各地方教育委员会和学校上报的数据、各专项调查结果以及各项研究报告，文部科学省每年对外公开发行或发布。各地图书馆、公民馆、各学校图书资料室等处都可查询。同时，一般民众亦可通过文部科学省和各地教育管理机关的官方网站获取关于校园欺凌的相关数据，了解相关对策及治理工作的动态变化。

二、依法治理

自20世纪80年代日本校园欺凌事件出现第一波高潮以来，日本政府十分重视，一直在努力制定相应的对策，并加以处理和应对。早在1985年就印发了《关于加强中小学校园欺凌问题指导的通知》，在1995年又颁发了《解决欺凌问题当前应采取的策略》，2006年又公布了《关于欺凌问题的紧急建议——面向教育相关人员和国民》。治理校园欺凌问题是一项十分艰巨的工程，虽然政府出台了这些方针和措施，但治理效果并不理想。在2011年，日本滋贺县大津市一名初中生因不堪忍受来自校园同学的不断凌辱而自杀，此事震惊日本全国。此后，日本开始着手进行校园欺凌问题的相关刑事立法工作。2013年日本国会正式通过了《校园欺凌防止对策推进法》，校园欺凌问题的预防、应对与治理纳入到法制轨道，该法也是世界上第一部专门针对校园欺凌问题的法律。

《校园欺凌防止对策推进法》由六章（共35条）和一附则构成。第一章为总则，规定了该法的目的、定义、基本理念等，也规定了禁止校园欺凌以及国家、地方公共团体、学校创办者、学校和教职员、学生监护人等的责任和义务，同时规定国家和地方设立专项资金，给予财政保障。其他章的条款分别规定了防止、处理校园欺凌事件的基本方针、相关对策和措施；明确规定学校的相关应对组织以及成员的必备素质等，还规定了学校处理欺凌事件可采取的措施；指出了对重大事件的处理办法。

该法第一章第3条明文规定“不论学校内外都禁止实施欺凌行为”。第4条则规定“绝对禁止‘儿童等’实施欺凌行为”，明确地表达了法律对“欺凌行为”的态度和立场。在该法中虽然没有指出如何量刑处罚，但是日本《刑法》《少年法》中对相应的伤害行为所构成的罪状有明文规定。如“殴打、踢踹”等攻击视情节轻重可构成《刑法》第204条和第208条中所规定的“伤害罪”“暴行罪”；通过电话、网络等实施诋毁、中伤等行为则可以构成《刑法》第230条规定的“毁损名誉罪”等。该法律的颁布实现了治理校园欺凌与日本《刑法》有效对接。另外，涉及校园欺凌问题的协同治理方面，还有《儿童福利法》《教育基本法》《学校教育法》，这些法律对《校园欺凌防止对策推进法》形成有效补充。

《校园欺凌防止对策推进法》第一章第14条第1款规定，地方公共团体为了防止校园欺凌，可以与学校、法务局或者地方法务局、都道府县警察局以及其他相关者共同成立“校园欺凌问题对策联络协议会”。第3款则规定，教育委员会可以在与校园欺凌问题对策联络协议会应对校园欺凌问题时，根据地方校园欺凌防治方针在必要的时候设置“教育委员会附属机关”。第22条规定学校必须设立“欺凌防止对策推进组织机构”，该法律还规定相应的预防和应对措施。这些规定表明各级各层面都要参与预防和治理校园欺凌问题，并且厘清了层级责任和不同机构的角色定位。各种法律规制使校园欺凌问题在治理方面，能够做到有法可依，有法必依。

三、学校治理

学校是治理校园欺凌问题最重要的主体之一，在预防和治理欺凌问题上作出了不懈努力。

一是设立防治专门组织。在多元主体共同参与治理的格局中，学校始终处于十分重要的地位。根据实际情况，地方公共团体的“校园欺凌问题对策联络协议会”和“教育委员会附属机构”可设可不设，但是学校的“欺凌问题防止对策推进专门组织”是必须要设立的。这一专门组织的成员由教师、持有临床心理师资格证者、社会福祉士资格证者、律师、医师、地方上的保护司、儿童委员会委员、民生委员、人权拥护委员会委员、民间人士、警察等人员组成。[①]各方力量的加入使得该组织在防治校园欺凌问题上能够做到更加全面、更加专业和有效。

二是加强德育教育。学校在培养学生的丰富情操、道德心以及养成与他人进行心灵交流能力的素质上，全面开展了道德教育和体验活动，让学生通过有意识的教育、体验活动而真正理解校园欺凌的重大危害，从而养成高尚的情操。

三是采取措施，防治和及时发现欺凌问题。学校对本校学生等采取定期调查和其他必要措施，尽早发现欺凌行为，及时应对。与学生及其保护者以及学校教职员等相关人员建立有关校园欺凌的商谈机制。在处理欺凌行为时，在考虑到保障受欺凌学生的受教育权和其他权益的情况下，与家庭、社区等协同配合，积极处理。

四是事态严重时成立专门工作组。一旦欺凌事件发生并且事态严重时，学校或者学校的创办方必须成立专门调查组织，及时向相应的行政管理部门汇报实情（一般国立学校上报文部科学大臣、公立学校向设置学校的地方公

---

① 池谷河子．学校におけるいじめと法[J]. 現代社会研究，2014（12）：1–5.

共团体的首长上报、私立学校向都道府县的知事汇报）。当事件发生时，根据学校通报的情况，国家、地方政府以及各公共团体共同和学校、家长一起应对欺凌事件。

四、社会治理

日本对校园欺凌问题的治理不是政府或学校单独进行的，而是政府主导下的学校、家庭、社区、新闻媒体和学者，以及志愿者组织、关心关注未成年人身心发展事业的公益组织、民间团体等在内的各方力量形成一股合力，来实现共同治理的。

除了国家、学校以及地方公共团体外，社会各界都十分重视，并积极应对。包括媒体和舆论的监督，社区民间公益组织也通过开展相关形式活动进行宣传、感化，还有非政府组织等的参与。

对于校园欺凌现象的防治工作，日本除了发动社会全面参与外，在治理方式上更是形式多样，既有面向多数人的宣传与讲座，又有面对面的个别指导；既有调查等问卷形式，又有电话咨询与服务；在防治上日本不断努力，进一步细致和完善防治工作，以杜绝或减少校园欺凌事件的发生。

2018年日本开始推行校园欺凌社交网络咨询服务机制。日本文部科学省2017年8月28日公布了《运用社交网络服务构建商谈机制的当前考虑（中期报告书）》，[①]计划在2018年开始启动儿童及学生运用社交网络相关服务机制来咨询校园欺凌等问题。报告指出，该机制将在聘请商谈人员上，将与24小时商谈热线的工作人员（多为心理医生或教师）有所不同，除了要求专业知识外，将聘请善于沟通交流的年轻人来担任商谈人员。将对商谈人员持续开展定期研修，还将对前来咨询学生的个人信息、商谈内容等涉及个人隐私的内容进行严格保密，只有在出现威胁学生生命的紧急事件必须采取相应紧急对策等万不得已的情况下，才会与学校及相关防治机关共享信息。社交网

① 文部科学省. SNS活用した相談体制の構築に関する当面の考え方（中間報告）[R]. [EB/OL]. http://www. mext. go. jp/b_menu/shingi/chousa/shotou/131/houkoku/__icsFiles/afieldfile/2017/08/28/1394366_01. pdf.

络服务商谈机制的运行确实还存在着许多难题，但是一旦完善，它将实现全时间不间断地提供咨询、商谈服务，以便及时了解并化解欺凌事件，促进学生身心健康成长。

第八章　日本教育治理的特点与问题

经过长时间的治理与发展，日本教育治理形成了相对完善的体系，治理较为成功，极大地促进了日本教育发展，使得日本教育立足于本国、辐射世界，位居世界教育强国之列。日本教育在治理过程中形成了自身特点，发挥出了其优势，同时也暴露出了短板。

第一节　教育治理的特点

通过前面对日本教育治理的考察，可以发现日本的教育治理有其完善、细致的法律基础和保证，真正实现了有法可依、依法治理。治理过程其实充满了中央与地方、集中与民主的不断较量，形成了中央集权弱化、地方分权明显，甚至又显现出地方集权的格局。不过，在博弈过程中，民主氛围愈来愈明显，学校自主治理能力增强、社会团体和个人参与治理的热情也越来越高。

一、教育治理法制建设完善

日本在教育治理方针政策出台实施之前，总是先进行相关教育法律法规的制定和颁布，为治理提供法律依据和保障，可谓“教育治理，法制先行”。

作为日本真正意义的教育立法可以分战前和战后两个阶段，无论是战前还是战后，教育立法一直优先于教育治理实践。1872年颁布了日本教育史上的第一部法规《学制令》，确立了“国民皆学”“实学主义”和“立身出世主义”等近代教育指导思想，为近代教育法制建设奠定了基础。1879年颁布了《教育令》，1886年颁布了《帝国大学令》《小学校令》《中学校令》等，为近代日本的教育治理和发展指明了法制路径，也提供了法律保障。即使在20世纪30年代以后日本国家主义教育盛行时期，日本的教育治理也是在相关法律的基础上进行的。比如1889年颁布的《大日本帝国宪法》，虽然没有规定具体的教育内容，但是在第9条中规定了“天皇为保持公共秩序的安宁以及增进臣民的幸福可以发布或发布必要的命令”。这也为之后日本颁布的《教育敕令》以及以后的教育法律法规的出台提供了《宪法》保障。

二战后，日本积极推动教育现代化和国际化发展，建立较为完善的教育法制体系。首先是1947年制定的堪称教育宪法的《教育基本法》，后来随着社会和日本国情变化，在《教育基本法》的基础上又出台了各级各类法律、条例、办法及通知等，使得教育治理顺利推进，日本的民主教育亦推动日本经济在短时间内跃居世界前列。直到20世纪80年代，教育体制已经不能适应日本的经济社会发展，又由于世界发达国家所兴起的终身教育思潮对日本的冲击，日本教育界也提出了终身教育和学习的理念。按照日本的一贯作风，在终身学习的教育体系构建之前先进行法制建设。1990年，日本公布《终身学习振兴法》。如果说近代日本教育是模仿欧洲，二战后的教育是借鉴美国，那么从《终身学习振兴法》的颁布实施开始，日本教育开始进入到其独创期，之后日本教育的发展与治理也是独特的日本模式。

二、中央行政权力相对弱化、地方教育行政分权明显

日本教育治理过程也是一个从中央行政集权到地方行政分权的治理过程。如前文中所述，日本教育在发展过程中，在第二次世界大战以前一直是处于中央教育行政的控制下，由文部省统一治理。在第二次世界大战后，借鉴美国做法，于1948年颁布《地方教育委员会法》，在地方上成立了教育委员会，因此日本的教育行政机构被分为中央的文部省和地方民主自治的地方教育委员会。地方教育委员会又分为各都道府县设立的地方教育委员会和辖区内的各市町村教育委员会。由这些市町村教育委员会来负责治理各地的初等、中等教育事项。其实，在战后初期，由于地方教育委员会制不太适应

当时日本的国情和惯例，地方委员会制并未产生多大作用，特别是1956年日本颁布《地方教育行政法》，标志着日本中央集权的教育治理模式又得以确立。该法规定废除公选制教育委员会制，各都道府县的教育委员长的任命必须得到文部大臣的认可。地方教育委员会成为上情下达、通知式、命令式教育行政管理机构，其职能作用大大减弱。①在此后的很长一段时间内，日本的教育治理权仍旧由中央的文部省掌控，由中央文部省实施统一治理。

20世纪90年代，伴随着地方分权改革，增强地方教育委员会制度的灵活性的改革主张被提上议事日程。随着地方教育行政的分权改革的推进，地方教育委员会在经费预算、人事、课程实施等方面的自主权限增大。2001年、2007年《地方教育行政法》被修订后，地方教育委员会在区域教育自治上进一步得到强化，自主权不断扩大，其处理事务机制亦日益完善。自2001年以来，各地都道府县的教育委员会向市町村移交了学校的基本设置管理权、公费负担的教职员的定编数决定权以及辖区内的中小学的班级编制标准等权限也移交给了各市町村。随着地方分权改革的推进，国家和地方教育行政的教育责任进一步明确，国家负有保证教育实施的责任，各都道府县负有在其管辖区内发挥最大效用的职责。国家向地方移交了更多的事务和管理权限，管理重心下移，各级地方教育委员会拥有更多的自主治理权限。

尽管日本各都道府县的教育委员会的权限相对集中，被外界称为“地方集权”，但是教育委员会在对地方教育实施治理实践的同时也实行信息公开制度，接受国民监督，表现出了其民主的一面。另外，随着国家行政地方分权化的进一步推进，市町村当局和学校作为教育主体将拥有更大的权限和责任。

地方行政分权不仅增强了地域及学校的自主权，提高了其治理能力，同时也为社区和民众参与教育治理奠定了基础。

---

① 包金玲．去行政：日本教育行政地方分权改革[M]．重庆：西南师范大学出版社，2015：10.

三、学校自主权力增大，治理能力增强

在治理中学校自主权逐渐增大，其治理能力增强也是其特点之一。在日本的初等、中等教育中，虽然教育行政仍占据主导地位，但学校权限逐渐增加，其治理能力也逐步提升。随着行政的地方分权化以及教育去行政化改革的推进，作为教育主体的学校的自主办学权不断扩大。不管是地方上的公立中小学还是国立大学，其自主权限和治理能力较之过去都有很大提高。

日本学校自主权限变化最大的莫过于国立大学。2004年日本全面实施“国立大学法人化改革”后，学校性质发生变化，由原来的隶属于国家教育行政文部科学省，转变成独立大学行政法人。这一转变，于国家层面，减轻了政府的财政负担，使国家行政改革和财政改革得以实现。于学校层面，国立大学自主权扩大，自主治理能力增强。国家行政适当放权的同时，也将责任和义务下放给了大学。一方面，最明显的是国立大学校长权限的变化。在法人化之前，虽然日本《大学教育法》规定大学校长代表其任职的大学，总揽国立大学事务，但是实际运作中，文部科学省却对国立大学采取了十分严格、细致的事前控制和管理体制，国立大学校长的实际权力是缺失的。法人化改革之后，校长同时兼任理事会、经营协会和教学科研评议会会长职位，有权任命理事、提名并任命经营协会和评议会成员，突出了校长的地位，校长成为学校决策的重心所在。另一方面，学校增强了筹资办学能力。随着文部科学省拨款的逐年减少，大学必须筹措更多的非政府办学经费才能保证大学的正常运营和发展，学校不得不通过各种途径去增加学校收入。各种竞争机制激发了国立大学的适应力和创新力，增强了其治理能力。

四、社会参与度逐渐提高

如前文所述，对于教育治理，日本的社会团体和民众也参与其中。教育不单是国家和学校的事情，关乎到社会和家庭。日本私立学校由于学校性质和办学经费来源与国立、公立学校不同，社会力量参与办学和治理，可以说离开社会参与，私立学校将不复存在。在国立、公立学校教育方面，社会各界的参与度也相当之高。

在社会组织参与治理方面，不仅有非政府组织，也有非营利性组织，既有家长教师协议会等家长教师组织，也有学术研究型组织。在民众参与方面，日本公立学校设立有“特别非常勤讲师”岗位，邀请了学校所在区域的各行各业经验丰富人士到学校进行讲座和指导学生，让学生丰富知识和陶冶情操。另外，初等、中等教育学校所设的“学校评议员制度”和“学校运营协议会制度”，大学里设立的“理事会”“经营协会”让校外人士参与学校管理和经营，对促进国立、公立学校开放办学以及教育水平的提高都起着积极作用。

五、绩效及市场导向明显

教育目标的实现必须要有相应的教育体制和治理机制才能顺利实现。从20世纪90年代开始，日本的各项教育改革和教育发展战略的实施，严重冲击了以往的教育体制，为保障教育战略目标的实现，日本适时地调整了其教育治理策略，治理过程中的绩效及市场导向明显。主要集中体现在以下三个方面。

一是对教育人事相关事项的治理上，包括对教师的聘用和考核评价等方面。例如现行日本中小学教员评价体系就是采用的目标管理的绩效考核方式，主要通过绩效来评价教师，并与教师的晋升、加薪以及其他奖励直接挂钩。市场和绩效导向在对高等教育领域的教师聘任与评价方面表现得更为突出。日本对传统大学人事制度改革探索始于20世纪70年代，直到20世纪90年代才正式被提上日程。1996年大学审议会发表《关于大学教师的聘任制：以实现大学教育、研究的活性化为目的》的报告，指出“不仅要确保优秀人才进入大学教师队伍，要使教师构成多元化。要改进教师聘用程序和招聘方法，提高教师的流动性；使不同经历和经验的教师能互相交流、展开学术上的互相批判，这将有利于提高教师的教育与研究能力”①。1997年颁布《聘任制法》，标志着日本大学教师终身雇佣制的终结，从此日本大学教师进入

① 大学審議会. 大学教員の任期制[A]. 高等教育研究会. 大学審議会全28答申・報告集. 東京：ぎょうせい出版，2002：299.

到聘任制时代。通过对受聘人员的受教育程度和研究业绩考核进行聘任，聘任职位包括从助教到教授的所有职位，对教师聘期内的评价也是依据教育和研究等方面的业绩进行。

二是人才培养方面。二战后，日本以制造业为立国之本，战后大力推进理工科教育，为市场培养了大量技术人才，推动了日本经济的飞速发展，成为世界第二大经济强国。但是，在20世纪80年代中后期，日本出现了严重的“逃离理工”现象，不仅工业高中的报考人数锐减，大学报考理工课的学生人数也不断减少，即使是已经学习理工科的学生在毕业择业时也出现了普遍逃离制造业的趋势。这一现象成为严重的社会问题，影响日本经济的发展。为改变这个问题，满足市场需求。日本出台了振兴理工教育的战略目标，在高中阶段进行综合治理，创设综合高中与职业教育体系改革，将未来职业选择纳入高中阶段教育视野，培养学生“生涯发展”的自觉意识，鼓励学生积极报考专门学校等职业学校等。同时推广产学合作的教育模式，推行专业学位研究生教育，实行专业学位与职业资格相结合。

三是高等教育治理方面。从2004年开始正式实施的“国立大学法人化改革”更是市场化与绩效化的典范。改革中引进市场竞争机制，使国立大学成为独立法人。对学校教育成果方面主要评估学校是否根据教育目标进行人才培养。具体指：通过对毕业生、用人单位等的调研，学校是否建有校外评价机制，等等；另外，高等教育注重成果转化，实施相关科研体制改革。这些改革和措施的实施都具有明显的市场导向，都是为了促进教育适应并服务社会和市场需求。

第二节　教育治理中的问题

日本教育治理有着非常鲜明的特点，对推动日本教育及社会经济和其他方面发展产生了积极作用。但是日本教育治理方略在制定和实施的过程中也存在诸多问题，值得我们去思考。

一、教育治理过程中方针、政策出台周期较长

如前所述，日本教育治理政策必须是以相关法律法规为依据，并在其指导下制定和实行，而这些法规、政策从酝酿到正式出台都必须遵循一定的法律程序。整个过程少则几年多则十几年。由于其治理方针政策制定所耗费的周期过长，使得政策出台后治理的及时性和针对性受到影响，效果会打折扣。

比如，日本在高等教育治理过程中，最重要的举措之一“国立大学法人化”改革，在日本的高等教育发展史上处于里程碑的地位。但是其改革方案的出台前后经历了30多年的时间。早在1971年日本中央教育审议会就提出了国立大学法人化的构想。到1996时，桥本龙太郎内阁在施政纲领中才明确提出国立大学法人化的改革目标，在其内阁行政改革会议中予以确认。但是此后又几经波折，直到2001年6月，日本各方意见才趋于一致，改革策划案才提交国会，最后于2004年4月才通过了《国立大学法》，距离1971年最初提出构想已经34年，即使是方案的制定出台也历时8年。诚然，治理方案经过漫长的研究、充分地调研和论证，有利于平衡各方利益，也能尽量避免治理过程中出现的问题和障碍，在确保方案的顺利实施方面的确起着十分重要的作用。但是周期过长，在反复研讨的过程中，由于多方利益的博弈，可能会使最终的决定案偏离当初构想的目标和方向，并且推出的方案也许会因为时效性，而错失良机，影响其实施效果。实践证明，从现阶段国立大学法人化改革实施的效果来看，国家和学校双方均不太满意。

另外，关于日本20世纪初全面实行初等、中等教育的“宽松教育”政策也是如此，虽然现在，日本的中小学教育已经全面修正宽松教育，但是就宽松教育政策的制定周期和修正周期历时均不短。1984年，时任日本首相中曾根康弘设立了首相直属的临时教育审议会（1984—1987年），从当年就开始改变日本划一的教育政策，成为日本“宽松教育”出发点。到1998年自民党重新执政后才进一步推进宽松政策，到2002年4月日本全国的学校全面实行周休二日制，缩减学时数和学习内容，增设“综合性学习时间”。真正全面地贯彻“宽松教育”。但是，很快宽松教育的短处就显现出来，日本学生在

2003年的国际学力调查中的成绩和排名下降，引起社会的不满。文部科学省开始着手修正，但是其修正的周期也漫长。2008年颁布新的初等、中等学校《学习指导要领》，基本修正了之前缩减的内容，并恢复了1998年版里被减掉的学时，被称之为“去宽松化”。日本将在2020年执行新的《学习指导要领》，其实相关机构和人员已从2016年就开始准备。

日本从教育治理策略制定到出台耗时周期太长的主要原因还在于日本民族的性格及其国家的体制结构，要想在短期内改变似乎难以实现。

二、教育行政权力集中，学校主体的内生动力尚显不足

日本教育治理过程中，日本文部科学省、中央和各地教育行政机关发挥了重要作用，几乎一直处于主导地位。在地方分权改革潮流下，中央教育行政机关的权限被削弱，地方教育行政机关的权力大幅增强。从日本地方以及日本初等、中等教育治理来看，在基础教育治理上又出现了地方教育行政集权的格局。其他教育主体，如学校和教师作为治理主体的主观能动性还未能得到充分发挥，教育主体的内生力显得不足。

日本教育治理是在政府和教育行政机关的主导下推进的。不管是政策措施的制定，还是具体细节的确定，都是在教育行政机关领导下进行的。比如在初等、中等教育治理中，《学习指导要领》由中央文部科学省颁布，该要领细化到了各学年所开设的课程和授课时间，各地公立中小学校必须按照《学习指导要领》，严格开设课程和开展所规定内容的教学活动。因此各地公立学校所教授的内容和开展的教学活动几乎是整齐划一的，很难体现出个性。在中小学教师评价方面也是如此，现行日本教师评价体系是配合日本行政改革中的公务员改革而生的，教师评价是由上而下的，并非学校和教师的内在需求所决定。在做法上也借用公务员改革模式导入了目标管理。在考评内容方面，虽然目标任务、计划书由教师自己制订，但是根据学校的目标，在学校管理者的指导下指定，并非教师根据自身内在潜能而制，缺乏教师主体的内生原动力。

高等教育治理方面也是如此，前文中提到的国立大学法人化改革，也不是国立大学自身依据内部发展需要所要求的，而是国家根据国家实情，主要

是应对国家财政危机和国家战略需要所作出的顶层设计，在经过长时间的各方主体博弈、协商之后进行的一场市场化改革，改革的初衷是要强化大学对社会变革的反应，增强其活力和竞争力。改革后，在学校定位上，国立大学由文部科学省直接控制转变成有独立经营权的国立大学法人。名义上扩大了国立大学的自主权，实际上，文部科学省通过对大学的中期目标进行考核，通过增加理事和设立由文部科学大臣任命的监事以及提高经营协会中校外委员人数的比例等，强化了对大学的控制力度及在大学治理与发展中的主导性（对此国立大学也予以接受）。此外，在高等教育国立大学治理方面出现了较为严重同一化现象。高等教育国立大学法人化改革后，几乎所有国立大学都借鉴了东京大学的做法，结果都发展成了“小东京大学”的模式，实行相同的治理模式，显得共性有余而个性不足，缺乏自身特色。

结　语

日本教育经过长时间的治理取得了非常理想的效果，当然，在治理实践中也存在着问题，如何进一步推动日本教育持续发展，治理该如何前行，也成为日本教育必须面对的问题。

日本的教育治理方向是与国家战略和教育战略方向一致的。随着全球经济社会的一体化、国际竞争加剧以及日本社会少子化、高龄化等问题日趋严重，日本也在不断调整教育战略和方向。未来十年日本将不断强化基础教育，采取对策进一步激发大学活力，增强其国际竞争力，同时满足国内市场需求。教育目标的实现有赖于日本教育过程的有效治理，未来日本教育将呈现以下趋势。

一、教育行政的地方分权治理权限将进一步扩大

日本的教育治理体现了集权和分权相结合的特点。从日本近几十年来的教育治理来看，高度统一的集权式教育管理体制正不断减弱，教育行政的地方分权治理已形成特色，它既是日本教育治理的重要一环，也是教育治理未来的发展方向。日本地方分权治理权限将进一步扩大。

教育行政的分权治理随着日本地方行政改革推进。日本在地方行政分权方面，从20世纪90年代开始，就制定了《地方分权推进法》等一系列法律，明确了地方自治体的各项行政职能，将具体行政事务交由地方自治体实施，中央与地方的关系也转变成平等、协助的关系。在改革过程中，各级地方教育委员会的权限增大，都道府县向所有市移交关于市町村公立高中学校学区通学区域的设定权限等。在财政方面，日本的教育财政也由以前的国家完全承担转向由国家与地方共同承担，国家削减了财政投入的同时，实施了一定税源向指定都市移交的政策，扩大了地方自治体对财政的支配和使用权。此外，国家减少对地方管理事务的干预，废除了制定地方公共事务政策的中央

部门。2009年，日本政府提出区域自主改革，随后将《儿童福利法》等管理由国家移交给了地方自治体条例当中。2010年，日本内阁又出台《区域主权战略大纲》等，使地方权力进一步扩大。

二、基础教育治理将进一步加强

2016年12月21日，日本中央教育审议会发布了《关于幼儿园、小学、初中、高中以及特别支援学校学习指导要领的改革及必要策略》的审议报告，确定了日本新一期学习指导要领的修订目标，为今后的日本初等、中等教育治理指明了方向。报告描绘出了2030年后日本基础教育的最终培养目标，提出了学生应具备的三大核心能力：一是知识与技能能力，即了解了什么和能够做什么；二是思考、判断与表达能力，即如何运用了解的知识与掌握的技能；三是将学到的知识与技能服务于生活与社会的能力，即如何与社会和世界接轨并度过更好人生的能力。要实现这些目标，日本必定会加强在基础教育治理领域的投入，克服日本人口出生率降低、少子化问题，消除贫困所产生的连锁问题等也是今后日本基础教育治理的重点之一。日本将在减轻家庭教育负担方面推进幼儿教育的无偿化、设立给予型奖学金制度等。[①]进一步强化基础教育治理。

基础教育治理中地方和学校主体将拥有更大自主权，这种自主治理主要表现在学校的外部环境和学校的内部治理方面。在地方分权的大趋势下，根据本地区的实际情况为当地教育发展营造良好的生态环境。学校主体则按照本校的实际状况制定各种规章制度，合理地进行预算和经费使用，对校内事务进行有效治理。这种自主治理使各地区和各学校得以充分发挥自主性、创造性和个性；既有利于密切基础教育与地方社会的关系，也有利于强化校长的核心作用，对兴办各地特色的基础教育将起到积极推动作用。

---

① [日]第三次教育振興計画[EB/OL]. http://www. mext. go. jp/b_menu/shingi/chukyo/chukyo0/toushin/__icsFiles/afieldfile/2018/03/08/1402213_01_1. pdf.

三、教育治理将更趋于市场化

教育治理市场化在当今日本已表现得相当明显，如在高等教育院校中重理轻文的专业设置和课程开设、高中学校体制的变化、学校类型的增多、职业教育的增强、终身教育的加强等都表现出十分明显的市场化。国立高等学校法人化、国立大学法人化改革更是将高等教育推向市场的集中表现。

面对国内形势和国际环境的变化，各种竞争加剧，日本政府一直把提高学校等各教育主体的竞争力，在不断满足市场需求中来谋求发展，作为其发展战略目标，这一战略势必影响日本教育治理未来的发展思路和发展模式的变化。在未来的治理过程中会引入更多的市场化元素，以促进本国教育的良性、可持续发展。在未来的教育治理实践中，将进一步引进市场竞争机制和市场模式，教育治理市场化的趋势将在高等教育治理方面表现得尤为突出。

日本高等教育的治理方面，未来将会根据世界范围内的竞争实行分类治理。2015年6月，文部科学省发出通知，要求所有国立大学对自身的使命与职责进行重新定位，开启了国立大学新一轮的改革。国立大学将分为三种类型，即“世界卓越型、教学科研特色优秀型、地域贡献型”，这三类大学将本着错位竞争的思路进行各自特色的发展与治理。众所周知，日本从2004年开始正式启动了国立大学法人化改革，使日本的国立大学由外而内发生了巨大变化，此次改革的目标管理和评价以六年为一中期目标周期推进，现在已进入到第三个周期（2016—2021年）。在这一中期目标计划中，日本文部科学省提出了根据各国立大学的功能，以“世界卓越、特色优秀、地域贡献”三种类型为依据，对86所国立大学的功能进行重新定位和规划。

文部科学省提出的此分类改革也不是一时之举，而是经过10多年的探索而来的。早在2005年，日本中央教育审议会在提交给政府的《日本高等教育未来展望》报告中明确提出，未来大众化阶段的高等教育机构必须实现特色化与多样化。各个大学要根据自身的使命与功能，合理定位，明确特色。根据日本人口结构、社会结构以及人才需求的变化，报告还提出了日本大学整体7个功能分类的提案，即“世界的研究、教育中心；高度专业化人才培养；多方面职业技能人才培养；特定专门领域（艺术、体育等）的教育、研究；综合性的教养教育；地域终身学习的基地；社会贡献（地域贡献、国际交流等）”。①

根据国际竞争和国内经济社会发展需要，日本文部科学省在2013年公布了《国立大学改革方案》。该方案指出今后国立大学的发展重点在三个据点，即世界性教研据点、全国性教研据点和地域发展核心据点。这三个级别据点分别承担的任务是世界卓越、尖端科研创新、开展日本国内顶尖的科研活动和与世界接轨的特色教学工作，以及满足地方需求的人才培养任务，解决地方发展的课题。形成了“世界卓越型、特色优秀型、地域贡献型”的三个层次。

新一轮改革对法人化改革后的大学治理模式进行修正。这次改革主要体现在各大学根据实力将自身定位于“世界卓越型、特色优秀型、地域贡献型”中的某一层次上，然后根据内部实际和外部需求，在治理中重点将集中在师资队伍建设、学科增减和重组等方面。

目前，这一分层分类改革和治理模式正在86所国立大学中逐步展开，基本形成了以东京大学、京都大学、名古屋大学、东京工业大学等16所大学为“世界卓越型”；筑波大学、东京医科齿科大学、东京外国语大学等15所大学为“特色优秀型”；其他如横滨国立大学等55所地方国立大学将通过治理，建设成“地域贡献型”大学。这些大学只要在自己特定的层面和领域取得不俗的成绩或做出突出的贡献，都将得到国家和社会的认可，也将获得相应的政府支持。这次高等教育治理模式的改革可以认为是国立大学法人化改革的延续，更多地适应了日本教育国际竞争和国内市场的需要。

四、社会力量参与度将进一步提高

参与日本教育治理的主体是多元化的，中央政府、地方政府、学校、教育组织以及其他社会力量都参与其中，在未来教育治理实践中，会有更多各种社会力量的参加，并且其参与度将进一步提高。

监护人、社会团体、社区居民参与学校教育是日本学校教育治理的一贯

① 程亚静．日本启动国立大学分类改革[N]．光明日报．2016-11-06（8）．

作法，也形成了相应的制度。监护人和其他社会人员主要通过“学校评议员制度”和“学校运营协议会制度”这两项来参与学校教育治理。日本从2002年开始具体探索区域经营学校的模式。一方面，监护人、社区民众代表参与学校的经营规划、教育课程以及教师人事方面的意见等；另一方面，学校也向社会发布公开信息、学校设施也向社区民众开放利用。通过学校与区域的互动，加深了相互之间联系和信赖关系，也促进学校治理能力的提高。到2014年4月已经有1 183所区域经营学校，这类学校数量还在增多。

在高等教育方面，随着日本高等教育改革的深入和教育行政的分权治理、教育财政拨款的减少，大学等高等教育学校要促进自身发展，必须向社会各界谋求支持，也势必会吸纳更多的社会力量参与高等教育的治理。

此外，除学校教育外，日本将进一步发展社会教育，推进社会力量参与社会教育治理。2018年3月2日，日本中央教育审议会提出了《面向人口减少时代新的地域经营，振兴社会教育的方略》这一咨询报告，提出了关于今后振兴社会教育的策略，要依靠相关人员的协助和当地居民的主体参与来进行新的地域经营的学习和活动。[①]面对日本出生人口的不断减少，日本政府提出社区居民要积极投身于社会教育当中。

---

① 中央教育審議会. 人口減少時代の新しい地域づくりに向けた社会教育の振興方策について（配布資料）[EB/OL]. http://www.mext.go.jp/b_menu/shingi/chukyo/chukyo0/giji-roku/__icsFiles/afieldfile/2018/03/05/1401997_08.pdf.

参考文献

中文文献

1. 中文图书

[1] 王桂．日本教育史[M]. 长春：吉林教育出版社，1987.

[2] 李园会．战后日本教科书制度的改革[C]// 台湾比较教育学会．各国教科书比较研究，台北：台湾书店，1989.

[3] 杨德广，王一鸣主编．世界教育兴邦与教育改革[M]. 上海：同济大学出版社，1990.

[4] 瞿葆奎，钟启泉．教育学文集—日本教育改革[M]. 北京：人民教育出版社，1991.

[5] 滕大春．外国近代教育史[M]．济南：山东教育出版社，1992.

[6] 哈贝马斯著，曹卫东译．公共领域的结构转型[M]. 上海：学林出版社，1999.

[7] 徐辉等．中外农村教育的发展与改革[M]. 重庆：西南师范大学出版社，2000.

[8] 俞可平．治理与善治[M]. 北京：社会科学文献出版社，2000.

[9] 胡建华．战后日本大学史[M]. 南京：南京大学出版社，2001.

[10] 盖伊・彼得斯．政府未来的治理模式[M]. 北京：中国人民大学出版社，2001.

[11] 张善余．世界人口地理[M]. 上海：华东师范大学出版社，2002.

[12] 贺国庆等．外国高等教育史[M]．北京：人民教育出版社，2003.

[13] 陈宝堂．日本教育的历史与现状[M]. 合肥：中国科学技术大学出版社，2004.

[14] 丁学良．什么是世界一流大学？[M]．北京：北京大学出版社，2004.

[15] 张维迎．大学的逻辑[M] 北京：北京大学出版社，2004.

[16] 黄福涛．外国高等教育史[M]．上海教育出版社，2008.

[17] 田慧生，田中耕治．21 世纪的日本教育改革[M]．北京：教育科学出版社，2009.

[18] 汪辉，李志永．日本教育战略研究 [M]. 杭州：浙江教育出版社，2013.

[19] 经济合作与发展组织主编．教育系统中的成功者与变革者——美国从国际学生评估项

目中学到什么？[M]. 北京：北京大学出版社，2013.
[20] 包金玲 . 去行政：日本教育行政地方分权改革 [M]. 重庆：西南师范大学出版社，2015.
[21] 橘木俊诏著，彭曦译 . 日本的教育不平等[M]. 南京：南京大学出版社，2015.
[22] 小原国芳，吴家镇、戴锦曦译 . 日本教育史[M]. 郑州：河南人民出版社，2016.
[23] 白刚 . 日本教育动态（2013—2015）[M]. 北京：外语教学与研究出版社，2017.

2. 期刊论文

[1] 李帅军 . 日本教育督导制度的历史、现状与特色[J]. 教育理论与实践，1991（6）.
[2] 柯佑祥 . 日本私立高等教育的比较研究[C]// 民办高等教育研究，厦门：厦门大学出版社，1991.
[3] 黄福涛 . 日本国立大学独立行政法人化的现状与趋势[J]. 高等教育研究，2000（5）.
[4] 李琛，周炎辉 . 试论日本家庭教育中存在的问题[J]. 湖南大学学报：社会科学版 . 2000，14（4）.
[5] 孟秋丽 . 日本的家庭结构现状及变化趋势分析[J]. 东北亚论坛，2000.
[6] 高益民. 日本国立大学“独立行政法人化”决策过程分析[J]. 比较教育研究，2000（05）：15-20.
[7] 孙绵涛，石长林 . 论日本教育行政的特点及启示[J]. 外国教育研究，2002（1）.
[8] 徐辉，张光洁 . 日本地方对基础课程的管理及开发[J]. 外国中小学教育，2002（3）.
[9] 李春生 . 日本的义务教育经费负担机制及其政府职责[J]. 世界教育信息，2004（5）.
[10] 李祥云 . 义务教育财政转移支付制度：日本与美国模式[J]. 教育与经济，2004（2）.
[11] 李文英 . 战后日本振兴偏僻地区教育的措施及其启示[J]. 教育研究，2004（12）.
[12] 黎克林 . 日本私立学校发展现状[J]. 教育理论与实践，2004（12）.
[13] 石景轩 . 日本 PTA 研究[D]. 保定：河北大学，2004.
[14] 冯志军 . 日本教育法规研究[D]. 苏州：苏州大学，2004.
[15] 李文英 . 战后日本职业教育的发展与特点[J]. 职业技术教育，2005（9）.
[16] 石人炳 . 日本少子化及其对教育的影响[J]. 人口学刊，2005（1）.
[17] 张德伟 . 日本的教育督导制度与学校评价[J]. 哈尔滨工业大学学报：社会科学版，2006（2）.

[18] 包金玲．日本教育行政地方分权化改革的背景及其评价[J]. 国家教育行政学院学报，2007（11）：86-90.

[19] 李天鹰．日本中小学开放式学校经营制度及启示[J]. 教学与管理，2007.

[20] 高益民．日本专业学位研究生教育的初步发展[J]. 比较教育研究，2007（5）.

[21] 耿萍．日本私立大学经营体制研究[D]. 北京：对外经济贸易大学，2007.

[22] 齐放．日本中小学教师的管理机制及其启示[J]．中小学教师培训，2007（10）(2）.

[23] 罗兰．日本中小学教师的培养与录用[J]. 教师教育研究．2007（6）.

[24] 徐国兴．日本国立大学和私立大学结构和功能分化的比较研究[J]. 大学教育科学，2007.

[25] 张玉琴，周林薇．日本大学质量保障体系转换的重要举措[J]. 日本学刊， 2008（3）.

[26] 姜美玲．教育公共治理：内涵、特征与模式[J]. 全球教育展望，2009（5）.

[27] 张德伟译．日本新《教育基本法》（全文）（2006 年 12 月 22 日法律第 120 号）[J]. 外国教育研究，2009（3）.

[28] 三石初雄，张德伟，饶从满．日本创设教师教育研究生院的动向[J]. 外国教育研究，2009（7）.

[29] 包金玲．日本义务教育经费国库负担制改革方向——重建教育财政中的中央与地方的关系[J]. 教育与经济，2009（4）.

[30] 龚怡祖．大学治理结构：现代大学制度的基石[J]. 教育研究，2009（6）.

[31] 高益民．面向个性化的日本高中教育改革[J]. 比较教育研究，2010（6）.

[32] 饶从满．日本现代化进程中道德教育的地位与作用[J]．黑龙江学院学报，2010（1）.

[33] 谭建川．困顿中的摸索：解读日本新一轮《学习指导要领》的修订[J]. 比较教育研究，2010（2）.

[34] 徐超．论战后日本高等教育的改革与发展[J]. 柳州师专学报，2010（5）.

[35] 贾德永，王晓燕. 日本国立大学法人化改革后的大学治理结构[J]. 高等教育研究，2011（5）.

[36] 刘爱玲．日本私立大学管理模式及对我国民办高校的启示[J]. 湖北经济学院学报，2011（4）.

[37] 夏美玲，胡树．日本高校与日本非政府组织合作开展国际教育活动及其对我国的启示 [J]．内蒙古师范大学学报：教育科学版， 2011（1）.

[38] 黄福涛．日本国立大学法人化的变化与影响——基于院校调查结果的分析[J]. 比较教育研究，2012（7）.

[39] 史景轩，王印华. 日本教育审议会制度的演变及其历史作用[J]. 保定学院学报，2012（1）.

[40] 伍宸．日本国立大学非政府办学经费拓展研究[D]. 北京：北京师范大学，2013.

[41] 刘牧．法人化改革后日本国立大学财源的变化及影响[J]. 中国高教研究，2013（2）.

[42] 郭丽，茹宁．日本国立大学“身份”的演变——大学与政府关系的视角［J］. 外国教育研究，2014（9）.

[43] 金红莲，秦玉友．日本偏僻地区义务教育教师质量保障制度研究［J］. 基础教育，2014（2）.

[44] 许艳，黄余霞．日本教育非营利组织（NPO）研究及其启示［J］. 齐齐哈尔大学学报：哲学社会科学版，2014（3）.

[45] 宋庆清. 日本公立普通高中多样化改革研究——以东京都为例[D]. 上海：上海师范大学，2014.

[46] 叶磊．日本高等专门学校的办学模式及经验启示［J］. 中国职业技术教育，2015（22）.

[47] 刘钟鸣，吴晓威，唐泽静．日本“新教师评价体系”研究及其启示［J］. 外国教育研究，2015.

[48] 磯田文雄，沈晓敏，苏春鹏．处于十字路口的日本课程行政——基于“关键能力”的教育改革［J］. 全球教育展望，2016（2）.

[49] 程亚静．日本启动国立大学分类改革[N]. 光明日报，2016-11-06（8）.

[50] 李冬梅编译．日本基础教育走向“强劲化”［J］. 世界教育信息，2016（14）.

[51] 阮丽云．美英日三国当代基础教育改革价值取向比较研究［J］. 课程教育研究，2017（36）.

[52] 向广宇，闻志强．日本校园欺凌现状、防治经验与启示——《校园欺凌防止对策推进法》为主视角[J]. 大连理工大学学报：社会科学版，2017（1）.

[53] 李冬梅．走向活跃多姿的未来时代——日本确定新一期学习指导要领[J]. 北京教育，2017（2）.

[54] 李冬梅．日本高等教育如何应对“2018 年危机”[N]. 中国教育报，2017-05-26（5）.

[55] 陈小牧．日校迈入动荡期私校眼看要关张[N]. 文汇报，2017-05-12（6）.

[56] 姜茉然，陈君 . 日本偏僻地区中小学教师培训的经验及其启示［J］. 中小学教师培训，2017（8）.

[57] 胡建华 . 日本国立大学内部治理改革［J］. 探索与争鸣，2017（9）.

[58] 姜蓉 . 日本国立高等专门学校“独立行政法人化”改革［J］. 潍坊工程职业学院学报，2017（4）.

外文文献

[1] 文部省 . 我が国偏僻地区の教育[M]. 東京：弘报印刷株式会社，1961.

[2] 帝国大学官制[Z] . 文部省大学学術局 . 大学管理運営関連資料集 . 東京：文教協会，1966.

[3] 岡牧夫 . 現代史の中の教師[M]. 毎日新聞社，1973.

[4] 川合貞吉 . 日本の民族性と社会二十一世紀への日本の進路[M]. 東京：株式会社谷沢書房，1982.

[5] 水内宏 . 戦後教育改革と教育内容[M]. 新日本出版社，1985.

[6] 文部省 . 产业教育百年史[M]. 東京：行政株式会社，1986.

[7] 高等教育研究会 . 以大学的多样化发展为目标（III）[M]. 東京：行政株式会社，1992.

[8] 日臨時教育審議会. 教育改革に関する第三次答申[Z]. 長浜功.史料・国家と教育——近现代日本教育政策史. 東京：明石書店，1994.

[9] 学校教育法「Z」. 長浜功 . 史料 . 国家と教育——近现代日本教育政策史 . 東京：明石書店，1994.

[10] 文部省小学科 . 偏僻地区教育资料第 52 号[Z]. 東京：胜美印刷株式会社，1995.

[11] 佐藤全 . 教員に求められる力量と評価[M]. 東京：東洋館出版社，1996.

[12] 帝国大学令[Z]. 長浜功 . 史料・国家と教育—近現代日本教育政策史 . 東京：明石書店 . 1997.

[13] 文部省内生涯学习・社会教育行政研究会编集：《生涯学习社会教育行政必携》[R]. 1998.

[14] 文部省．わが国の文教施[Z]. 1987 年度、1990 年度、1991、1992、1993、1994、1997、 1998、1999、2000 年度。配布資料。

[15] 大学審議会．大学教員の任期制[A]. 高等教育研究会．大学審議会全 28 答申・報告集．東京：ぎょうせい出版，2002.

[16] 村上佑介. 地教行法下における教育長の遴任方法に関する実証的研究：教育長「専任性」と「兼任制との比較」[J]. 東京大学大学院教育学研究科纪要，2003：42.

[17] 小岛弘道．关于学校運営協議会[N]. 日本教育委员会月报，2004（10）.

[18] 市川须美子．教育小六法[M]. 学陽書房，2004.

[19] 天野郁夫．国立大学論——格差構造と法人化[J]. 大学財務經営研究．2006（03）：193−223.

[20] 文部科学省．文部科学白書[Z]. 東京：財政省印刷局，2001—2007 年度。

[21] 高階玲治．教育基本法の改正で教育はどう変わるか[M]．東京：ぎょうせい，2007.

[22] 岩田康之．教員免許の制度の改革：その日本的展と課題[J]. 教員育成カリキュラム開発研究センター年報，2008（7）: 27−36.

[23] 苅谷剛彦．教育と平等[M]. 東京：中公新書，2010.

[24] 文部科学省．文部科学白書[Z]. 東京：国立印刷局，2001—2012.

[25] 長尾英彦．いじめ問題に関する覚書[J]．中京法学，2014，48（3）: 75−79.

[26] 池谷河子．学校におけるいじめと法[J]. 現代社会研究，2014（12）：1−5.

[27] 文部科学省．文部科学白書[Z]. 東京：国立印刷局，2015.

[28] 文部科学省．文部科学白書[Z]. 東京：国立印刷局，2016.

[29] 文部科学省．文部科学白書[Z]. 東京：国立印刷局，2017.

互联网数据资料

[1] 第三次教育振興計画[EB/OL]．http://www. mext. go. jp/b_menu/shingi/chukyo/chukyo0/toushin/__icsFiles/afieldfile/2018/03/08/1402213_01_1. pdf.

[2] 文部科学省官网．学校調查概要[EB/OL]. http://www. mext. go. jp/component/b_menu/

other/__icsFiles/afieldfile/2017/08/03/1388639_2. pdf.

[3] 文部科学省．中央教育審議会大学分科会関係法令[EB/OL]．[2010-01-05]. http://www. mext. go. jp/b-menu/ shim/chukyo/chukyo0/gijiroku/attach/1302448. htm.

[4] 教育委员会法（昭和 23 年法律第 170 号）[EB/OL]. http://www. geocities. jp/nakanolib/hou/hs23-170. htm.

[5] 王智新．日本基础教育的经验、教训看我国教育改革[EB/OL]．[2017-12-28]. http://www. edu. cn/yiwujiaoy-1074/20060323/t20060323-65358. shtml.

[6] 日本召开会议制定教育委员会改革方案．[OB/OL]http://www. jyb. cn/world/gjsx/201304/t20130430_536042. htm.

[7] 文部科学省．特别非常勤講師の活用状[EB/OL][2018-02-20]. http://www. mext. go. jp/b-menus' hakusho/html/hpab200201/hpA6200201 2 031. htm1#fb1040103.

[8] 教育委员会法（昭和 23 年法律第 170 号）[EB/OL]．[2014-11-20]. http://www. geocities. jp/nakanolib/hou/hs23-170. htm.

[9] 日本 PTA 全国协议会主页，http://www. nippon-pta. or. jp/about/apleht-0000000kw6. htm.

[10] 教育改革国民会議．教育改革国民会議報告－教育を変える１７の提案－[EB/OL]. [2018-03-24]. https://www. kantei. go. jp/jp/kyouiku/hou-koku/1222report. htm.

[11] 文部科学省. 新しい教員評価システムの取り組み状況（平成22年4月現在）[EB/OL]. [2018-03-24]. http://www. mext. go. jp/b_menu/hou-dou/22/10/attach/1298542. htm.

[12] 文部科学省. 中央教育審議会（第53回）配付資料（3）人事管理及び教員評価の改善・充実－分限制度の厳格な適用や教員評価の処遇への反映等－[EB/OL]. [2018-03-24]. http://www. mext. go. jp/b_menu/shingi/chukyo/chukyo0/gijiroku/attach/1346172. htm.

[13] 京都市教育委員会．新たら教員評価システムの導入に向けて[EB/OL]. [2018-03-25]. https://www. city. kyoto. lg. jp/kyoiku/cmsfiles/contents/0000007/7135/kh_saishu. pdf.

[14] 青森県教育委員会．教職員の人事評価制度 の手引き（平成 28 年 3 月）[EB/OL]. [2018-03-25]. https://www. pref. aomori. lg. jp/soshiki/kyoiku/e-kyoin/files/hyoukaseido-tebiki. pdf.

[15] 文部科学省．教職員評価の現状（2016）．配布資料[EB/OL]. [2018-03-25]. http://www. mext. go. jp/b_menu/shingi/chukyo/chukyo3/052/siryo/__icsFiles/afieldfile/2016/01/05/1365651_10. pdf.

[16] 文部科学省. SNS活用した相談体制の構築に関する当面の考え方（中間報告）[R]. [EB/OL]. http://www. mext. go. jp/b_menu/shingi/chousa/sho-tou/131/houkoku/__icsFiles/afieldfile/2017/08/28/1394366_01. pdf.

[17] 文部科学省 . 平成 25 年私立高等学校授業料等の調査結果 . [EB/OL]. http://www. mext. go. jp/ menu/koutou/shinkou/07021403/006. htm.

[18] 日本大学評価・学位授与機関「大学評価・学位授与機関評価事業の今後のあり方について」[R]. 中間報告. 2003：4. http: //www. jabee. org/openho-hopage/jabee3. htm，2007年8月25日。

[19] 文部科学省官网公开数据[EB/OL]. http://www. mext. go. jp/a_menu/koutou/senmonshoku/__icsFiles/afieldfile/2017/07/14/1388009_1. pdf.

[20] 第九次職業能力基本計画（案）. [EB/OL]. http://www. mhlw. go. jp/stf/hou-dou/2r98520000016b8v-img/2r9 8520000016Uac. 2011. pdf，4-5.

[21] 長岡工業高等専門学校学生便覧 2015[EB/OL]. [2016-12-15]. http://www. nagaoka-ct. ac. jp/zaikou/713. htm.

[22] 中央教育審議会 . 人口減少時代の新しい地域づくりに向けた社会教育の振興方策について（配布資料）[EB/OL]. http://www. mext. go. jp/b_menu/shingi/chukyo/chukyo0/gijiroku/__icsFiles/afieldfile/2018/03/05/1401997_08. pdf.

（鄂）新登字 02 号

图书在版编目（CIP）数据

日本教育治理研究/赵霞著.
—武汉：湖北教育出版社，2020.6
（全球教育治理研究系列）

ISBN 978-7-5564-2934-9

Ⅰ.①日…
Ⅱ.①赵…
Ⅲ.①教育管理-研究-日本
Ⅳ.①G531.36

中国版本图书馆 CIP 数据核字（2020）第 049805 号

日本教育治理研究　RIBEN JIAOYU ZHILI YANJIU

出品人	方　平	策　划	刘　艺
责任编辑	朱思思	责任校对	王艳波
封面设计	牛　红　何亦明	责任督印	张遇春

出版发行	长江出版传媒	430070	武汉市雄楚大道 268 号
	湖北教育出版社	430070	武汉市雄楚大道 268 号
经　销	新　华　书　店		
网　址	http://www.hbedup.com		
印　刷	湖北恒泰印务有限公司		
地　址	武汉市江夏庙山开发区汤逊湖工业园		
开　本	710mm×1000mm　1/16		
印　张	15.5		
字　数	220 千字		
版　次	2020 年 6 月第 1 版		
印　次	2020 年 6 月第 1 次印刷		
书　号	ISBN 978-7-5564-2934-9		
定　价	76.00 元		